6.00

Yukonnaise
de Mylène Gilbert-Dumas
est le neuf cent soixante-deuxième ouvrage
publié chez VLB ÉDITEUR

VLB ÉDITEUR
Groupe Ville-Marie Littérature inc.
Vice-président à l'édition : Martin Balthazar
Une compagnie de Quebecor Media
1010, rue De La Gauchetière Est
Montréal (Québec) H2L 2N5
Tél. : 514 523-1182
Téléc. : 514 282-7530
Courriel : vml@groupevml.com

Maquette de la couverture : Martin Roux
Illustration en couverture : Julien Del Busso
Carte intérieure : Mammoth Mapping

Catalogage avant publication de Bibliothèque et Archives nationales
du Québec et Bibliothèque et Archives Canada

Gilbert-Dumas, Mylène, 1967-
Yukonnaise
ISBN 978-2-89649-369-2
I. Titre.
PS8563.I474Y94 2012   C843'.6   C2012-940316-4
PS9563.I474Y94 2012

DISTRIBUTEURS EXCLUSIFS
• Pour le Québec, le Canada
et les États-Unis :
LES MESSAGERIES ADP*
2315, rue de la Province
Longueuil (Québec) J4G 1G4
Tél. : 450 640-1237
Téléc. : 450 674-6237
*filiale du Groupe Sogides inc.,
filiale de Quebecor Media inc.

• Pour l'Europe :
Librairie du Québec / DNM
30, rue Gay-Lussac
75005 Paris
Tél. : 01 43 54 49 02
Téléc. : 01 43 54 39 15
Courriel : direction@librairieduquebec.fr
Site internet : www.librairieduquebec.fr

Pour en savoir davantage sur nos publications,
visitez notre site : editionsvlb.com
Autres sites à visiter : editionshexagone.com • editionstypo.com

Dépôt légal : 1er trimestre 2012
Bibliothèque et Archives nationales du Québec, 2012
Bibliothèque et Archives Canada

YUKONNAISE

DE LA MÊME AUTEURE

Les dames de Beauchêne, t. I, Montréal, VLB éditeur, coll. « Roman »,
   2002.
Mystique, Montréal, La courte échelle, coll. « Mon roman », 2003.
Les dames de Beauchêne, t. II, Montréal, VLB éditeur, coll. « Roman »,
   2004.
Les dames de Beauchêne, t. III, Montréal, VLB éditeur, coll. « Roman »,
   2005.
Rhapsodie bohémienne, Saint-Lambert, Soulières éditeur, coll.
   « Graffiti », 2005.
1704, Montréal, VLB éditeur, coll. « Roman », 2006.
Lili Klondike, t. I, Montréal, VLB éditeur, coll. « Roman », 2008.
Lili Klondike, t. II, Montréal, VLB éditeur, coll. « Roman », 2009.
Lili Klondike, t. III, Montréal, VLB éditeur, coll. « Roman », 2009.
Sur les traces du mystique, Saint-Lambert, Soulières éditeur, coll.
   « Graffiti », 2010.
L'escapade sans retour de Sophie Parent, Montréal, VLB éditeur,
   coll. « Roman », 2011.

À paraître :
Mort suspecte au Yukon, Saint-Lambert, Soulières éditeur, coll.
   « Graffiti », 2012.

Mylène Gilbert-Dumas

YUKONNAISE

roman

vlb éditeur
Une compagnie de Quebecor Media

On peut communiquer avec l'auteure par courriel à l'adresse suivante :
mylene.gilbertdumas@sympatico.ca
Visitez la page Facebook du roman : Yukonnaise.

VLB éditeur bénéficie du soutien de la Société de développement des entreprises culturelles du Québec (SODEC) pour son programme d'édition.

L'auteure remercie le Conseil des Arts du Canada pour son soutien à la rédaction de cet ouvrage.

Gouvernement du Québec – Programme de crédit d'impôt pour l'édition de livres – Gestion SODEC.

Nous reconnaissons l'aide financière du gouvernement du Canada par l'entremise du Fonds du livre du Canada pour nos activités d'édition.

Nous remercions le Conseil des Arts du Canada de l'aide accordée à notre programme de publication.

Pour mes amis yukonnais

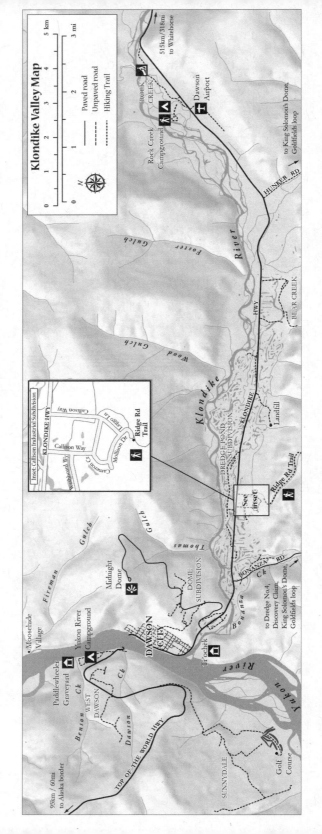

Klondike Valley Map

	Paved road	
	Unpaved road	
	Hiking Trail	

0 1 2 3 4 5 km

0 1 2 3 mi

Inset: Callison Industrial Subdivision

KLONDIKE HWY
Callison Way
Callison Way
Webwood Way
Cameron Cr
Mollison Dr
Tr980 Ln
Ridge Rd Trail

See inset

Ridge Rd Trail

DREDGE POND SUBDIVISION

KLONDIKE

Landfill

KLONDIKE HWY

BEAR CREEK

Wood Gulch

Foster Gulch

Klondike River

HUNKER RD

to King Solomon's Dome, Goldfields loop

Dawson Airport

Rock Creek Campground

ROCK CREEK

515km/318mi to Whitehorse

Fireman Gulch

Gulch

Thomas Gulch

Midnight Dome

DOME SUBDIVISION

BONANZA RD

Bonanza Ck

to Dredge No.4, Discovery Claim King Solomon's Dome, Goldfields loop

Mooschide Village

Paddlewheeler Graveyard

Yukon River Campground

DAWSON CITY

Tr'ochek

West Dawson Ck

Benson Ck

Dawson Ck

TOP OF THE WORLD HWY

95km/60mi to Alaska border

Yukon River

SUNNYDALE

Golf Course

Il faut toujours un coup de folie
pour bâtir un destin.
MARGUERITE YOURCENAR

There is a crack in everything
That's how the light gets in
LEONARD COHEN

1.

2009

J'avais loué une maison à Dawson, au pied du Midnight Dome. Par la fenêtre de la cuisine, on voyait le fleuve Yukon et la falaise, de l'autre côté. Le village se déployait au premier plan, avec ses édifices colorés et bordés d'arbres minces, givrés en hiver. C'était une grande maison, selon les critères de Dawson. Au Québec, on aurait dit un chalet. Maureen, la propriétaire, l'avait construite de ses mains et répétait à qui voulait l'entendre qu'elle avait pelé elle-même chacun des troncs avant de les assembler pièce sur pièce. À la fin janvier, quand le soleil recommençait sa tournée, il se couchait de biais, presque au sud. Ses rayons s'engouffraient alors par les fenêtres, inondant le salon de rose, de mauve et d'orangé. C'était du moins ce que prétendait l'annonce que j'avais trouvée sur internet.

À ceux qui me posaient la question, je répondais que je louais la maison. En vérité, on me la prêtait en échange de menus services. Maureen possédait un appartement au Mexique. Depuis sa retraite de l'enseignement, elle y passait un mois par année. L'hiver, de préférence. Pendant ce qu'elle appelait ses «vacances», elle offrait sa maison de Dawson à quiconque s'engageait à nourrir le poêle à bois, histoire de préserver les tuyaux du gel. L'occupant devait également prendre soin d'un chien et d'un chat. Rien de bien compliqué, m'étais-je dit en sautant sur l'occasion.

Je suis écrivain. Écrivaine, plutôt. En 2009, après six mois de congé sabbatique à réfléchir devant un écran blanc, j'étais une écrivaine qui ne savait toujours pas sur quoi allait porter son prochain roman.

Je me trouvais en transit à Whitehorse ce jour-là. Mon avion avait atterri la veille au soir, et j'attendais de prendre un vol vers Dawson City le lendemain.

Nous étions en janvier. Les touristes qui envahissaient le Yukon de la fin mai à la fin août avaient depuis longtemps abandonné le territoire aux Yukonnais. Pour passer le temps, j'avais trouvé refuge au Baked Café, à l'intersection de la Main et de la 1re Avenue, c'est-à-dire à une dizaine de mètres seulement du fleuve, donc exposé aux intempéries. M'y rendre avait été périlleux à cause de l'obscurité qui s'éternisait, mais aussi parce que la neige tombait en abondance et que le vent du nord se montrait harassant. À l'intérieur cependant, l'air surchauffé avait un parfum de cannelle que j'ai trouvé revigorant.

Dès mon arrivée, l'aspect familier des lieux avait fait naître un sourire sur mes lèvres. Un éclairage cru, des murs peints orange brûlé, une déco éclectique, mélange de boiseries traditionnelles et d'œuvres d'art contemporain. Avec la musique d'Amy Winehouse qui planait en sourdine, on oubliait qu'on se trouvait au Yukon pour s'imaginer quelque part sur le Plateau Mont-Royal ou dans le chic quartier Montcalm à Québec. Il s'agissait de toute évidence d'un lieu branché, mais, si tôt le matin un jour de tempête, l'endroit était désert, mis à part un jeune homme penché sur son ordinateur.

J'ai boudé les fauteuils pour m'asseoir sur une chaise droite et poser mon propre ordinateur sur la table adjacente.

De là, mon bol de café dans les mains, je n'avais qu'à lever les yeux pour admirer, à travers l'immense mur vitré, le jour qui gagnait enfin sur la nuit. Il était passé 10 heures.

C'est en reportant mon attention sur l'intérieur du café que j'ai aperçu l'affiche fixée au-dessus de la porte. Il s'agissait d'une photographie laminée d'un vieil édifice de trois étages recouvert de déclin rose. Les mots « Westminster Hotel, est. 1898 » peints sur la façade contribuaient à lui donner un petit air western qui rappelait l'époque des chercheurs d'or. Voilà qui me ramenait malgré moi à mon travail. J'ai effleuré le clavier de mon ordinateur pour le sortir de son état de veille et j'ai ouvert le dossier ROMAN auquel je n'avais pas touché depuis quelques jours. Puisque j'étais au Yukon pour écrire, aussi bien m'y mettre !

Ce n'était pas par hasard si j'avais proposé mes services pour garder la maison de Maureen. Après tout, il y a plus exotique pour une Québécoise qu'un hiver dans le Grand Nord. La vérité, c'est que j'espérais trouver l'inspiration à Dawson City. Une partie du village avait été restaurée, et j'étais persuadée qu'on y sentait encore l'esprit de la ruée vers l'or. Si c'était le cas, je me disais que j'arriverais peut-être à raconter dans un roman les difficultés qui avaient jonché la route des prospecteurs cent ans plus tôt.

J'étais sur le point de relire mes notes lorsqu'une femme a franchi la porte du café. Je dis une femme, mais, sur le coup, la chose ne m'a pas semblé évidente. Des traits neutres et droits donnaient à son visage un air androgyne. Sans l'assurance qu'on sentait dans chacun de ses gestes, on aurait même pu croire, de dos, qu'il s'agissait d'un adolescent. Après s'être immobilisée sur le seuil, elle a secoué son parka et ses bottes pour faire tomber la neige qui lui collait au corps. Elle a ensuite retiré son bonnet péruvien, dévoilant une chevelure épaisse et sombre, coupée très court. C'était bel et bien une femme, malgré sa nuque solide et sa poitrine invisible. Elle mesurait à peine cinq pieds et, à première vue, on lui aurait donné une quarantaine d'années avec sa peau mate, son nez droit, ses yeux noirs et profonds bordés de pattes d'oie discrètes.

Je continuais de la détailler quand j'ai réalisé que je la connaissais. Je ne me rappelais pas où, mais j'étais certaine de l'avoir déjà rencontrée. Était-ce cette sensation de déjà-vu qui piquait ma curiosité? À moins que ce fût son attitude posée, car il se dégageait d'elle une sérénité qu'on ne manquait pas de remarquer. Elle se déplaçait avec calme et assurance, comme si elle était chez elle, dans sa maison, indifférente à la tempête qui sévissait toujours.

Chose certaine, sa confiance en elle ne venait pas du chic de ses vêtements. Au contraire! Je me suis même dit sur le coup qu'elle était «habillée comme la chienne à Jacques». Les carreaux du pantalon ne s'agençaient aucunement avec les motifs de la chemise, ni avec ses couleurs. Même le col roulé qu'elle portait en dessous jurait. Cette apparence, qu'on aurait pu qualifier de négligée, ne traduisait pourtant chez elle aucune négligence. Dans le genre, je lui trouvais même une certaine élégance. Ses priorités se trouvaient manifestement ailleurs.

Elle s'est commandé un café, s'est installée dans un des fauteuils et a sorti de son sac à dos un livre qu'elle a abandonné sur une table le temps de boire quelques gorgées.

J'ai toujours aimé les livres. Bien avant d'être écrivaine, je sondais la personnalité des gens en parcourant leur bibliothèque. J'étais convaincue – et je le suis toujours – que des affinités de lecture se traduisent par des affinités personnelles. J'en ai conclu ce jour-là que l'inconnue et moi avions des goûts communs. Ce livre posé devant elle avait une place de choix dans ma bibliothèque. *Le festin de Babette* possédait peut-être une couverture différente en version anglaise, mais ce prénom, Babette, était trop peu commun pour passer incognito.

Je me suis replongée dans mon ordinateur et, en quelques clics, j'ai retrouvé les premières lignes du conte de Karen Blixen. *Il y a en Norvège un long fjord étroit, enserré par de hautes montagnes, le Fjord de Berlevaag. Au pied des montagnes s'étend la ville de Berlevaag, qui a des airs de jouet, de miniature faite de petits cubes de bois peints en gris, en jaune, en blanc, en rose et en d'autres couleurs.*

L'image m'a frappée, et je me suis rappelé la description que Maureen avait faite de son village. En fouillant dans mes courriels, j'ai retrouvé le sien et comparé les deux textes. Bien que celui de Maureen ait été écrit en anglais, le contenu correspondait presque mot pour mot.

« Il y a au Canada un long fleuve étroit, enserré par de hautes montagnes, le fleuve Yukon. Au pied des montagnes s'étend la ville de Dawson, qui a des airs de jouet, de miniature faite de petits cubes de bois peints en gris, en jaune, en blanc, en rose et en d'autres couleurs. »

Ça ne pouvait être une coïncidence.

Dans son fauteuil, Babette – c'est ainsi que je venais de la baptiser – lisait en sirotant son café. Quel lien pouvait-il y avoir entre cette inconnue qui ne l'était pas tout à fait, le livre de Karen Blixen et cette maison dans laquelle j'allais emménager, si tout allait bien, le lendemain ?

En même temps, d'autres questions se bousculaient dans mon esprit. Où avais-je déjà croisé Babette ? Ma mémoire me faisait défaut. Je n'arrivais pas à mettre un nom sur son visage, à le coller à un événement ou à un lieu. À moins que j'aie eu affaire à une journaliste que j'aurais vue un jour à la télé… Je m'interrogeais encore quand elle s'est levée pour se diriger vers moi. Aussi gênée que si on m'avait surprise en train de voler, j'ai senti le rouge me monter aux joues. Babette s'est arrêtée à deux pas et m'a demandé du feu en agitant entre ses doigts une cigarette roulée à la main. Sa voix était chaude, presque masculine. J'ai regretté mon obsession pour la santé.

— Sorry, I don't smoke.

Elle a accepté mes excuses avant d'aller poser la même question au jeune homme, toujours le seul client à part nous deux. Ce dernier lui a tendu un briquet avec lequel elle est sortie sur le trottoir. Je continuais de l'étudier à travers la vitrine tandis qu'elle allumait sa cigarette. Il y avait une certaine raideur dans son geste quand elle a penché la tête vers la flamme. On aurait dit que son bras ne pliait pas jusqu'au bout. Ce détail s'ajoutait à tous les autres et avivait ma curiosité.

Pendant cette pause cigarette, nos regards se sont croisés à quelques reprises, mais elle n'a pas manifesté le moindre intérêt pour moi. Ou bien elle ne me reconnaissait pas, ou bien elle ne me connaissait pas. Au bout d'une dizaine de minutes, elle est revenue de son pas tranquille, a rendu son briquet au jeune homme et a repris sa lecture comme si de rien n'était.

À l'heure du dîner, les clients sont entrés par dizaines, vêtus de tenues de sport chics, le genre vêtements de ski ou de raquette, mais adaptés pour le bureau. Ils ont mangé et sont repartis en moins d'une heure.

La lumière du jour avait commencé à s'estomper quand, vers 15 heures, Babette s'est approchée du comptoir où elle a demandé à téléphoner. Je l'ai entendue échanger quelques mots en anglais avec son interlocuteur, puis elle a raccroché, l'air satisfait. Avec une précipitation soudaine, elle a ramassé ses affaires, les a rangées dans son sac et a enfilé son manteau. Juste avant de sortir, elle s'est tournée vers moi une fraction de seconde, et j'aurais juré qu'elle me gratifiait d'un sourire. Quelques minutes plus tard, une voiture s'arrêtait devant le restaurant. Babette s'y est engouffrée, et je l'ai perdue de vue au coin de la rue.

Le lendemain matin, j'ai trouvé l'aéroport agité. Et pour cause, trois avions devaient décoller dans l'avant-midi. Les voyageurs attendaient en file, poussant ou tirant sur leurs valises à mesure qu'ils progressaient vers le kiosque d'enregistrement. J'ai pris ma place dans le rang sans me poser de questions. Au bout d'une dizaine de minutes, un homme en uniforme s'est approché.

— Pour Dawson, c'est par là, Madame.

Pour Dawson… Comment savait-il que je m'en allais à Dawson ? Je n'avais encore montré mon billet à personne. J'ai jeté un œil dans la file, et il m'a fallu un moment pour comprendre ce qui clochait. Les autres voyageurs portaient des manteaux légers et des chaussures, rien de bien chaud, alors que moi… Avec mon parka, mes grosses bottes, mon foulard, mes mitaines et la tuque qui dépassaient de mes poches, j'étais fin prête pour une expédition en Antarctique avec Jean Lemire.

Comme je ne réagissais pas, l'homme m'a indiqué un guichet où un agent me faisait de grands signes.

— Pour Dawson, c'est par là.

J'ai ramassé ma valise au moment où d'autres voyageurs franchissaient la porte coulissante, aussi chaudement vêtus que je l'étais. J'ai trouvé rassurant par la suite de les voir aller et venir dans l'aéroport. Tant qu'ils parlaient entre eux, déjeunaient dans l'unique restaurant de la place ou lisaient assis sur un banc, ils étaient la preuve que je n'avais pas manqué mon vol.

Il s'écoula un peu plus d'une heure. Le temps pour un avion d'atterrir et pour deux autres de décoller. Autour de moi, ceux que j'avais identifiés comme mes compagnons de voyage continuaient de jaser. Ils se connaissaient presque tous. Un mélange d'Amérindiens et de Blancs qui discutaient comme s'ils se fréquentaient au quotidien depuis longtemps. L'agent nous avait dit d'attendre à l'autre extrémité du terminal.

On viendrait nous chercher. Personne n'était encore venu. L'heure du décollage était passée depuis trente minutes au moins quand le même agent s'est approché pour nous annoncer que le départ était annulé. Il y avait du brouillard sur Dawson. Impossible d'y atterrir. On nous offrait un vol de remplacement le lundi.

— Comment ça, lundi? On doit bien pouvoir partir demain?

Je l'avais apostrophé au moment où il s'avançait avec sa liste de passagers.

— Il n'y a pas de vol vers Dawson la fin de semaine.

Pas de vol vers Dawson… Si j'étais consternée, les autres, eux, avaient déjà récupéré leurs bagages et s'en retournaient en ville. Un voyage repoussé faisait partie de la *game* quand on vivait dans le Grand Nord. Ils en avaient l'habitude. Ce n'était pas mon cas, et je sentais l'inquiétude me gagner. Maureen comptait sur moi pour s'occuper de sa maison et de ses animaux dès ce soir. N'y avait-il pas un bus? un train?

L'agent m'a souri avec indulgence.

— Allez au comptoir. On va vous rembourser votre billet. Vous pourrez ensuite louer une voiture. Mais soyez prudente. La route peut se montrer traîtresse dans le Nord.

Il avait dit «dans le Nord» comme si on n'y était pas déjà, comme si, plus haut, les choses se devaient d'être pires.

La journée s'annonçait longue, alors c'est à peine si j'ai pris le temps d'étudier la carte. Je l'ai plutôt laissée dépliée sur le siège du passager pour y jeter un coup d'œil de temps en temps. Je savais l'essentiel: d'abord la route de l'Alaska, puis la route du Klondike, vers le nord, à la sortie de Whitehorse.

Je roulais depuis une dizaine de minutes environ quand j'ai aperçu une silhouette qui tendait le pouce sur le bord de la route. Au Québec, je ne me serais jamais arrêtée, mais il y a des risques qu'on ne prend qu'en voyage. Et puis quelque chose dans le maintien de cette personne avait attiré mon attention. Courte, trapue avec son sac à dos et son parka, ça ne pouvait être que la Babette de la veille. J'ai enfoncé la pédale de frein, immobilisant la voiture une centaine de mètres plus loin. Par le rétroviseur, je l'ai vue accourir.

— *Where are you going?* lui ai-je lancé, la voix étouffée par le grincement de la vitre que j'abaissais, côté passager.

Elle a souri.

— *Dawson City. And you?*

— *The same. Get in!*

La portière s'est ouverte à l'arrière, et le sac à dos a atterri sur la banquette. Puis Babette a soulevé ma carte routière pour s'installer en avant.

— *Where are you from?*

— Québec.

— Tu parles français?

À cause de la surprise, et du comique de la situation, nous avons éclaté de rire en même temps. Je dois dire que le fait que nous étions deux Québécoises au Yukon a ravivé mes interrogations de la veille. Plus loin, sur la route du Klondike, la voiture a pris sa vitesse de croisière, et j'ai profité d'un segment bien droit pour dévisager ma passagère. En plein jour, sous une lumière naturelle, ses traits paraissaient accentués, mieux découpés, plus frappants. Son visage m'a semblé plus que jamais familier.

— Quand je t'ai vue hier, au café, je me suis dit que je te connaissais.

— C'est possible.

Babette a tourné les yeux vers un lac qu'on devinait sur la droite. Son enthousiasme du début venait de faire place à une réserve surprenante. Je m'agitais sur mon siège. Non seulement je voulais éclaircir la situation, mais je savais que le trajet allait nous peser s'il fallait rouler en silence. J'ai continué de fouiller dans ma mémoire à la recherche d'un visage, d'un nom, d'une voix. Je n'avais encore rien trouvé quand Babette m'a lancé :

— Je m'appelle Isabelle.

Aussitôt, ce prénom s'est superposé à celui d'une autre Isabelle, à son visage et à sa voix. Une femme rencontrée il y avait si longtemps que mes souvenirs en étaient un peu flous. Cette Isabelle-là était menue et avait une chevelure brune qui lui tombait jusqu'aux reins. Je l'avais toujours vue maquillée avec ces couleurs et ces excès qu'on ne trouve que chez les esthéticiennes. Or, ma passagère ne portait même pas de mascara ! Ses yeux semblaient plus petits, son visage, plus rond. Et, avec ses cheveux courts en bataille et ses vêtements usés et mal agencés, elle avait tout d'une fille des bois, à des lieues de la jeune femme soignée de l'époque.

Je doutais. Était-ce possible que ces deux Isabelle ne fassent qu'une ?

— As-tu déjà été esthéticienne à Québec ?

J'avais posé ma question pour en avoir le cœur net, mais je n'ai pas eu besoin de réponse. L'ombre qui venait de passer dans les yeux de ma passagère confirmait ce que j'avais deviné. Je savais maintenant où je l'avais rencontrée. Ou plutôt quand. Il y avait environ vingt ans, aussi bien dire dans une autre vie, j'avais fréquenté un salon d'esthétique avec l'espoir d'enrayer l'acné qui ravageait mon visage d'adolescente. Isabelle St-Martin s'était acquittée de cette tâche pendant trois ans, jusqu'à ce que ma famille déménage en banlieue.

— Je m'appelle Béatrice Gagnon. Je pense que j'ai déjà été ta cliente.

Isabelle s'est tournée vers moi pour m'étudier à son tour, et son regard s'est éclairci. Elle venait de me reconnaître.

— Wow ! Ça fait longtemps !

Ça faisait longtemps, en effet. Une vingtaine d'années et autant de kilos supplémentaires avaient fait de moi une femme bien différente de la jeune fille que j'avais été. Isabelle m'a demandé ce que je faisais dans la vie et ce qui m'amenait au Yukon. Je lui ai parlé de mon année sabbatique et de cette maison que je venais garder à Dawson.

— Tu vas rester chez Maureen ?

J'avais vu juste ; les deux femmes se connaissaient. Maintenant, non seulement je voulais savoir dans quelles circonstances elles s'étaient rencontrées, mais je voulais aussi connaître les raisons qui avaient conduit une esthéticienne bourgeoise aussi loin de chez elle. Je lui ai posé cette dernière question, mine de rien. Elle m'a répondu de la même manière.

— Je suis venue pour travailler dans le tourisme un été. Je ne suis jamais repartie. Ça fait neuf ans.

Que ça fasse neuf ans, je voulais bien le croire, mais qu'Isabelle soit partie de Québec uniquement pour travailler dans le tourisme relevait du pur mensonge. Des touristes, à Québec, on n'en manquait pas. Et puis le climat y était bien plus clément.

Parce que je la connaissais trop peu pour la confronter, j'ai préféré me taire et me concentrer sur le paysage qui, lui aussi, avait de quoi m'intriguer. Le ciel était bleu, il était passé midi, mais on ne voyait pas le moindre rayon de soleil. On le devinait cependant, ce soleil, sous les collines, hésitant ou résigné, mais obstinément invisible. Autour de nous, dans un horizon désert, les troncs nus des peupliers faux-trembles se découpaient sur le blanc de la neige. Des épinettes trapues se concentraient en bandes tandis qu'au loin se dessinaient les vallons qui précèdent les Rocheuses.

Après m'avoir dressé un compte rendu des prévisions de la météo pour les sept prochains jours, Isabelle s'est tue. Le silence a été toutefois de courte durée parce que je me suis remise à parler. C'était plus fort que moi. La curiosité me consumait.

— Quand je t'ai vue au café hier, tu lisais *Le festin de Babette* en anglais.

— C'est une amie qui me l'a recommandé. L'as-tu lu ?

— Souvent. Parlais-tu anglais avant de venir ici ?

Encore une fois, ma question l'a dérangée. J'ai compris que, si je lui en donnais l'occasion, Isabelle descendrait de voiture pour tenter sa chance avec quelqu'un qui ne s'intéresserait pas à son passé. Mieux valait me taire.

De chaque côté de la route venaient d'apparaître les berges brûlées du lac Fox. Des troncs ébranchés et calcinés émergeaient du sous-bois et traçaient à l'horizon une dentelle sépulcrale. Un panneau datait l'incendie de 1998. J'aurais dû me désoler d'une telle catastrophe, mais toute mon attention restait concentrée sur Isabelle et rien, pas même un désastre écologique, n'aurait pu l'en détourner. Où était passée l'esthéticienne d'autrefois ? Comment avait-elle atterri au Yukon ? Où avait-elle trouvé cette confiance en elle qui me fascinait ?

Le silence qui régnait dans la voiture semblait s'étendre à la végétation ravagée, mais, dans les deux cas, il y avait de l'espoir. Ici et là, des feuillages flétris brisaient le couvert de neige. Et dans le souffle d'Isabelle, j'ai perçu une hésitation qui m'a réjouie. Comme pour me donner raison, elle a incliné son siège, s'est déchaussée et a posé les pieds sur la boîte à gants.

— On peut vivre en français à Whitehorse, mais pas à Dawson. Et puis, même si je suis venue au Yukon pour un Québécois, les hommes que j'ai fréquentés ensuite parlaient juste anglais.

C'est ainsi qu'Isabelle a commencé à me raconter l'histoire de la petite fille de l'école privée qui avait coupé ses cheveux et s'était affranchie de la mode et de la bonne société de Québec pour refaire sa vie au Yukon.

Pendant qu'elle parlait, une image m'a traversé l'esprit, celle de dizaines de milliers de prospecteurs venus au Yukon pour s'enrichir cent ans plus tôt. D'une certaine manière, je leur ressemblais. À ceci près que ma mine d'or à moi ne se trouvait pas sous la terre, mais dans ma voiture, sur le siège du passager.

2.

Isabelle St-Martin avait vu le jour à Sainte-Foy à une époque où Sainte-Foy était encore une ville, avec son maire, son corps policier et ses pompiers. Les parents d'Isabelle avaient gravi les échelons de la société et avaient depuis longtemps oublié leurs origines modestes. Ils possédaient une vaste demeure en bordure de la falaise dans un des quartiers cossus de la pointe ouest. La pelouse y était plus verte, les fenêtres plus propres, et les rideaux mieux plissés et festonnés que partout ailleurs dans la rue. À l'automne, quand les érables du fond de la cour se dénudaient, on voyait depuis la porte-fenêtre les bateaux qui passaient sur le fleuve.

Fille d'un cadre supérieur de la Reed Paper et de sa secrétaire, Isabelle avait reçu, comme Richard, son frère aîné, une bonne éducation. Leçons de piano, école de ballet classique, peinture. On l'initiait à tout, et rien n'était trop difficile pour elle. Parce qu'elle était née en septembre, Isabelle était depuis la maternelle la plus jeune de sa classe. Ce détail, insignifiant en apparence, avait eu des conséquences inattendues. Que ce soit chez le médecin ou dans les fêtes de famille, ses parents aimaient la comparer aux petites filles du même âge. Isabelle paraissait alors plus mature, plus sérieuse et plus intelligente. Sa mère en parlait comme d'une enfant prodige. Son père vantait ses talents devant ses collègues de travail. Même Richard s'enorgueillissait d'avoir une petite sœur aussi douée et préparait pour elle des tours de chien savant à exécuter devant ses copains. Cette période de pur bonheur prit fin lorsqu'elle entra au secondaire dans une école privée. Au contact de jeunes filles encore plus riches, Isabelle subit des influences nouvelles. C'est ainsi que, dès l'âge de douze ans, elle abandonna piano, ballet et peinture pour consacrer le plus clair de son temps à trouver la bonne coiffure, le bon maquillage, la bonne longueur de jupe, la meilleure coupe de jean, la meilleure musique, les chanteurs et les acteurs les plus sexy. Elle s'y serait consacrée encore longtemps si elle n'avait connu, au moment où elle s'y attendait le moins, son premier choc avec la réalité.

C'était à l'été. Isabelle allait avoir quatorze ans et vivait dans l'insouciance. Ce jour-là, le soleil tapait fort sur la région de Québec. La brise portait jusque dans la ville le bruit des voitures empruntant le chemin de l'Anse au Foulon. Devant le garage, son père lavait sa voiture en écoutant une tribune téléphonique à la radio. D'habitude, en ce temps-là de l'année, les auditeurs se prononçaient sur la prochaine saison des Nordiques. Tel joueur à échanger, tel autre à recruter. Mais on était en 1982. Gilles Villeneuve venait de mourir pendant le Grand Prix de Belgique. En ondes, les hommes donnaient leur avis sur les causes de l'accident.

De l'autre côté de la maison, une radio posée sur le patio diffusait la musique de Michael Jackson. Isabelle avait déplié sa chaise longue en bordure de la falaise et déposé à portée de la main un verre d'orangeade et un bol de croustilles. Elle s'était allongée en mesurant chaque geste, relevant son épaisse chevelure brune, posant sur son nez une paire de lunettes fumées afin de dissimuler son regard. Elle portait un maillot de bain neuf et des sandales à talons hauts. Sa peau déjà hâlée ne craignait pas de rougir. Elle luisait même au soleil, attirant l'œil concupiscent de Steve, qui l'espionnait par une fenêtre à l'étage de la maison voisine. Steve, c'était sa victime, la première, celle sur qui Isabelle testait ses charmes naissants. Et elle les testait tous les jours de soleil depuis le début des vacances.

Elle gisait donc là, sa chair offerte à la caresse du vent, quand la porte moustiquaire claqua. Sa mère traversa le terrain en froissant un bout de papier.

— Tiens! Ça vient d'arriver.

Quand Isabelle ouvrit les yeux, sa mère avait déjà tourné les talons et abandonné sur le ventre de sa fille une enveloppe décachetée. Isabelle reconnut la papeterie et le logo de l'école. Son bulletin. Elle retira la grande feuille pliée en trois et grimaça. Ses notes s'alignaient, cruelles : 58, 64, 65, 70. Le pire, c'était les maths, où elle échouait lamentablement avec 52 %. Pas de quoi être fière, certes, mais pas de quoi non plus s'inquiéter. Sa mère arrangerait l'affaire, comme d'habitude. Isabelle suivrait des cours d'été. L'année prochaine, évidemment, parce que cette année l'été était trop avancé et bien trop beau pour s'enfermer toute la journée.

En fille docile, elle avait rapporté son bulletin à ses parents à chaque étape. Au premier échec, elle leur avait tendu la feuille un peu craintive, car elle était consciente de la déception qu'elle risquait de causer. Mais ses notes, pour basses qu'elles étaient, n'avaient jamais produit le moindre effet. Isabelle n'avait jamais reçu ni sanction, ni avertissement, ni réprimande. Elle s'était donc fiée au jugement de ses parents. Si l'heure avait été vraiment grave, ils auraient réagi. Elle avait de toute façon bien d'autres préoccupations. Le petit nouveau dans le quartier. La plus récente boutique de jeans de la Place Laurier. La nuance de bleu de son *eyeliner* qui lui plaisait de moins en moins. Et ses cheveux qui ne gonflaient pas assez malgré la mousse dont elle faisait bon usage.

Elle replia le bulletin, le glissa dans l'enveloppe qu'elle laissa choir sur le sol. Elle ne détestait pas l'école. Qu'aurait-elle fait de ses journées si elle n'avait pas été obligée d'y aller?

Comment aurait-elle rencontré ses amies ? Avec qui aurait-elle parlé des garçons ? Cependant, même si elle n'avait jamais ressenti le besoin de faire l'école buissonnière, Isabelle n'éprouvait pour ses cours qu'un tiède intérêt. Rien de ce qu'on lui enseignait ne paraissait digne d'un effort. Rien non plus ne semblait avoir d'applications pratiques.

Au souper, ce soir-là, puisque l'échec en mathématiques s'avérait incontestable, ses parents, en dignes fatalistes, acceptèrent l'événement comme un coup du destin. Prenant leur fils à témoin, ils déclarèrent avoir toujours su qu'Isabelle n'était pas faite pour les études. Peut-être avaient-ils vraiment oublié ses succès du primaire, mais la cause réelle de cette réaction se trouvait dans la honte. Qu'est-ce que les voisins, les amis, la famille et les collègues de travail allaient penser de ce revirement ? Leur petit prodige échouait. La chose était inconcevable, inacceptable. Il fallait trouver une solution afin d'éviter que tout le monde l'apprenne et que tout le monde en parle. Pas question de payer des cours d'été, ni cette année ni l'année suivante. Ça se saurait. Mieux valait dissimuler l'échec

— Pourquoi ne suivrais-tu pas un cours professionnel ? Puisque le maquillage et la coiffure t'intéressent à ce point, on te verrait en esthétique. Trois ans, et c'en serait fini.

Isabelle ne sut d'abord que répondre. L'idée de finir l'école au plus vite ne lui déplaisait pas, mais elle n'avait jamais pensé à devenir esthéticienne. Et puis elle n'aimait pas vraiment s'occuper des autres, les toucher, les pomponner. Quand elle gardait ses petites voisines, c'est du bout des doigts qu'elle changeait leurs couches.

Au dessert, elle ressortit son bulletin et examina de nouveau ses notes. Ce n'était peut-être pas de grands succès, mais était-ce vraiment la catastrophe ?

— Tu échoues en maths et en anglais. L'école ne te reprendra pas, c'est certain.

— Mais j'ai réussi partout ailleurs! J'ai même soixante-dix pour cent en français!

Sa mère avait poussé un soupir d'exaspération en secouant la tête. Elle n'avait jamais eu besoin de mots pour exprimer le fond de sa pensée. Quand Isabelle avait négligé le piano, quand elle s'était foulé la cheville au ballet, sa mère avait eu la même réaction: «On ne perdra pas notre temps. Puisque tu n'es pas bonne, aussi bien passer à autre chose.»

Isabelle ne s'y opposa pas une seconde de plus. Après tout, ses parents avaient toujours agi pour son bien. Pourquoi s'inquiéterait-elle? Elle avait confiance. Ils l'aimaient. Et à cette époque, elle pensait même qu'ils l'aimaient davantage que Richard, leur fils. Celui-ci avait peut-être deux ans de plus, mais Isabelle le plaignait. Les parents ne le lâchaient pas d'une semelle. Ils avaient pour lui des attentes élevées. Richard devait se forcer, étudier, travailler. Alors qu'elle… Elle faisait ce qu'elle voulait. Elle se la coulait douce. Avec les années, son air fragile s'était accentué. Comparée à ses copines de classe, elle était menue, minuscule même. Si bien qu'on s'était convaincu qu'Isabelle voyait le monde comme une suite de montagnes à gravir, tâche pour laquelle il lui faudrait toujours de l'aide. La vérité, c'était qu'elle se sentait de moins en moins vulnérable, mais qu'elle le cachait bien. Elle aimait qu'on prenne sa défense quand un professeur se montrait trop sévère ou trop exigeant. Comme cette fois où elle avait reçu une retenue pour avoir demandé à être exemptée d'une dictée.

— Je ne peux pas écrire, monsieur, mes ongles sont trop longs, avait-elle dit pour appuyer sa requête.

Ses parents, convoqués à l'école, l'avaient excusée en plaidant sa candeur toute juvénile, en répétant aussi que leur fille avait des «limites». Le lendemain, Isabelle avait reçu, en guise de réprimande, une lime à ongles à glisser dans son étui à crayons.

Tout cela n'avait plus d'importance désormais puisqu'on lui offrait une porte de sortie. De toute façon, son avenir la préoccupait bien moins que le mot doux laissé par Steve sur le rebord de la fenêtre.

À l'automne 1982, on l'inscrivit dans un programme professionnel. Trois ans plus tard, elle obtenait son diplôme d'esthétique avec une moyenne de 85 %.

À dix-huit ans, Isabelle travaillait dans un institut de beauté en plein cœur du chic quartier Montcalm. Elle ne manquait de rien et dépensait sa paie au fur et à mesure. Elle n'aspirait pas à mieux. Les hommes se succédaient dans sa vie comme autant de plats à un banquet. Ils s'appelaient Dany, Stéphane, Carl, Gilbert. Le pauvre Steve les voyait défiler de la maison d'à côté, impuissant. De Steve, Isabelle ne voulait plus. Il l'ennuyait. Il n'était pas assez fort. Il n'était pas assez beau. Quand ils se croisaient dans la rue, elle ne le regardait même pas. Elle avait tant d'autres possibilités, et toute la vie devant elle pour choisir le bon. Rien ne pressait. Rien ne la forçait. Celui qu'elle cherchait apparaîtrait bien un jour sur son chemin. Comme la plupart de ses amies, elle était convaincue qu'il y avait un homme parfait pour elle quelque part. Elle l'attendait.

Le premier doute survint un mercredi après-midi du mois de juin 1986. Il fit craquer un peu le vernis qu'Isabelle appliquait avec soin sur sa vie, et, par cette fissure si étroite qu'elle l'avait à peine perçue, le soleil faillit entrer.

Sa voiture était tombée en panne dans la Haute-Ville, là où Isabelle l'avait garée le matin en arrivant au travail. Il avait fallu la faire remorquer. Comme tous les mercredis, Isabelle était fauchée. Sa paie ne lui étant versée que le jeudi matin, il lui restait à peine quelques dollars. Pas même de quoi prendre un taxi. Elle pensa un moment à appeler son père, sa mère ou son frère, mais, voulant éviter les railleries, se ravisa. Elle décida, pour rentrer chez ses parents incognito, de faire comme lorsqu'elle était adolescente. Elle grimpa dans l'autobus 25 qui longeait le chemin Saint-Louis.

Il était là avant elle, sans doute monté à bord au Carré d'Youville. Il s'était installé dos au chauffeur, et avait posé sur ses oreilles les écouteurs de son walkman. De temps en temps, il jetait un coup d'œil dans la rue. Les fenêtres avaient été ouvertes, et, à chaque arrêt, une brise tiède soufflait sur ses boucles en désordre. Il les portait à peine trop longs, ses cheveux, ce qui lui donnait un petit air négligé auquel contribuaient des jeans fendus aux genoux et blanchis sur les cuisses. Son chandail aux bords élimés moulait un torse qu'il avait trop épais. Au premier regard, Isabelle l'avait trouvé dodu et pas assez grand.

C'était de toute évidence un étudiant, mais il ne descendit pas à l'université. Isabelle en conclut qu'il devait vivre dans un des appartements pour les pauvres, plus loin, près du ministère du Revenu. Que pouvait-il bien étudier? L'administration, comme Richard? Probablement pas. Il n'était pas assez chic. Le droit? Non plus, et pour la même raison. Les arts, alors? Sûrement pas. Il avait peut-être l'air négligé, mais pas à ce point-là. L'enseignement? Peut-être. Elle l'imagina debout devant un groupe d'enfants. Futur prof, ça lui allait bien.

Il venait de lever la tête, et ses yeux se posèrent sur elle avec curiosité. Puis, en proie à un soudain accès de fierté, il se redressa sur son siège, exposant le livre qu'il tenait sur ses genoux. Isabelle put lire les mots *Trous noirs* sur la couverture et en fut horrifiée. Elle venait d'être captivée par un *nerd*! Y avait-il plus ridicule?

Si cet étudiant avait d'abord été flatté de l'attention qu'elle lui portait, il se referma quand il comprit le sens du sourire qu'elle lui adressa. Un sourire méprisant qui semblait dire : « Penses-tu vraiment que tu m'intéresses ? » Il baissa les yeux, humilié, et retourna à sa lecture.

Isabelle était troublée. Dans sa tête, deux voix se disputaient.

— Il est gros. Il est laid. C'est un *loser*. Tu ne t'imagines quand même pas avec lui ?

— Il a l'air gentil, ce n'est pas un défaut.

— L'as-tu bien regardé ? Couché sur toi, il t'écraserait.

— Il lit un livre d'astronomie, il est donc intelligent.

— Son intelligence ne t'empêcherait pas d'avoir honte de lui si tu le présentais à tes parents.

— Je trouve ça sexy, un gars intelligent.

— Et un p'tit gros pauvre, tu trouves ça sexy, aussi ?

Le dialogue se poursuivit pendant plusieurs minutes. Isabelle était déchirée entre ce qui secrètement l'attirait et ce qu'elle savait être de bon goût et digne de son intérêt. L'autobus avait quitté Québec, traversé Sillery et s'enfonçait maintenant dans Sainte-Foy. Le fleuve apparut à gauche entre les grandes demeures et les arbres centenaires. On arrivait presque au bout du trajet. Isabelle allait descendre d'ici deux arrêts.

Rien ne pouvait plus se passer entre eux. Aucun moyen pour réparer les dégâts qu'avait causés son sourire de snob. Trop chaud, l'air se faisait rare. Isabelle étouffait et transpirait, mais ses mains étaient glacées. Son cœur se comprimait. Elle ouvrit plus grand la fenêtre. Sur le trottoir, au loin, venait d'apparaître le panneau familier. Isabelle allongea le bras et tira sur le câble. Quand il entendit la clochette, l'étudiant leva un œil vers elle, avant de replonger aussitôt dans son livre. Isabelle quitta son siège à regret. Pour faire durer encore un peu le moment, elle se dirigea vers la porte arrière et attendit que l'autobus soit arrêté pour mettre le pied sur la première marche. Elle tourna les yeux vers lui. Il gardait la tête penchée, mais ne lisait pas, elle l'aurait parié. Elle voyait la tension sur son visage, l'hésitation. Il ne fit pas un geste, par crainte, sans doute, d'une seconde humiliation.

La porte s'ouvrit. Isabelle descendit et attendit quelques secondes avant de se retourner. Éblouie par le soleil, elle ne vit d'abord que le reflet des maisons sur les vitres. Elle trouva enfin le siège adossé à celui du chauffeur. Il osait enfin la regarder, les yeux tristes, la moue indécise. Comme poussée par un élan de courage, à mi-chemin entre le désir et la gêne, Isabelle lui sourit, franchement, mais l'air désolé. Puis elle leva la main pour un dernier au revoir. Il ne la salua pas en retour, mais ne la quitta pas des yeux tant qu'il put la voir.

Avait-elle laissé passer l'homme de sa vie par orgueil? Elle traversa la rue et prit la direction de la maison paternelle, aussi perplexe qu'affligée. Quel poids fallait-il attribuer aux apparences?

Quand elle franchit la porte d'entrée, ses questions s'évanouirent d'elles-mêmes. Elle était convaincue que son étudiant aurait été mal à l'aise dans ce décor de marbre, de bois franc, de rideaux d'organdi. Il n'aurait pas aimé s'asseoir dans les fauteuils de cuir blanc. À table, il n'aurait su quelle fourchette utiliser ni dans quel ordre. C'était bien connu, les pauvres n'apprécient pas les cuisses de grenouille, les langoustines, les huîtres ou le ris de veau. Il n'avait peut-être même jamais bu de champagne au déjeuner. Comment aurait-il vécu dans ce milieu bourgeois? De quoi aurait-elle eu l'air avec lui? Elle décida sur-le-champ de l'oublier.

En juillet, elle emménagea avec Hélène, une collègue esthéticienne. Sa vie prit une tournure plus réaliste. Elle oublia l'épisode de l'autobus. Elle n'y pensa même pas lorsqu'elle loua l'appartement à la pointe ouest de Sainte-Foy, là où passait le 25. De toute façon, il aurait été inconcevable, pour elle, d'habiter ailleurs qu'à Sainte-Foy.

Chaque fin de semaine, Hélène et Isabelle dévalisaient les boutiques de vêtements, de chaussures, de cosmétiques. Elles parcouraient les centres commerciaux d'un bout à l'autre en talons hauts. Elles portaient la même taille et partageaient tout, de la moindre chaussette au plus beau soutien-gorge. Leur monde se limitait à Québec et à sa banlieue. Un endroit où il n'y avait pas de guerre, pas de famine, pas de sécheresse, pas de meurtres. Tout juste si on entendait parler d'un vol de temps en temps. Les vendredis et samedis soirs, avant de sortir dans les bars, elles mettaient une heure à se coiffer et à se maquiller en écoutant Ben E. King chanter *Stand by Me*. Ces trois mots, devenus leur devise, elles les chantaient en chœur tellement elles y croyaient.

Dans ce tourbillon d'activités, chaque geste n'avait qu'un but : la quête suprême. Chercher l'homme, le bon, le complément, celui dont elles rêvaient depuis qu'elles étaient toutes petites. Évidemment, Steve, l'ami d'enfance, n'était pas inscrit sur la liste des candidats potentiels. Le *nerd* de l'autobus non plus.

Le soir de l'Halloween 1987, il pleuvait fort sur les plaines d'Abraham au moment où Hélène et Isabelle les traversaient en courant. Elles étaient attendues à une soirée costumée rue de Bourlamaque. À cause de la pluie, elles avaient en vain cherché à se garer plus près. Elles revenaient maintenant sur leurs pas en rigolant, tenant chacune à deux mains un parapluie que le vent cherchait à leur arracher. Elles avaient l'air mystérieuses avec leurs capes de laine dont les pans, agités par les rafales, dévoilaient en partie leurs déguisements.

Pour l'occasion, Hélène s'était fabriqué un costume minimaliste de lapin Playboy. Elle en montrait trop, mais Isabelle n'avait rien dit pour ne pas la blesser. Elle l'aimait, son amie Hélène. Qu'aurait-elle fait sans quelqu'un avec qui partager ses vêtements, ses espoirs et ses fous rires ?

Isabelle avait préféré mesurer son effet, peaufiner chaque détail. Maquillage charbonneux, longue robe blanche et fluide, pieds nus dans des bottes qu'elle comptait bien laisser sur le seuil en entrant. Même si ses mèches lui descendaient jusqu'au milieu du dos, elle les dissimulait ce soir-là sous une perruque noire coupée carrée au ras de la mâchoire. Elle était Cléopâtre, et tout le monde le comprit dès qu'elle retira sa cape en pénétrant dans l'appartement. Fière de son effet, elle salua leur hôte et plaisanta avec les gens qu'elle connaissait. Hélène la félicitait, l'encourageait.

— Tu es irrésistible.

C'était sa façon à elle de quémander un compliment. Isabelle joua le jeu.

— Tu es tellement belle, toi aussi ! Je ne t'imagine pas rentrer toute seule.

Hélène lui sourit, rassurée, avant de s'éloigner vers la cuisine. Elle avait besoin d'un verre, d'une bière, de n'importe quoi pour se donner une contenance et oublier qu'elle était à moitié nue.

Restée seule, Isabelle examina les convives éparpillés dans l'appartement. Elle dut faire le tour pour trouver celui qu'elle cherchait, un copain de son frère maintenant collègue de travail de son père. Elle le savait célibataire, beau bonhomme, trois ans plus vieux qu'elle. Il s'appelait Marc. Lorsqu'elle le repéra enfin, elle se dit que c'était vraiment l'homme qu'il lui fallait. Yeux bleus, cheveux courts, le menton bien rasé. Une cigarette au bec lui donnait un air voyou de bonne famille. Plus convaincue que jamais, elle s'installa bien en vue et posa. Cléopâtre, c'était l'artifice, l'atour, l'appât. Le dos appuyé au chambranle d'une porte, elle se laissa enlacer par un de ses amis qu'elle repoussa juste avant qu'il l'embrasse. Bono chantait *I Still Haven't Found What I'm Looking For.*

Leurs regards se croisèrent au moment où la musique s'arrêtait. Isabelle attendit qu'il lui manifeste son désir. À dix-neuf ans, elle rêvait encore de l'homme qui l'aurait draguée, qui l'aurait cueillie comme dans un conte de fées. Mais ces hommes-là – elle le sentait –, quelque chose en elle les faisait fuir.

Marc l'avait repérée, avait l'air intéressé, mais ne bougeait pas. La conclusion s'imposait d'elle-même : il n'était pas de ceux qui l'approcheraient. La déception fut amère, mais de courte durée. Marc avait du charme et gagnait bien sa vie. Et même si elle s'était présentée ce soir comme une proie facile, Isabelle n'était faible qu'en apparence. En dedans, elle savait ce qu'elle voulait. Dans son coin, Marc semblait dire : « Ose, si tu y tiens ! On m'a tellement souvent rebattu les oreilles avec l'égalité des sexes, je peux bien attendre d'être cueilli, moi aussi. C'est plus facile et moins dangereux. »

Isabelle dut se résoudre. Pour avoir cet homme-là, elle devait passer à l'action. Au diable le prince charmant et cette nouille de princesse des contes de fées ! Ils ne vivaient pas en 1987, ces deux-là. Puisque les regards avides qu'elle lui lançait restaient lettre morte, elle résolut de s'avancer en se déhanchant. *I want your sex,* chantait George Michael, et les paroles de la chanson semblaient naître sur les lèvres d'Isabelle. Pas besoin de connaître l'anglais pour deviner à quoi elle pensait. Quand elle fut à portée de voix, elle décocha sa première flèche.

— Il paraît que tu connais mon frère, Richard St-Martin...

Il fit oui de la tête, lui sourit, mais ne dit rien.

— Comment ça se fait que tu es encore célibataire ? Mon frère vit avec sa blonde depuis un an.

Marc ne s'attendait pas à une question aussi directe. Isabelle se réjouit de le voir déstabilisé. Il tira sur sa cigarette pour se donner une contenance.

— Je n'avais pas encore trouvé.

Ses yeux détaillèrent les courbes qu'on devinait sous la robe. Il sentit le piège, mais le laissa se refermer, sourire aux lèvres, victime consentante. Il la voulait pour cette beauté de femme qui flatte l'orgueil de l'homme, pour ce corps qui lui procurerait du plaisir, mais aussi pour le confort que l'assurance d'Isabelle laissait présager.

— Tu sors encore !

Hélène était entrée dans la salle de bain sans frapper.

— Ben oui ! Pourquoi ? Ça te dérange ?

Penchée au-dessus du lavabo, Isabelle traçait au crayon le contour de ses lèvres. Sa voix ne trahissait pas la moindre irritation. Hélène, elle, s'impatientait.

— On ne se voit plus.

— Mais oui, on se voit. On a passé la journée ensemble.

Ses lèvres tracées, Isabelle attrapa le bâton de rouge, mais Hélène lui serra le bras, la forçant à suspendre son geste.

— C'est samedi soir ! Tu ne peux pas me laisser toute seule.

Cette crise de jalousie, Isabelle l'attendait depuis quelques jours. Hélène la houspillait de plus en plus souvent. Elle se sentait négligée.

— Tu vas partout avec Marc et tu me laisses poireauter ici.

— Ça fait juste un mois qu'on sort ensemble. C'est comme si on était encore en lune de miel. Laisse-nous le temps de nous habituer.

Isabelle avait bien pesé ses mots, car du temps, justement, elle en manquait. Entre le travail, le magasinage avec Hélène et le lit de Marc, les heures filaient. Elle espérait que peut-être, bientôt, elle serait rassasiée de lui et lui d'elle.

Comme Hélène s'apprêtait à se plaindre de nouveau, Isabelle leva une main autoritaire.

— Écoute, c'est toi qui m'as encouragée à sortir avec lui.

— Oui, mais je ne pensais pas que ce serait aussi sérieux, qu'il prendrait autant de place.

Isabelle poussa un soupir d'exaspération. Elle pressentait le danger qu'il y avait à poursuivre cette conversation. Déjà, Hélène enfonçait le clou.

— Vous n'allez quand même pas vous marier !

— Peut-être que oui, peut-être que non. Mais on ne te demandera pas la permission.

Hélène n'osa répliquer, blessée d'être ainsi rappelée à l'ordre. Elle se risqua plutôt sur une autre voie.

— N'aurait-il pas un ami que tu pourrais me présenter ? On sortirait à quatre.

— Je te les ai tous présentés, mais tu ne les aimes pas.

— C'étaient des intellos. Tu es certaine qu'il n'y a personne d'autre ?

Combien de fois, à quelques variantes près, avaient-elles eu cette conversation ? Hélène détestait être laissée pour compte. Elle avait commencé par s'insurger, puis s'était opposée aux sorties d'Isabelle, à sa relation avec Marc. Elle voulait qu'on l'inclue, mais se montrait difficile. En vérité, elle avait perdu sa place dans la liste des priorités d'Isabelle et elle ne l'acceptait pas. Elle s'indignait qu'un nouveau venu dans leur vie trône tout en haut.

Isabelle était déchirée. Comment aurait-elle pu sortir avec Hélène aussi souvent qu'avant et, en même temps, être avec Marc et seule avec lui ? Elle avait beau se répéter qu'elle travaillait avec Hélène, qu'elle habitait avec Hélène, qu'elle passait suffisamment de temps en sa compagnie, qu'elle avait le droit de consacrer trois ou quatre soirs par semaine à son chum, rien n'y faisait. Elle se sentait coupable d'abandonner son amie, mais était incapable de résister quand Marc l'appelait. Elle ne pouvait tout de même pas se couper en deux!

Depuis l'Halloween, il y avait de la tension entre elles. Si certains jours, elles se retrouvaient aussi proches qu'avant, il arrivait aussi qu'elles ne se parlent pas des heures durant. Ce soir, cette même tension venait d'atteindre un sommet d'où elle ne redescendrait plus.

— Tu es ma meilleure amie, Isa. Tu ne peux pas m'abandonner le samedi soir. Qu'est-ce que je vais faire? Je ne peux pas aller veiller toute seule. J'aurais l'air de quoi? Pourquoi vous ne viendriez pas avec moi? Je vous laisse choisir le bar.

Il y avait des larmes dans ses yeux. Elle n'en pouvait plus, laissait-elle entendre. Isabelle se rendit compte que sa vie changeait, qu'elle-même changeait aussi. Hélène ne suivait pas. Pas assez vite en tout cas.

— On ne sort pas dans un bar. On reste chez lui.

Hélène éclata en sanglots, la traita d'égoïste avant de courir s'enfermer dans sa chambre. Isabelle demeura coite, bouleversée. Au bout d'un moment, elle attrapa le téléphone et avisa Marc. Il devait trouver un copain. Ce soir, ils sortiraient à quatre.

Le radio-réveil la tira du sommeil. Elle émergea au son du reggae de UB40 qui planait dans la chambre. *I got you, babe*, répétaient en chœur les deux chanteurs. Isabelle ouvrit les yeux et grimaça en reconnaissant les murs et les meubles. Elle s'étira, un peu bourrue. Elle aurait aimé retourner dans son rêve. Elle marchait sur une plage de sable blanc. La mer s'étirait à l'infini, et le soleil lui chauffait le visage. Elle portait un maillot deux-pièces et un paréo. Elle s'avançait pieds nus en direction d'une maison ceinte d'une large véranda. Elle avait grimpé les marches, s'était assise dans un fauteuil en osier, avait trempé les lèvres dans un verre de jus de fruits avec la nette impression d'être au paradis.

Le rêve était fini, même si le reggae jouait toujours. Elle repoussa les draps, se leva et embrassa Marc qui n'avait pas bougé.

— Tu vas être en retard.

Elle n'eut pour toute réponse qu'un grognement émis au moment où elle quittait la chambre. Malgré ce signe de vie, elle savait qu'il s'était rendormi. Musique ou pas. Pour réveiller Marc du premier coup, un tremblement de terre n'aurait pas suffi.

Elle trébucha devant la porte de la salle de bain. Les vêtements que Marc portait la veille gisaient en tas sur le sol. Elle attrapa le caleçon, les chaussettes et la chemise, souleva le couvercle du panier à linge et les y jeta d'un geste mécanique, sans même y penser. Assise sur la toilette, elle urina les yeux clos pour tenter de retrouver l'atmosphère enchanteresse dans laquelle elle baignait quelques minutes plus tôt. Peine perdue. Il n'en restait que de grands pans de mer, un bout de plage, un goût de fruits dans la bouche. Que faisait-elle dans cette villa ?

Lorsqu'elle rouvrit les yeux, elle s'aperçut que le rouleau de papier hygiénique était vide. Sans réfléchir, elle allongea le bras, fouilla dans l'armoire et installa un rouleau neuf.

Dans la chambre, UB40 chantait toujours.

— *I got you, babe.*

Isabelle se dirigea vers la cuisine. Elle ouvrit le robinet pour emplir la cafetière. Le jet éclaboussa l'assiette sale et les ustensiles au fond de l'évier, vestiges du casse-croûte nocturne de Marc. Cette fois, l'irritation fit se tendre les muscles de son cou. Puis, comme le rêve du matin, la sensation s'évanouit. Elle fit couler de l'eau et lava la vaisselle. Elle aimait que tout soit en ordre. Marc la disait obsédée du ménage. Elle se voyait plutôt comme une jeune femme propre. Elle trouvait gratifiant qu'un visiteur impromptu entre dans leur appartement et s'exclame : « Ça sent donc bon ici ! »

Ces temps-ci, son pire cauchemar avait les traits et la voix de sa mère dont l'œil inquisiteur ne laissait rien passer. Un verre sur la table du salon, des traces de bottes sur le plancher près de la porte, de la poussière sur les meubles ou un cerne de savon dans l'évier provoquaient chaque fois le même commentaire.

— Ça se voit que tu as travaillé beaucoup cette semaine !

Quand tout était impeccable, la phrase changeait, mais pas le ton.

— Ça fait plaisir de voir que tu as fait le ménage !

Ce serait Pâques en fin de semaine. Dans les rues, la neige fondait, et les nids de poule rendaient la circulation périlleuse. L'air semblait chaud pour un début d'avril, mais le vent demeurait fort, comme pour rappeler aux habitants de Québec que l'hiver n'était pas terminé.

Aujourd'hui, Isabelle se rendait pour la dernière fois au salon d'esthétique du quartier Montcalm. Mardi, elle commencerait dans un autre salon, boulevard Laurier. C'était plus proche, mais, surtout, c'était loin d'Hélène. Car avec Hélène, les choses avaient tourné au vinaigre. Les deux filles avaient eu beau casser leur bail et partir chacune de son côté, elles demeuraient collègues de travail. Après avoir été les meilleures amies du monde, elles n'étaient désormais plus capables de se parler. Isabelle avait fini par donner sa démission, refusant de supporter plus longtemps ses reproches quotidiens.

— Encore un jour… songea-t-elle en quittant l'appartement.

Son nouvel emploi s'annonçait moins payant parce qu'elle y travaillerait moins d'heures par semaine. En revanche, elle se rapprochait de l'appartement de Marc, avec qui elle vivait depuis le 1er janvier. Marc, maintenant, c'était

40

toute sa vie. Elle prenait soin de lui, s'occupait de sa lessive, du ménage et de la cuisine. Elle était tellement fière d'avoir été présentée officiellement comme sa conjointe. Et ce soir…

Ce soir, ils célébreraient en famille un nouveau tournant. Ils étaient tous deux attendus pour souper chez les parents de Marc, histoire de souligner sa promotion. Depuis que la Reed Paper était passée aux mains des Japonais, Marc avait craint de perdre son emploi. Voilà qu'il était nommé cadre supérieur. Son augmentation de salaire leur permettrait bientôt de s'acheter un condo. Rien qu'à cette idée, Isabelle oublia les désagréments qui ponctuaient son quotidien.

La première moitié de la journée se déroula comme d'habitude. Isabelle épilait et maquillait, traitait la peau du visage ou du dos, des mains. Dès qu'elles se croisaient près de la réception, Hélène se montrait désagréable, poussant l'audace jusqu'à subtiliser une crème et un fard du plateau d'Isabelle quand celle-ci s'absenta pour aller aux toilettes. Isabelle fit mine de n'avoir rien vu. Bientôt, son ancienne amie serait sortie de sa vie.

Lorsque, à 15 heures, Hélène annonça qu'elle ne se sentait pas bien et qu'elle rentrait chez elle, Isabelle ne perçut pas la menace. Elle continua de travailler normalement jusqu'à ce que sa patronne ajoute aux siennes les huit clientes qu'Hélène ne pourrait pas recevoir. Pour mesurer l'ampleur de ce coup bas, il faut savoir qu'Isabelle avait demandé une lettre de recommandation. Il faut savoir aussi que la patronne avait promis de la lui remettre à son dernier jour de travail. Isabelle était donc coincée. Si elle refusait de faire les heures supplémentaires, elle perdrait sa lettre. Qui plus est, parmi les clientes inscrites sur la liste des rendez-vous se trouvaient plusieurs dames très riches. Des dames qui se tapaient la traversée de Sainte-Foy et de Sillery pour fréquenter le salon du quartier Montcalm. Au moindre désagrément, elles se trouveraient un salon plus près de chez elles.

Le malaise d'Hélène avait été bien planifié. Elle avait dû écouter quand, deux jours plus tôt, Isabelle avait demandé la permission de finir à 17 heures vendredi. Tout le monde était au courant de la promotion de Marc. Hélène avait voulu lui gâcher sa soirée, et Isabelle ne lui pardonnerait jamais. Leur amitié était bel et bien finie. Ce soir, Isabelle allait travailler jusqu'à 21 heures. Elle manquerait un souper de famille, mais elle obtiendrait sa lettre de recommandation en plus d'être débarrassée d'Hélène pour le reste de sa vie.

Même si elle se concentrait sur le bon côté des choses, Isabelle ne déragea pas avant deux bonnes heures, tirant avec fureur sur les bandelettes enduites de cire, maniant la pince avec des gestes brusques. Ce ne fut qu'en prenant conscience d'avoir fait souffrir inutilement une cliente qu'elle se calma. À la caisse, elle refusa d'être payée.

— Je n'avais pas à passer mes nerfs sur vos jambes, madame. Je vous demande pardon.

La cliente rit, lui pardonna, mais insista pour payer.

— Je suis bien contente que vous ayez accepté de prendre les clientes d'Hélène. Voyez-vous, ce soir, mon mari et moi célébrons notre trentième anniversaire de mariage. Je voulais que tout soit parfait et, sans votre dévouement, on aurait vu les poils au travers de mes bas de nylon.

De peur de la décevoir, Isabelle n'osa lui dire qu'elle était restée contre son gré. Ça lui faisait du bien d'être appréciée. Et cette dame l'appréciait, à en juger par le pourboire énorme qu'elle venait de poser sur le comptoir.

— On m'a dit que vous changiez de salon.

Isabelle jeta un œil autour d'elle pour s'assurer que la patronne n'était pas à portée de voix. Elle n'aurait pas voulu qu'on pense qu'elle maraudait la clientèle.

— C'est ma dernière soirée ici. Je commence ailleurs mardi.

— Dites-moi où vous vous en allez, je vous suis.

Embarrassée, Isabelle lui donna l'adresse de son nouvel employeur et retourna travailler. Elle n'était plus en colère. De toute façon, il était trop tard maintenant. Marc serait déçu, sa mère aussi, qui comptait sur sa bru pour l'aider à faire le souper. On parlerait sans doute d'elle en son absence. On dirait qu'elle est trop niaiseuse pour dire non et que ses patrons en abusent.

Quand la dernière cliente s'installa sur la table pour une épilation complète, Isabelle eut envie de s'allonger à sa place. Elle avait travaillé douze heures consécutives. Elle dissimula sa fatigue derrière un sourire. La dame était une nouvelle, une étrangère, qui parlait français avec difficulté et qui refusa le peignoir, preuve qu'elle avait l'habitude des salons d'esthétique.

— Vous êtes d'où?

Isabelle avait posé sa question par politesse, en vérifiant la température de la cire.

— *Virgin Islands, sweetie. And you?*

— Moi?

Isabelle rit. C'était bien la première fois qu'une cliente s'intéressait à elle en tant que personne.

— Je suis d'ici.

— *Ever been to the Virgin Islands?*

Devant l'air confus d'Isabelle qui n'avait pas compris la question, la dame risqua une traduction:

— Toi voir les *Virgin Islands*?

— Évidemment que non! Je ne sais même pas où c'est.

— *Oh, sweetie!* Toi manquer quelque chose. C'est *so beautiful*!

— Vous vivez là-bas?

— *Yes, my dear!* Mais j'apprends le français, *still*.

— Vous le parlez bien.

Isabelle avait menti pour lui faire plaisir, pour l'aider à se mettre à l'aise. Quand une cliente venait au salon pour la première fois, il arrivait que le contact soit difficile. Ses mots avaient détendu l'atmosphère, et, pendant l'heure qui suivit, la dame se montra amicale. Elle lui décrivit sa maison, la plage adjacente, le rythme de vie des insulaires. Dans l'esprit d'Isabelle, des images remontaient, une sensation de bien-être aussi, venue d'un rêve déjà presque oublié. Elle sentit renaître le goût du jus de fruits dans sa bouche. Elle se rappela l'odeur de la mer. D'abord ce rêve. Et maintenant cette cliente. Quelle coïncidence!

Elle avait éteint le plafonnier et s'activait dans le disque lumineux d'une lampe ajustable. La dame avait fermé les yeux. Une fois sur le ventre, elle avait cessé de parler et s'était assoupie. Isabelle actionna le magnétophone. Une douce musique envahit la pièce. Elle aussi se détendait. Enfin. Elle travailla avec plus de précision et de délicatesse, appuyant sur la peau juste avant de tirer sur la bandelette, frottant aussitôt les endroits irrités pour estomper la douleur. Une fois les jambes épilées, elle les frictionna avec une huile apaisante. À la fin, toute la cire avait disparu, les pores n'étaient pas enflammés et il ne restait plus un poil visible.

— Vous pouvez vous lever, madame. Mais faites attention en descendant de la table. Vous risquez d'être étourdie.

La femme se redressa, cligna des yeux, stupéfaite.

— Je sentir rien.

— Merci.

— Je *really* sentir rien.

— Ben, j'ai fait de mon mieux.

— Mieux que toutes avant. Vous aimez le travail ici?

Il fallut un moment à Isabelle pour comprendre le sens de la question. Elle hocha la tête.

— J'aimais ça, mais c'est ma dernière soirée, et vous êtes ma dernière cliente. Mardi, je commence ailleurs.

La femme la regarda attentivement avant de parcourir la pièce des yeux.

— Les machines, c'est à vous?

— Ben, non, voyons! Ça coûte trop cher. Je suis juste une employée.

— Puisque vous terminer, j'invite pour boire pas loin. Je paye.

Isabelle accepta.

Une demi-heure plus tard, elle était assise au bar du Château Frontenac et sirotait un verre de rhum en ayant l'impression de rêver.

— *I have a proposition for you, sweetie.*

Une proposition? Isabelle se redressa, soudain craintive. Que pouvait-elle bien lui vouloir? Il y avait d'abord eu ce pourboire indécent. Ensuite ce verre dans un des bars les plus chers de la ville. Et maintenant une proposition? La dame perçut son anxiété et s'empressa de s'expliquer:

— J'ai une salon dans le *Virgin Islands*. J'aimerais vous, *sweetie*, pour travailler pour moi.

Isabelle n'en croyait pas ses oreilles. Elle, travailler pour une riche Américaine aux îles Vierges! Était-ce possible qu'on lui fasse vraiment une offre de ce genre?

— Vous aussi enseigner moi le français. Bon paye. Et petite maison et automobile aussi.

Il y avait eu d'abord ce rêve. Il y avait maintenant cette proposition. Ça ne pouvait être le fruit du hasard.

Le soleil entrait dans la salle à manger par la baie vitrée. Les deux chambres étaient vastes, la cuisine, ultramoderne, et la salle de bain comptait une baignoire et une douche séparée.

Dans chaque pièce, Isabelle imaginait leurs meubles, les anciens et les neufs. Elle mesurait mentalement l'espace disponible dans les armoires et dans les garde-robes. Elle traversa le salon et gagna le balcon d'où on avait une vue magnifique sur les montagnes. Le quartier du Campanile avait vu le jour trois ans plus tôt. Au rez-de-chaussée se trouvaient les commerces. À l'étage, les appartements vendus en copropriétés. La vingtaine de petites maisons de briques s'étiraient maintenant sur plusieurs centaines de mètres, entourées de forêt et bordées de parcs. On se serait cru à Londres. Un Londres moderne, s'entend. Plus besoin de courir pour faire ses courses. Isabelle n'aurait qu'à descendre l'escalier pour se rendre au café, à la pharmacie ou à l'épicerie. Sans compter la clinique médicale, la clinique dentaire et tous les autres services prévus dans le plan d'aménagement.

Et que dire de l'intérieur ! C'était vraiment un condo magnifique. Quelque chose de neuf, de chic, de confortable. Des planchers de bois franc et de céramique, des armoires de cuisine en chêne, une plaque chauffante, un four encastré, un foyer au propane. Même les plafonniers étaient dernier cri. Ils l'avaient acheté à deux, Marc et elle, et ils l'avaient payé cher, mais l'appartement valait chaque dollar déboursé. Les électroménagers flambant neufs seraient livrés le lendemain du déménagement, de même que les fauteuils, le lit et la commode.

Sur le plancher, dans un coin, un magnétophone crachait un solo de guitare de Bon Jovi. *You were born to be my baby, I was made to be your man.* Dans son anglais approximatif, Isabelle chantait et dansait au milieu du salon vide. Elle s'apprêtait à vivre une vie de rêve, et cela l'enchantait.

L'année précédente, elle avait refusé sans hésiter le poste offert par la riche Américaine. Les îles Vierges, c'était bien beau, mais il y avait Marc. Marc qui venait à l'époque d'avoir une promotion. Pourquoi aller ailleurs si c'était sans lui ?

Quel bonheur aurait-elle pu trouver si loin de lui ? Il ne l'aurait pas attendue, pas plus qu'il ne l'aurait suivie. Il dirigeait des centaines d'employés. Il gagnait un gros salaire. Il sortait, fréquentait les bars à la mode, les bons restaurants. Elle avait l'intention de fonder une famille avec lui, de vivre sa vie entière avec lui. Elle devait donc mesurer ses ambitions, céder là où il le fallait pour s'assurer de rendre son homme heureux. Son bonheur à elle en dépendait.

Au début, quand elle repensait aux îles Vierges, il arrivait qu'une petite voix remonte de très loin en elle pour lui dire que c'était la peur qui l'avait fait renoncer à une telle occasion. Le plus souvent, la voix se faisait entendre le soir, quand Isabelle était fatiguée, quand Marc s'endormait après avoir joui et qu'elle cherchait désespérément le sommeil, frustrée dans son désir. Alors, la petite voix s'élevait, comme venue d'outre-tombe, pour la troubler. « Je n'ai pas eu peur ! » s'insurgeait Isabelle pour tenter de se convaincre. Comme elle ne réussissait qu'à exacerber le doute, elle s'était habituée à détourner ses pensées vers quelque chose de positif : vers l'avenir qu'elle préparait avec Marc.

Elle avait suivi son plan à la lettre. Elle travaillait désormais dans ce salon du boulevard Laurier. L'endroit lui plaisait plus ou moins, mais elle avait besoin de l'argent que lui rapportait cet emploi, surtout maintenant qu'il faudrait payer le prêt hypothécaire et rembourser tous ces meubles achetés à crédit. Qu'à cela ne tienne, ils s'apprêtaient à être heureux ! On ne renonce pas au bonheur quand on est sur le point de le vivre. Elle regarda son homme tandis qu'il montait les marches, les bras chargés de deux grosses boîtes.

— Wow ! Deux en même temps. Tu es donc bien fort !

— Un vrai gars, c'est fort.

Il rit et lui tendit la boîte du dessus. Elle était tellement légère qu'Isabelle la crut vide.

— Qu'est-ce qu'il y a, là-dedans ? Des oreillers ?

— Mieux que ça !

Isabelle ouvrit la boîte et en retira une épaisse douillette. Elle comprit le projet de Marc et en fut ravie. D'un geste cérémonial, elle déplia la couverture au milieu du salon. En plein jour, qui les verrait faire l'amour à l'étage d'une pharmacie ? Marc était déjà retourné vers la porte qu'il verrouilla. Il revint vers elle en déboutonnant sa chemise.

Ils n'avaient pas encore emménagé que déjà Isabelle imaginait la vie qu'ils allaient mener dans cet appartement. La vie idéale, celle dont tout le monde rêvait.

— Dépêche-toi ! On va être en retard.
— J'arrive.

C'était la troisième fois en trente minutes qu'elle répondait à Marc de cette manière. « J'arrive. » Elle arrivait, il fallait juste lui donner le temps. Le temps de finir de se coiffer et de se maquiller. Ce soir, ils sortaient, et Isabelle ne sortait jamais sans maquillage ni sans mise en plis. L'ensemble des opérations prenait une heure. Une heure minimum. Ça en faisait déjà presque deux.

Parce que tout dépendait de la saison et du type de sortie. L'été, quelques coups de crayon à sourcils, un peu de mascara, deux traits de *gloss*, et le tour était joué. L'hiver, cependant, la chose s'avérait plus compliquée. Isabelle changeait de couleur de cheveux tous les trois mois, variait les coupes presque aussi souvent. Ses cheveux exigeaient un traitement pour en préserver la couleur, un autre pour prévenir les brûlures occasionnées par le séchoir et le fer. Il fallait utiliser une laque spéciale, qui n'alourdissait pas les mèches et les aidait à garder leurs plis. Pour le maquillage, il était nécessaire de mettre une crème de jour à cause du froid, un fond de teint pour rendre sa peau uniforme, du fard sur ses joues et ses paupières, juste après le trait de crayon, mais avant le mascara. Il fallait aussi dessiner le contour de ses lèvres, appliquer le rouge au pinceau. Si on ajoutait à cela le temps requis précédemment pour la douche et celui nécessaire pour choisir ses vêtements, une heure était vite écoulée. Sinon deux. Comme ce jour-là.

Derrière la porte, Marc s'impatientait.

— Mais qu'est-ce que tu fais encore ? Viens-t'en donc !

Isabelle replaça une mèche, tira sur sa blouse pour en défaire les plis, glissa à ses oreilles de gigantesques anneaux dorés et sortit.

— Enfin ! Ce n'est pas trop tôt. Allez, on s'en va avant que tu trouves autre chose à maquiller.

Blessée, Isabelle se raidit.

— Avant, tu aimais ça que je sois belle.

Sa voix trahissait sa peine.

— J'aime toujours ça, mais pas quand ça prend du temps.

— Ça prend toujours du temps pour se maquiller.

— Ben, maquille-toi moins.

— Tu ne m'as jamais dit que tu trouvais que je me maquillais trop.

— Ce n'est pas ce que je dis. Je pense juste que tu devrais trouver un moyen pour faire plus vite. C'est long de t'attendre.

Isabelle n'ajouta rien. Marc était fier de se balader avec une belle fille à son bras. En public, il ne lui venait jamais à l'esprit de se plaindre du temps que nécessitait cette toilette. Ses critiques, il les lui servait en privé, mais sans ménagement, comme s'il oubliait momentanément les avantages qu'il en retirait lui aussi.

Ils roulaient en direction du Hilton où on les attendait pour une réception en l'honneur des nouveaux patrons de la Daishowa. Isabelle avait les yeux pleins d'eau. Elle les épongea avec un mouchoir.

— Ah, non ! Ne commence pas…

Marc venait de s'apercevoir qu'elle pleurait.

— Ce n'est pas le moment, Isa. Déjà qu'on est en retard, tout le monde va nous voir entrer. Ils vont penser qu'on s'est chicanés.

Isabelle abaissa le pare-soleil, tapota le coin de ses yeux avec un mouchoir, se remit du rouge à lèvres et se sourit. Quand elle se trouvait à son goût, elle se sentait sûre d'elle. Elle portait un décolleté étudié avec autant de minutie que la longueur de sa jupe et la hauteur de ses talons hauts. Il en allait de même de la teinte de ses bas et de la quantité de bijoux qui ornaient son cou et ses poignets.

Marc gara la voiture dans le stationnement souterrain, mais, avant de sortir, il se tourna vers elle.

— Tu as raison.

Il avait l'air piteux.

— Si je veux que tu sois belle, je ne peux pas me plaindre du temps que ça te prend pour te préparer.

Il serra ses doigts dans les siens, ce qui fit remonter les larmes dans les yeux d'Isabelle.

— Ben, non, ma belle. Ne pleure pas. Je m'excuse d'être impatient. Je suis juste un gars, tu le sais bien.

Isabelle rit, gênée de le voir se diminuer de la sorte. Mais quand, quelques minutes plus tard, en franchissant la porte, elle vit Marc bomber le torse et afficher une mine flattée devant le compliment que lui offraient ses patrons, elle eut l'impression de n'être qu'une poupée de porcelaine qu'on exhibe en oubliant à quel point elle est fragile.

En 1991, Isabelle possédait cinq manteaux, six paires de bottes, quatorze paires de chaussures, dix petites robes, huit jeans, onze jupes, une vingtaine de blouses, autant de chandails pour l'hiver, le double pour l'été, en plus des chaussettes et des bas de nylon qu'elle ne comptait plus. Sa boîte à bijoux regorgeait de chaînes, de boucles d'oreilles, de bracelets, de colliers, de barrettes. Son étui à maquillage concurrençait en volume le coffret de coutellerie en acajou qui trônait sur le buffet. Sa cuisine débordait de vaisselle de porcelaine pour le dimanche et de Corelle pour la semaine. On y trouvait aussi des dizaines de casseroles, des centaines d'ustensiles et une vingtaine de petits électroménagers de toutes sortes. Le salon était meublé de fauteuils en cuir, de tables en vrai bois. Une télévision immense était branchée à une chaîne stéréo puissante. Il y avait des haut-parleurs sur tous les murs, entre les reproductions laminées de tableaux de grands maîtres.

Isabelle s'était convaincue qu'elle menait une vie parfaite. Celle que menaient ses parents, ses beaux-parents et tous les gens qu'elle admirait.

3.

2009.

La route se déroulait maintenant vers l'est, festonnée de concassé et de neige, bordée de montagnes et de forêt. Personne devant, personne derrière. Tout juste si nous avions croisé une dizaine de camionnettes pendant les six heures qu'avait duré le trajet.

Isabelle me faisait part de ses réflexions sur la vie. Je l'écoutais, amusée. Comment ne pas s'amuser, en effet, d'entendre une personne ridiculiser ce qu'elle avait été jadis?

— À vingt ans, ma peau était lisse et fraîche, mais je la cachais sous une tonne de fond de teint. Je portais du rouge à lèvres sans savoir que mes lèvres ne seraient plus jamais aussi rouges. Mes cheveux possédaient une superbe couleur, ce qui ne m'a pas empêchée de les teindre à répétition. Et plus tard, quand cette beauté naturelle a commencé à se faner, j'ai regretté d'avoir utilisé autant d'artifices. Il ne faut pas que je pense trop à mon passé, sinon je trouve que j'étais pathétique.

Dans un élan d'enthousiasme, elle a haussé la voix.

— Tu imagines ce que ce serait de pouvoir retourner à vingt ans quand on en a quarante? Je te dis que moi, il y a plein de gaffes que je ne referais pas!

J'ai approuvé, faute de pouvoir répliquer. Je ne m'étais jamais arrêtée pour réfléchir à la question. Je n'avais pas davantage songé à ce que je changerais si je pouvais retourner à mes vingt ans.

Allongeant le bras, j'ai attrapé la canette de boisson gazeuse achetée lors de notre seul arrêt du jour. Quelle chance d'avoir ramassé Isabelle en stop! Non seulement elle me fournissait la matière brute à partir de laquelle j'écrirais mon nouveau roman, mais, sans ses directives et sa connaissance du chemin, je serais morte de faim.

Dans mon empressement à quitter Whitehorse, je n'avais pas pris le temps d'étudier la carte routière que m'avait remise l'agence de location de voitures. Je savais le Yukon peu peuplé, mais, après deux heures sur la route du Klondike, j'avais dû admettre que je n'avais jamais imaginé le territoire vide à ce point. Il n'y avait rien. Rien que de la forêt à perte de vue. Et les très rares commerces qui ponctuaient la route étaient tous fermés pour l'hiver. Isabelle avait eu la présence d'esprit de me parler d'un restaurant dans le village de Carmacks. Il s'agissait d'un casse-croûte, à des années-lumière du Baked Café, avec sa musique country et ses repas hypercaloriques, mais cette pause dîner avait été bienvenue.

À cause de la durée du voyage et de la nuit qui tombait déjà, nous ne nous étions par attardées. Après avoir mangé et fait le plein, nous avions repris la direction de Dawson. La route avait abouti à un T et, sur les conseils d'Isabelle, j'avais viré à gauche. Nous venions maintenant d'atteindre un ruban de glace que je devinais être la rivière Klondike. Dawson n'était plus très loin. Les premières maisons sont apparues, enfin, toutes modestes et anciennes, et très espacées les unes des autres. De brume, on ne voyait pas de trace. Il ne ventait pas. Il ne neigeait pas non plus. Nous avancions dans un décor immaculé et immobile, comme figé dans le temps.

— Laisse-moi juste ici.

De la main, Isabelle m'a indiqué un terrain vague au fond duquel une camionnette couverte de neige avait été abandonnée. Pas une maison en vue. Pas même de chemin privé.

— Tu veux descendre au milieu de nulle part?

Au lieu de répondre, elle a secoué la tête avec indulgence. Puis elle a attrapé son sac à dos sur la banquette arrière.

— Mais ce n'est pas le milieu de nulle part.

Avec un « Merci » suivi d'un aussi bref « Salut! », elle est sortie, et l'air glacial a envahi l'habitacle. Le temps de me ressaisir, Isabelle s'éloignait déjà en direction de la rivière, où il n'y avait strictement rien. Rien que de la glace et, de l'autre côté, une forêt dense et sombre comme la nuit.

Plus intriguée que jamais, j'ai repris la route en espérant que mon ignorance n'avait pas joué contre moi et qu'Isabelle accepterait, lors de notre prochaine rencontre, de poursuivre son récit.

4.

Mathieu, le frère de Marc, avait trente-quatre ans, vivait seul, étudiait l'histoire à Montréal, et, en sa présence, Isabelle disait des niaiseries. C'était plus fort qu'elle. À vingt-quatre ans, elle était intimidée par ce célibataire endurci qui la traitait comme si elle était la dernière des imbéciles. Dès le début, elle n'avait pas aimé l'image qu'il lui renvoyait d'elle-même. Elle avait donc entrepris de le détester et y mettait un soin constant.

Cette antipathie trouvait sa source dans le fait qu'Isabelle ne connaissait que le milieu des soins esthétiques. Puisque cela n'intéressait personne dans son entourage, elle avait peaufiné avec le temps l'art de dissimuler son ignorance derrière les critiques. Elle parlait des rides de ses clientes, des querelles qui survenaient chez ses voisins, de l'accident de voiture d'Unetelle, des défauts et étourderies des autres.

Ni ses parents, ni son frère, ni elle-même n'avaient imaginé qu'un jour son manque d'instruction la rattraperait. Isabelle pâtissait désormais de ne pouvoir suivre une conversation intelligente. Il lui manquait des connaissances, des aptitudes à la réflexion. Elle n'avait pas seulement l'air idiote, elle avait la certitude de l'être. Alors elle détournait l'attention vers les faiblesses des autres et préférait que Mathieu la croie méchante plutôt que stupide. Elle avait trouvé une alliée en sa belle-mère, qui aimait les commérages et avait une opinion sur tout. Mathieu, lui, voyait toujours clair dans son jeu et ne manquait pas une occasion de la remettre à sa place.

Elle avait également appris comment se rendre indispensable. Marc dépendait d'elle pour la cuisine, la lessive, le ménage, l'épicerie et même pour l'achat de ses vêtements et le paiement des factures. Il aimait qu'elle s'occupe de lui, et elle s'acquittait de ces tâches avec contentement. Elle avait appliqué cette même technique avec sa belle-mère. Dans les soupers de famille, elle était devenue l'assistante de l'hôtesse.

Isabelle savait toutefois qu'elle ne possédait rien qui lui donnât de la valeur aux yeux de son beau-frère. Mathieu n'avait pas besoin d'elle et ne s'y intéressait pas plus qu'à sa première chemise. Il lui adressait rarement la parole à table, même lorsqu'ils étaient assis face à face ou côte à côte. Pire, il n'avait jamais caché qu'il jugeait ses propos inintéressants. Isabelle en était mortifiée. D'où la haine viscérale qu'elle lui vouait.

Un jour qu'elle décrivait les vergetures de telle cliente, une dame fort connue à Sainte-Foy, Mathieu lui avait suggéré de se taire. Isabelle avait protesté jusqu'à ce qu'il réplique :

— Il n'y a pas de valeur à se hausser en abaissant les autres.

Elle ne lui adressa pas la parole la semaine suivante, ni l'autre d'après. Ni les suivantes non plus. Elle évita même les réunions de famille pendant quelque temps. Lorsqu'elle recommença à y participer, ce fut en silence. C'est ainsi qu'elle remarqua à quel point elle paraissait moins ignorante quand elle se taisait et écoutait. Et, par la bande, elle découvrit que Mathieu était un homme fascinant. Son intelligence vive le gardait alerte. Quand il parlait, il s'agitait, s'excitait et arrivait à peine à contenir le fruit de ses réflexions. Ses mains suivaient sa pensée au point de constituer une menace pour ses voisins de table.

Sans s'en rendre compte, Isabelle commença à boire ses paroles quand il expliquait tel courant politique ou s'appuyait sur des événements historiques pour justifier telle conclusion. Les idées qu'il exposait la captivaient désormais bien davantage qu'elles n'intéressaient les autres. Et si quelqu'un remarqua le changement, personne n'en dit mot. Au fil des semaines, Mathieu finit par susciter chez elle une attirance à la fois coupable et délicieuse. Un sentiment qu'elle garda secret, évidemment. Elle avait trouvé à la tabagie de son quartier plusieurs revues d'histoire qu'elle dévorait pendant la semaine, ce qui lui permettait de prolonger la sensation exquise qui s'emparait d'elle quand Mathieu étalait ses connaissances. Elle avait aussi commencé à penser à lui, le soir, quand elle s'endormait. Puis elle s'était mise à penser à lui chaque fois qu'elle faisait l'amour, avant, pendant, après. C'était son visage qu'elle voyait sous elle. Son pénis qu'elle sentait en elle. C'était contre son corps qu'elle s'allongeait, haletante. Marc n'était plus qu'un figurant, un outil qui permettait de communier avec l'objet de son désir.

Le plus surprenant dans cette affaire, c'était que Mathieu n'avait pas la beauté de son frère. Loin de là! Aussi bien le dire froidement: la nature ne l'avait pas gâté. Si le sourire de Marc pouvait faire craquer n'importe quelle fille, celui de Mathieu était narquois, comme s'il se moquait de la personne à qui il s'adressait. Son nez était trop long pour son visage. Seuls ses yeux vifs, brillants et d'un vert proche de celui du sapinage, constituaient un réel atout. Or, dans cette fin de XXe siècle où les hommes comme les femmes vivaient sous la tyrannie de la jeunesse et de la beauté, les yeux ne comptaient pas. Ou si peu. Il fallait être jeune et beau sous peine de rester célibataire. Il fallait les deux. Absolument. Mathieu vieillissait vite. Ses cheveux étaient déjà clairsemés sur les tempes et grisonnaient autour des oreilles. Dans la famille, on répétait que lorsqu'il était question de femmes, il partait avec deux prises. La troisième venait de cette manie qu'il avait de réfléchir tout haut, de dire ce qu'il pensait, sans ménager les susceptibilités. Il se faisait plus facilement des ennemis que des amis, et les rares femmes qu'il avait réussi à entraîner dans son lit le quittaient dès l'aube. Il lui aurait fallu une universitaire brillante et d'âge mûr ne s'intéressant qu'à la recherche, au cerveau, à la connaissance. Mais ce type de femmes ne fréquentait pas les bars. Ni les éternels étudiants. Car, pour intelligent qu'il fût, Mathieu en était toujours au baccalauréat à trente-quatre ans. Il avait souvent changé de discipline, explorait, s'intéressait à tout. Comme si ce n'était pas suffisant, il avait accumulé une dette d'étude faramineuse qui le condamnerait à la pauvreté pour plusieurs décennies. La précarité de sa situation lui aurait nui même s'il avait été beau. Ce qui n'était pas peu dire.

Isabelle en pinçait quand même pour son beau-frère qui lui, bien que pauvre et laid, la trouvait niaiseuse. Seul point positif, Isabelle et Marc n'étaient pas mariés. Rien n'interdisait donc à Isabelle de choisir pour amant le frère de Marc si elle en avait le courage. Et c'était là où le bât blessait. Si elle voulait avoir une chance auprès de Mathieu, il fallait lui faire des avances, oser lui faire une déclaration. S'il la désirait lui aussi, il lui ouvrirait les bras. Si les choses devenaient sérieuses, ils pourraient toujours déménager tous les deux loin de Québec. Mais s'il la repoussait… Ce serait alors la catastrophe. Isabelle ne pourrait jamais plus le regarder en face. Dès lors, elle devrait vivre avec une épée de Damoclès au-dessus de la tête. Un jour ou l'autre, Mathieu la dénoncerait à son frère. Alors elle aurait honte de sa faiblesse, honte de ses sentiments, honte d'elle-même. Sa vie basculerait.

Elle ne l'aurait jamais admis ouvertement, mais il lui était arrivé deux fois de souhaiter la mort de Marc. Ce n'est pas qu'elle voulait le tuer, loin de là! Elle ne voulait surtout pas lui faire de mal. Mais s'il lui était arrivé un accident, elle en aurait été libérée sans avoir eu à le faire souffrir. Et Mathieu serait peut-être venu la réconforter.

Entre la culpabilité née de ce fantasme, les tourments qui la harcelaient quand elle pensait à Mathieu et la peur d'être abandonnée, Isabelle souffrait le martyre. Un jour que ses menstruations se tarissaient, il lui vint à l'esprit qu'il existait une autre voie. Elle pouvait sublimer son désir, le faire dévier de sa cible, le transformer en quelque chose de positif. Dès qu'elle en eut l'occasion, elle passa à l'action.

Elle avait découvert un moyen idéal pour s'empêcher de penser à Mathieu à toute heure du jour ou de la nuit. Elle s'était trouvé un autre intérêt, une autre source de valorisation, la seule solution à la portée d'une fille comme elle. Elle s'était mis en tête d'avoir un enfant. Un soir d'hiver, elle n'avala pas la pilule qu'elle prenait quotidiennement depuis des années. Elle attendit que Marc vienne la rejoindre dans le lit et qu'il se blottisse contre elle. Elle n'hésita même pas.

— Je pense qu'il serait temps qu'on essaie d'avoir un p'tit.

Marc se redressa sur un coude, aussi surpris que si elle lui avait annoncé qu'elle le quittait.

— Depuis quand tu veux des enfants?

— Depuis toujours. J'attendais juste qu'on soit installés.

— Parce que tu trouves qu'on est installés? On vit dans un quatre et demie, Isa. Ce n'est pas assez grand pour élever un enfant.

— Qu'est-ce que tu proposes? Qu'on déménage?

— Qu'on attende encore un peu. D'ici deux ou trois ans, je devrais avoir une autre promotion. Avec une augmentation de salaire. Quand on sera rendus là, on pourra regarder pour s'acheter une maison. Ce serait mieux d'avoir de la place si on veut fonder une famille.

Isabelle eut envie de lui rappeler qu'un bébé mettait neuf mois avant de naître et qu'il ne prendrait pas de place avant de savoir marcher. Le condo comptait quand même deux chambres. Ils dormaient dans l'une, et Marc avait installé un ordinateur dans l'autre. On pouvait sûrement le mettre dans le salon, cet ordinateur. Il y avait de la place le long des murs. Mais elle n'insista pas. S'il y avait une qualité qu'on devait admirer chez elle, c'était bien la patience. Alors elle patienterait jusqu'à ce qu'ils s'achètent une maison.

Elle n'avait pas imaginé, cependant, que Marc commencerait tout de suite à utiliser un condom. Sans lui demander son avis, il enfilait désormais son étui de latex comme si sa vie en dépendait. Isabelle eut beau lui répéter qu'elle prenait encore la pilule, rien n'y fit. Elle le confronta :

— Tu ne me fais pas confiance ?

— Mon amour, je te fais confiance pour tout. Sauf pour ça.

Isabelle en fut blessée. À partir de ce jour-là, elle perçut entre eux une distance nouvelle. Une distance aussi mince, mais aussi tangible que le latex qui les empêchait de procréer.

La couche de vernis que revêtait la vie d'Isabelle craqua de nouveau au début de 1993. Lors d'une pause pendant leur séance de magasinage hebdomadaire, sa mère lui annonça qu'elle avait demandé le divorce.

— Tu comprends, ça fait vingt ans qu'on ne s'entend pas. Aussi bien profiter des années qui nous restent pour refaire notre vie.

Cette explication, trop brève pour expliquer quoi que ce soit, jeta Isabelle dans un état de consternation aigu. Divorcer ? Ses parents ? Comment était-ce possible ? Qu'en penseraient les voisins? les autres membres de la famille? les collègues de travail de son père? Qu'arriverait-il de la maison en bordure de la falaise? Sa mère, heureusement, avait une réponse à cette dernière question.

— Je garde la maison. J'ai travaillé à l'aménager pendant trente ans, je ne laisserai personne me l'enlever. Ton père s'est déjà trouvé un appartement dans le centre-ville. Quelle déchéance!

De fait, M. St-Martin s'était loué un deux et demie en haut de la côte Sherbrooke, dans une ancienne église transformée en complexe à logements. Comme il laissait presque tout à son ex-femme, le déménagement n'avait pris qu'une journée.

Isabelle lui rendit visite le lendemain de son installation. Elle n'avait pas encore osé l'interroger, mais, à le voir ainsi démuni et seul dans un quartier populaire, son cœur se serrait. Quelle déchéance, en effet!

— Je trouve ça plate que maman t'ait abandonné.

Elle avait retiré son manteau et le lui avait tendu, ne sachant quoi en faire. Il n'y avait pas de placard dans l'entrée ni de patère. Elle vit son père grimper l'escalier qui menait à la mezzanine pour aller y déposer son manteau. Lorsqu'il redescendit, elle était debout dans la cuisine et fixait la toile posée sur un chevalet.

— Tu peins?

Isabelle n'en revenait pas. Jamais elle n'aurait imaginé que son père avait un talent de ce genre. Il s'était approché pour lui montrer le modèle. Il s'agissait d'une photo prise pendant leurs vacances dans Charlevoix, une dizaine d'années plus tôt. On y voyait le fleuve, les collines et le Saguenay en avant-plan. Le ciel était d'un bleu très pâle, celui des chaudes journées d'été. Dans la brume qui voilait l'horizon, on devinait un porte-conteneurs dont la ligne de flottaison, épaisse et rouge, se découpait sur les vagues.

— Ça fait longtemps que j'y pense. Je me suis dit qu'avec la retraite c'était le temps de m'y mettre.

— La retraite? Tu es à la retraite? Toi? Mais tu as juste cinquante-cinq ans!

Isabelle était en retard dans les nouvelles. Elle aurait dû savoir, pourtant, elle qui magasinait une fois par semaine avec sa mère. Après tout, une retraite, ça se célébrait. Comment se faisait-il que personne n'ait souligné l'événement?

— C'est une préretraite. Ta mère ne voulait pas que j'en parle. Elle a espéré jusqu'à la fin que je changerais d'idée. Quand elle a vu que j'étais sérieux, elle a mis sa menace à exécution et demandé le divorce.

Isabelle reconnaissait bien sa mère dans ce geste dévastateur. Avec elle, il n'y avait jamais de demi-mesure.

— Mais pourquoi ici? Tu aurais tout aussi bien pu peindre à Sainte-Foy.

— C'est vrai, mais ta mère ne veut pas d'un mari pauvre. Elle me l'a toujours dit et, quand j'ai donné ma démission, je savais ce que je perdais.

Il se tut pour s'allumer une cigarette, lui qui ne fumait plus depuis des années.

— J'ai vécu toute ma vie de manière à plaire à ta mère, jamais comme j'en avais envie. Si je ne m'étais pas marié, j'aurais été peintre. Te souviens-tu quand j'ai pris cette photo-là? Tu m'avais dit que j'avais l'œil.

Sur la toile, on reconnaissait effectivement les lignes directrices de la photo. Mais au lieu d'un décor net aux contours bien définis, chaque détail avait été recouvert d'un voile de brume. Comme le porte-conteneurs de la photo.

— Je ne savais pas que tu peignais.

Isabelle se répétait, faute de trouver quelque chose de mieux à dire.

— Je pensais que maman t'aimait.

Son père eut un rire amer, un mélange de déception et de lucidité.

— Tu sais, avec le temps, l'amour se transforme. Ce n'est pas moi que ta mère aimait à la fin, mais le succès qu'on représentait. Le beau *set-up*. La réussite sociale. Ça faisait longtemps qu'il n'y avait plus de feu entre nous.

Incapable d'en entendre davantage, Isabelle se chercha quelque chose à faire. Elle attrapa une chaise, s'assit et parcourut l'appartement des yeux. C'était un petit deux et demie. Une pièce de grandeur moyenne servait de salle à manger et de salon. Une mezzanine ouverte dissimulait la chambre. La cuisine, simple comptoir percé d'un évier et bordé de la cuisinière et du réfrigérateur, se trouvait juste en dessous. Comment imaginer que son père se contenterait de si peu?

— Fais-moi donc un café.

N'importe quoi pour dissiper le malaise qui grandissait entre eux.

Pendant qu'il branchait la bouilloire, Isabelle réalisa à quel point l'homme qui se tenait devant elle lui paraissait différent de celui à qui elle tendait son bulletin scolaire, enfant. De père, il était devenu un homme. C'était tout à coup une personne avec des désirs et des talents qui le distinguaient du cadre supérieur de la Daishowa.

— Pour la retraite, j'y pensais depuis la vente de la Reed Paper aux Japonais en 1988. Mais à l'époque, je n'avais pas suffisamment d'années de service. Et puis j'étais trop jeune pour arrêter de travailler. Maintenant...

Il désigna son tableau et l'ensemble de son appartement.

— Maintenant, je peux faire ce que je veux. Je me lève le matin et je peins. Je ne pose mes pinceaux qu'au dîner et au souper. Et le soir, des fois, je les reprends juste pour terminer un détail qui me chicote. Il me semble que j'aurais dû faire ça toute ma vie. Tiens! J'ai déjà terminé deux tableaux. Ça me ferait plaisir de t'en donner un.

Il entraîna sa fille dans l'escalier. Là-haut, appuyées contre le muret servant de garde-fou, les deux toiles finissaient de sécher. L'une représentait un camp de chasse. L'autre, la rue du Campanile avec, en plein centre, le condominium d'Isabelle et de Marc.

— C'est chez nous, ça! Quand est-ce que tu l'as peint? On dirait l'été.

— J'ai pris la photo il y a quatre ans, quand vous l'avez acheté. Je voulais immortaliser votre nid d'amoureux. J'ai fait le tableau la semaine passée.

Isabelle déglutit, émue. Si elle ignorait que son père peignait, elle ne savait pas non plus qu'il avait été touché quand elle avait choisi de faire sa vie avec Marc. Il devait s'être rendu sur les lieux dès le début parce qu'on ne voyait même pas de store à la porte-fenêtre.

— Et maintenant, tu vas faire quoi?

Elle versa du lait dans le café qu'il venait de lui servir. Au milieu de son nuage de fumée, son père paraissait heureux.

— Eh bien! je vais peindre, qu'est-ce que tu penses! Depuis le temps que j'en ai envie.

— Et maman?

— Elle fera ce qu'elle voudra. Elle commencera sûrement par se trouver un homme riche pour la sortir et l'emmener en voyage. Parce que moi, les voyages, j'en ai plus qu'assez.

Depuis une dizaine d'années, en hiver, ses parents passaient deux semaines au Venezuela ou dans un autre pays à la mode. Isabelle n'avait jamais pensé que son père y allait à contrecœur, mais, à voir l'air victorieux avec lequel il venait de parler, elle se dit qu'il avait cédé longtemps aux caprices de sa femme. Trop longtemps, sans doute.

Pendant deux ans, le père et la fille eurent plus de conversation qu'au cours des vingt-cinq années précédentes. Une fois par semaine, Isabelle lui rendait visite dans son petit appartement et lui confiait ses rêves. Son espoir d'acheter une maison dans les prochaines années, d'avoir un bébé aussi. Elle parlait des réticences de Marc, de ses doutes. Si elle passa sous silence les sentiments qu'elle éprouvait toujours pour son beau-frère, elle avoua un soir sa principale faiblesse.

— Je ne sais rien.

Assise sur un banc près du comptoir, elle regardait son père mélanger du blanc, du rouge et du jaune à la recherche d'une couleur précise. Ils avaient pris cette habitude. À chaque visite, ils conversaient en buvant du café. Lui peignait, elle parlait. Les tableaux ornaient maintenant tous les murs. Autrefois propre et froid, l'endroit paraissait désormais habité, en désordre et chaleureux, comme on imaginerait le studio d'un artiste.

M. St-Martin quitta sa palette des yeux le temps de croiser le regard de sa fille.

— Tu pourrais terminer ton secondaire et aller au cégep. Après, si tu aimes toujours ça, rien ne t'empêcherait de te rendre jusqu'à l'université.

— À l'université? Mais voyons, papa, j'ai vingt-sept ans. Je finirais bien trop tard.

— Pis après? Es-tu pressée? T'en vas-tu quelque part? Il me semble que ton beau-frère vient juste de terminer son bac. Quel âge il a, déjà? trente-six ans?

Isabelle grimaça.

— Trente-sept.

Elle n'aimait pas qu'on lui parle de Mathieu. Il commençait justement sa maîtrise. Elle lui enviait tellement sa liberté! Peu lui importait ce qu'on racontait sur son compte. Il vivait comme il l'entendait sans se soucier des attentes des autres. Ses dettes, il les assumait. Ses succès aussi. Et depuis quelques mois, il y avait une femme dans sa vie. Une belle femme aussi savante que lui. Le rêve secret d'Isabelle avait pris fin avec les présentations officielles.

M. St-Martin posa une main sur l'épaule de sa fille.

— L'école, ce n'est pas juste pour les génies, Isa. C'est fait pour des êtres humains ordinaires comme toi et moi. Imagine ce que j'aurais fait si j'avais étudié les arts.

Il recula pour qu'elle puisse voir son tableau, un portrait d'Isabelle fait d'après une photo. Il l'avait peinte sans maquillage et décoiffée. On la voyait au naturel, comme personne ne l'avait vue depuis longtemps.

— Tu es certain que c'est moi?

Le visage était lisse et rond, les pommettes saillantes, et le teint plus hâlé, comme il l'était toujours à la fin de l'été. Ses yeux, sans crayons ni mascara, semblaient plus petits. Habituée à voir une image améliorée d'elle-même, Isabelle s'y trouva moins belle. Elle ne l'avait jamais dit à personne, mais le matin, quand elle se maquillait, il lui arrivait de s'immobiliser devant le miroir, désorientée devant le visage de cette inconnue. Elle se surprenait alors à se fixer, longtemps, jusqu'à ce que le reste de ses traits disparaissent, qu'il ne reste que le brun de ses yeux, la masse sombre de ses cheveux et une trace de rouge, là où se trouvait habituellement un sourire bien dessiné.

— J'ai l'air négligée. Tu devrais au moins ajouter un peu de rouge sur mes lèvres. On les voit à peine.

— On les voit très bien, Isabelle. On les voit comme je les vois. Douces, roses, pleines et sur le point d'esquisser le plus beau sourire du monde.

Attendrie, elle s'approcha de son père et posa un baiser sur sa joue.

— Merci de me rappeler la vérité.

— La vérité, c'est que tu vaux plus que ça.

66

Il désignait la photo posée à plat sur le comptoir.

— La vérité, c'est que ma fille a hérité de mon intelligence, que je l'avais compris quand elle était petite, mais que j'ai fini par l'oublier quand elle a commencé à s'intéresser aux garçons.

C'était un aveu, presque des excuses.

— Tu n'es pas obligée d'être malheureuse pour avoir envie de changer de vie. Regarde-moi! Je ne me suis jamais senti aussi vivant et, ma foi, je ne possède plus rien. Rien que du temps. Et c'est bien en masse pour moi.

Deux mois plus tard, M. St-Martin mourait d'un accident vasculaire cérébral. Il laissait dans le deuil son ex-épouse, sa fille et son gendre, un fils, une belle-fille et trois petits-enfants. Il laissait également deux cents dollars dans son compte en banque, plus les trente-trois tableaux qu'il avait peints en deux ans. Peu importe ce qu'en dirent les voisins, il avait bien vécu la fin de sa vie.

Un mois après le décès de son père, Isabelle commençait des cours du soir pour adultes dans le but d'obtenir un diplôme lui permettant d'entrer au cégep. On était en septembre 1995. Internet venait de faire son apparition et révolutionnait déjà le monde des communications.

Isabelle cessa d'utiliser du fond de teint à la fin de la première session. À la fin de la deuxième, elle ne portait plus d'ombre à paupières. La transition s'était faite en douceur. Marc s'en était rendu compte, mais n'avait rien dit. Seul Mathieu, de nouveau célibataire, avait fait un commentaire.

— Je ne savais pas que tu étais aussi belle sous la peinture.

Isabelle avait rougi et, sans le fard, la chose n'était pas passée inaperçue.

Au bout d'un an, elle s'inscrivit au cégep en sciences humaines. Elle avait découvert qu'elle aimait l'école. Elle y réussissait d'ailleurs beaucoup mieux que lorsqu'elle était adolescente. Afin de terminer son cours collégial au plus vite, elle avait d'abord décidé de suivre trois cours à l'automne. Dès l'hiver, cependant, ce nombre passa à cinq.

— Mais tu n'y penses pas!

Marc avait été furieux en apprenant la nouvelle.

— Depuis que tu vas à l'école, on ne se voit presque plus. Et quand tu es là, c'est pour étudier dans la chambre.

— Qu'est-ce que ça change? Tu regardes tout le temps la télé.

— J'aime ça quand tu la regardes avec moi.

— Dans ce cas-là, je pourrais faire moins d'heures en esthétique. Ça me permettrait de suivre des cours de jour.

— Penses-y même pas! Et puis veux-tu bien me dire pourquoi tu tiens tant à aller l'école? Je pensais que je vivais avec une femme, mais là, j'ai l'impression de vivre avec une ado. Tu as vingt-huit ans, Isa.

— J'ai décidé que je voulais faire autre chose de ma vie.

Elle ne pouvait tout de même pas lui dire qu'elle voulait acquérir des connaissances. Il se serait moqué d'elle.

— Il est un peu tard pour ça, il me semble. De toute façon, j'ai fait des placements, alors j'ai besoin de tout mon argent.

— Des placements? Tu joues à la Bourse?

C'était la première fois qu'il lui en parlait. Cet aveu expliquait le courrier qu'il recevait en anglais.

— J'ai pris un courtier. Il m'a fait un prêt que je lui rembourse un peu tous les mois. Il ne me charge presque pas d'intérêts. Ça fait son affaire, et ça fait la mienne. Ce qui ne fait pas mon affaire, par contre, c'est d'avoir à payer plus que ma part dans notre ménage.

Pour mettre fin à cette discussion, Marc avait allumé la télévision. La partie de hockey commençait. Depuis le départ des Nordiques, il regardait moins le hockey. S'il y prêtait autant d'intérêt ce soir-là, c'était pour échapper à une situation déplaisante. Il ne voulait pas que les choses changent, il le répétait souvent. Si Isabelle voulait aller contre sa volonté, elle devrait se débrouiller.

À l'automne 1997, Isabelle commençait le cégep à temps plein. Pour y arriver, elle avait quitté son emploi et demandé des prêts et bourses. Même si elle et Marc n'étaient pas mariés, Isabelle gagnait sa vie depuis assez longtemps pour ne plus être considérée comme à la charge de ses parents. Au milieu de l'été, une lettre lui était parvenue annonçant qu'on lui octroyait un prêt ET une bourse. De quoi poursuivre ses études à temps plein pendant deux sessions. Avoir eu le moindrement l'esprit religieux, Isabelle aurait crié au miracle.

Elle n'était pas fière d'avoir ignoré les désirs de Marc, mais, puisqu'il ne voulait rien entendre, il fallait bien faire quelque chose. Quand elle gagnerait mieux sa vie, il en profiterait lui aussi. Ils pourraient s'acheter une maison dans le quartier de son enfance et fonder une famille. Mis devant le fait accompli, Marc n'avait pu que grommeler sa désapprobation. Il aurait peut-être fini par s'y faire et accepter la chose, mais, à l'hiver, une autre surprise l'attendait. Le menu du souper changea du tout au tout.

— Veux-tu bien me dire ce que c'est?

Il montrait d'un doigt dédaigneux le contenu de son assiette.

— C'est un ragoût de légumineuses. C'est super bon.

— Non, merci.

— Manger végétarien, c'est mieux pour toi et c'est mieux pour la planète.

Marc alla se chercher à grignoter dans le frigo en ronchonnant.

— Ce n'est pas parce que tu as changé de religion que les autres sont obligés de se convertir, Isa.

Elle accusa le coup, mais ne comprenait pas pourquoi il refusait ce qui était bon pour lui. Car si c'était bon pour elle, ça l'était pour lui aussi, elle en était convaincue. Et puis, n'avait-il pas de conscience environnementale ?

Elle connaissait par cœur les arguments. Elle les avait entendus, les avait appris, et savait comment les servir au gré des conversations. La vérité, cependant, relevait d'une situation beaucoup plus tangible, d'un changement qu'elle n'avait pas anticipé. Qui aurait pensé que retourner à l'école à temps plein aurait des effets ailleurs que sur son cerveau ? Or, à force de passer ses journées assise à écouter et à étudier, Isabelle avait pris du poids. De quelques livres à la première session, elle en était maintenant à vingt. Avant de perdre le contrôle de son corps, elle avait pris les choses en main et opté pour un régime répandu dans le milieu des collégiens : elle était devenue végétarienne.

Marc se plaignait. Qu'était-il arrivé à ses steaks ? à ses macaronis à la viande ? à ses hamburgers ? à sa fondue chinoise du samedi soir ? Isabelle lui servait des pois chiches, des lentilles, du tofu, du pain de blé entier au goût tellement prononcé que ça lui levait le cœur. Une chance qu'elle cuisinait du poisson une fois par semaine, sinon il lui aurait déclaré la guerre.

Il commença à rentrer tard le soir, après avoir soupé dignement dans un restaurant branché. Il avait trente-cinq ans et se passionnait pour des émissions de radio-poubelle. Il était toujours beau, mais prenait du poids lui aussi. Isabelle avait remarqué la petite bedaine qui le devançait de quelques centimètres où qu'il entrât. Comme son frère, il grisonnait. Il buvait beaucoup de bière, en regardant la télé, en mangeant, en revenant du travail. Quand Isabelle lui en faisait la remarque, il ouvrait le réfrigérateur et s'en servait une autre. Il n'avait que faire de ses réprimandes. Il répétait les propos misogynes ou racistes de son animateur de radio préféré, rageait contre les syndicats et les fonctionnaires qui se tournaient les pouces. Il n'avait d'opinion sur les femmes que si elles avaient de gros seins. Quand Kate Winslet, vedette du film *Titanic*, fut classée parmi les cent plus belles femmes au monde, il s'écria :

— On sait bien ! Ça prenait une grosse pour faire taire les féministes.

Fatiguée de l'entendre râler contre le monde entier, Isabelle le confrontait :

— T'entends-tu parler ?

Marc ne l'écoutait pas. Il passait ses soirées à regarder la télé ou à naviguer sur internet. Isabelle le soupçonnait de visiter des sites pornographiques. Quand elle rentrait de l'école après un cours du soir et qu'elle trouvait l'appartement en désordre, elle le houspillait :

— Tu pourrais au moins te ramasser ! Ce n'est pas une blonde qu'il te faut, c'est une bonne.

Marc ne disait rien, mais montait le son de la télévision.

L'animosité qui grandissait entre eux ne trouva de répit qu'à l'été, quand Isabelle reprit son métier d'esthéticienne le temps des vacances scolaires. C'est l'été aussi qu'ils firent l'amour le plus souvent, même si Marc refusa obstinément d'abandonner le condom.

— Dans ce cas, j'arrête la pilule. Ça ne sert à rien d'avoir deux moyens de contraception.

Elle avait espéré que cette perspective le ferait changer d'avis. En vain. Marc n'avait plus confiance. Un point, c'est tout.

Au milieu de ces contrariétés qui ne semblaient jamais vouloir cesser, une chose consolait Isabelle. Mathieu lui prêtait plus attention que jamais. Elle avait avec lui des conversations passionnantes qui lui faisaient un peu oublier les déceptions de sa vie de couple. Loin d'être jaloux, Marc provoquait les rencontres, ce qui lui permettait de regarder le hockey, le base-ball ou le football.

Le calme revint d'un coup à l'automne 1998. Les investissements de Marc avaient fait un bond spectaculaire. Des actions achetées à dix dollars en valaient maintenant cent et continuaient de monter. Le ménage, la nourriture végétarienne, les dettes et leurs problèmes de couple devinrent secondaires. Pour célébrer le diplôme d'études collégiales d'Isabelle, Marc l'emmena deux semaines à Cuba dans le temps des fêtes. En janvier, il paya même l'université et les livres, en plus de lui acheter une voiture neuve. Leur vie venait de prendre un tournant remarquable.

— Étudie tant que tu veux, Isa! On a les moyens maintenant.

Isabelle ne se fit pas prier. Elle ne travailla pas l'été suivant et suivit trois sessions d'affilée. Elle ne parlait plus de bébé maintenant qu'elle était retournée aux études à temps plein. Elle ne parlait plus de maison non plus, mais n'avait pas oublié ses rêves pour autant. Le soir, en rentrant du restaurant, il leur arrivait de passer par le chemin Saint-Louis. Isabelle regardait les grandes maisons qui bordaient la rue et se prenait à imaginer qu'un jour eux aussi habiteraient ce quartier.

Puis, malgré toutes les catastrophes annoncées, le monde survécut au passage à l'an 2000. Internet résista, les téléphones cellulaires aussi. Même les ordinateurs continuèrent de produire leur bruit de fond désormais familier. La planète tournait aussi rondement qu'à l'habitude le 1er janvier au matin. Marc et Isabelle avaient célébré l'arrivée du nouveau millénaire au Château Frontenac dans une fête qui était passée à l'histoire. Une semaine plus tard, Isabelle entamait sa quatrième session d'université. La vie suivait son cours.

Le 1ᵉʳ février, Marc lui annonça qu'il la quittait.

5.

2009

Dawson City n'avait rien d'une cité. Cinq mille habitants en été, mille deux cents en hiver. Certainement moins encore en janvier. Huit rues de long sur douze de large. Avec ma voiture louée, j'en avais fait le tour en une demi-heure. Maureen avait raison, Dawson était joli et n'avait rien à envier au hameau norvégien décrit par Karen Blixen dans son *Festin de Babette*. Surtout que chacune de ces petites maisons colorées, les plus récentes comme les plus anciennes, respectait le cachet historique de la ruée vers l'or.

La maison de Maureen s'avérait confortable malgré un petit côté rustique. Si, de la rue, elle paraissait vaste, voire imposante, elle ne comptait en réalité que quatre pièces que je partageais avec un chat qui dormait partout, mais témoignait d'une réelle préférence pour le clavier de mon ordinateur. Le chien, un malamute gigantesque, fréquentait la maison quelques heures par jour. À cause de son épaisse fourrure, il passait le reste de son temps dans un enclos ou dans une niche que Maureen avait pris soin de tapisser de paille avant de partir.

Au thermomètre, le mercure descendait à vue d'œil. De -10 °C à mon arrivée, il indiquait maintenant -50 °C. La nuit, les arbres grinçaient, et la lune jetait sur la cour une lumière si blanche qu'elle faisait briller la neige.

Chaque matin, je me demandais si je pouvais appeler « aube » les premières lueurs bleu marine qui survenaient vers

11 heures. Certes, le ciel s'éclaircissait par la suite, mais il avait beau se parer d'un bleu éclatant, une brume cristalline voilait le paysage. Les gens du coin appelaient ce phénomène *ice fog*. C'était en effet un brouillard chargé de glace au milieu duquel les arbres étincelaient malgré l'absence de soleil.

Les jours les plus froids, je restais à la maison à bourrer le poêle. Je n'avais jamais imaginé que chauffer une maison au bois nécessitait autant de travail, ni que ce travail pouvait être à ce point éreintant. Loin de posséder le charme romantique de la cheminée d'autrefois, le poêle à bois de Maureen se montrait insatiable. Les bûches, toujours trop grosses, brûlaient trop vite. Je devais en fendre plusieurs fois par jour, chaque jour, sans exception. Le soir, j'avais beau choisir de l'érable, comme l'avait suggéré Maureen dans les instructions qu'elle m'avait laissées, rien n'y faisait. Aux petites heures du matin, on gelait, ce qui expliquait sans doute l'apparition du chat dans mon lit un peu après minuit.

L'encabanement imposé par l'hiver subarctique m'inspirait. Je me levais avec la lumière et, faisant appel à ma mémoire autant qu'à mon imagination, j'écrivais jusqu'à la nuit tombée, c'est-à-dire autour de 15 h 30. Le soleil ne passait jamais la ligne d'horizon. On le devinait au sud, impatient, étirant ses rayons au maximum, mais incapable de se hisser par-dessus les collines.

Il arrivait qu'à partir de midi la température monte à -40 °C. Si je trouvais le courage de mettre le nez dehors, je m'étonnais de ne pas percevoir de réchauffement. En fait, à partir de -35 °C, je n'éprouvais plus qu'un froid intense sans variation notable. Un froid brûlant qui rendait la respiration difficile et piquait les yeux. J'imaginais mal l'Isabelle bourgeoise de Sainte-Foy déambuler dans ce brouillard de glace et affronter ce froid sibérien avec ses vêtements de ville. Je ne l'imaginais pas non plus porter un parka et des bottes de motoneige. Moi-même, qui n'avais pourtant rien d'une carte de mode, je me trouvais ridicule accoutrée de la sorte. Mais il n'y avait pas d'autre manière d'affronter un climat aussi extrême. J'essayais donc de trouver quelle sorte d'événements avait pu provoquer l'adaptation d'Isabelle et même sa surprenante transformation.

Lorsque le temps s'adoucissait pour vrai, j'enfilais mes vêtements d'expédition et me rendais à l'épicerie. Depuis que la voiture ne démarrait plus, je devais faire mes courses à pied. Je rapportais mes emplettes dans une luge que je tirais, pour faire comme tout le monde, au milieu de la rue, parce que c'était plus facile que sur les trottoirs de bois.

Pour une communauté aussi nordique, les gens vivaient beaucoup dehors. Leurs visages demeuraient par contre invisibles sous des laizes de foulard au fond de capuchons bordés de fourrure. Je reconnaissais ceux que je croisais quotidiennement à la couleur de leur manteau ou à la race du chien qui les accompagnait. Mais que ce soit dans la rue, à l'épicerie ou au bureau de poste, tout un chacun me saluait comme si on me connaissait. Autant de chaleur humaine avait de quoi déstabiliser la citadine que j'étais. J'imaginais donc sans peine l'effet que cet accueil pouvait avoir eu sur une Isabelle fraîchement débarquée de Québec.

6.

Il s'était acheté une maison sur la Rive-Sud. Une maison flambant neuve, avec jacuzzi et terrasse paysagée, mais surtout avec une vue imprenable sur le fleuve et l'île d'Orléans et quatre chambres à coucher. Sa nouvelle conjointe avait treize ans de moins qu'Isabelle et était enceinte de deux mois. Isabelle avait été renversée en apprenant la nouvelle.

Il fallait vendre le condo, rembourser la banque et se partager ce qui resterait de l'argent. Marc lui laissait la vaisselle et les meubles, conservait les outils, la plupart des CD, l'ordinateur, la télé et le système de cinéma maison acheté récemment. Mais il lui coupait les fonds.

— Tu demanderas une bourse. Tu l'as déjà fait.

Isabelle le regardait vider le placard et jeter toutes ses affaires dans la valise ouverte sur le lit. Elle avait une boule dans la gorge, mais s'était promis de ne pas pleurer.

— Tu sais bien qu'il est trop tard pour demander une bourse pour la session d'hiver. Je n'aurai rien avant l'automne prochain. Comment est-ce que je vais faire en attendant ?

Il attrapait maintenant les disques six par six et les empilait dans une boîte.

— Tu peux retourner travailler. Le milieu n'a pas eu le temps de changer en deux ans.

Parce qu'elle trouvait insupportable de le voir si empressé de partir, elle alla s'asseoir devant la porte-fenêtre et regarda les montagnes au loin. Sans qu'elle arrive à les retenir, elle répéta les mots qui la hantaient depuis qu'il lui avait annoncé son départ.

— Après onze années de vie commune, tu me laisses comme ça?

C'était davantage un constat qu'une question, mais elle n'arrivait toujours pas à y croire.

— Arrête, Isa! Tu sais bien qu'on s'en allait nulle part, toi et moi.

— Non! Je ne voyais pas ça du tout. Je t'aime encore.

Elle mentait, mais c'était une question de survie.

— Ce n'est pas moi que tu aimes, c'est l'image qu'on dégage. Le *set-up*, comme disait ton père. Entre toi et moi, il n'y a plus rien depuis longtemps.

C'était vrai, elle le savait, mais pour rien au monde elle ne l'aurait admis. Surtout pas en ce moment où le sol se dérobait et qu'elle ne trouvait plus rien à quoi se raccrocher.

— Il me semblait que pendant la dernière année ça allait mieux.

L'image du couple qu'avaient formé son père et sa mère s'imposa à son esprit. Marc et elle avaient-ils reproduit en tout point ce modèle?

— On n'évalue pas une relation en se basant juste sur la dernière année. De toute façon, c'était obligé d'aller bien entre nous; on était riches.

— Pis là, on ne l'est plus?

— On l'est toujours…

Conscient qu'il venait de commettre un impair, il se reprit:

— Je le suis toujours. Mes actions sont rendues à deux cents dollars. Mais puisque je les ai payées avec mon argent…

Isabelle comprit qu'elle n'aurait pas un sou.

— Comment est-ce que je vais faire en attendant?

Elle se répétait, comme elle l'avait fait depuis le début de la fin.

— Après onze ans…

— Mais reviens-en donc!

— J'en reviendrai quand ça me conviendra!

Il avait haussé le ton. Elle avait fait pareil. Ils se toisaient maintenant par l'embrasure de la porte.

— Je pensais que tu m'aimais…

Elle ne le suppliait pas, mais presque, et s'en voulut aussitôt. Avait-elle besoin en plus de s'abaisser? Ça faisait tellement longtemps qu'ils ne s'aimaient plus. Marc s'impatienta:

— Bon, on va arrêter ça là. Si on continue, ça va dégénérer.

Il était trop tard. La conversation était déjà sur la pente descendante. Ils le sentaient tous les deux. Isabelle se dirigea vers la cuisine. Il lui fallait un verre. Du vin? Non, du scotch. C'est plus fort. Ça l'aiderait à se calmer.

— As-tu pensé à moi deux secondes quand tu as pris ta décision?

Quant à s'abaisser, aussi bien aller jusqu'au bout. Elle n'avait plus rien à perdre. Du moins le croyait-elle.

— Tu pourrais aller voir mon frère.

Elle s'immobilisa, bouche bée, les yeux écarquillés, la bouteille de scotch dans une main, un verre vide dans l'autre. Quand elle se tourna vers lui, Marc lui offrit un sourire narquois.

— Tu pensais que je ne le savais pas? Tu manges mon frère des yeux depuis des années. Ben, voilà ta chance.

Le verre traversa la pièce, passa à deux centimètres de la tête de Marc et se fracassa contre le mur du fond.

— Es-tu malade? Tu aurais pu m'atteindre en pleine face!

— Tu sais bien que j'ai toujours manqué de visou.

Elle raillait, mais, dans le fond, elle savait qu'elle était allée trop loin. Si elle l'avait blessé, elle s'en serait voulu. Et puis peut-être pas…

Marc referma sa valise, furieux.

— Bon, ça suffit. Je m'en vais avant que tu m'en tires un autre.

Il ramassa quelques vêtements supplémentaires qu'il lança dans un sac avant de traverser le salon.

— Tu es complètement folle.

Isabelle le suivit des yeux, appuyée au comptoir. Elle regrettait son geste, mais il était trop tard pour ça aussi. Au moment où il ouvrit la porte, elle le retint d'une voix si douce qu'elle eut l'impression que ce n'était pas la sienne.

— Où est-ce qu'on s'est trompés, Marc? Il me semble qu'on s'aimait tellement au début.

Le ton de Marc changea, lui aussi. Elle y perçut même de la sympathie.

— On ne s'est trompés nulle part, Isa. Tu as changé, c'est tout.

— Mais j'ai changé pour le mieux, il me semble.

De cela, elle était convaincue.

— C'est peut-être mieux pour toi, mais pour moi, ce n'était plus vivable.

La voix d'Isabelle redevint suppliante.

— Mais elle a dix-huit ans!

— Dix-neuf.

— C'est pareil! Elle vient juste de les avoir.

— Pis après?

— Tu sais qu'elle va changer, elle aussi, avec le temps.

— Peut-être que oui, peut-être que non. Pour le moment, elle fait mon affaire.

— Pis le p'tit? Il fait ton affaire, lui aussi?

Il l'observa un moment, jaugea la situation et laissa tomber un « oui » bien senti avant de sortir. Isabelle l'entendit descendre l'escalier. Elle ne s'approcha pas de la fenêtre pour le voir s'éloigner dans la rue. C'était inutile; il ne reviendrait plus.

Mathieu vint chercher les affaires de son frère le samedi suivant. Il sonna plusieurs fois avant qu'Isabelle se décide enfin à ouvrir.

— Excuse-moi, je dormais.

Elle ne bernait personne avec ses yeux rouges et bouffis. Il la regarda avec tendresse.

— Je peux revenir si tu veux.

— Non, non. J'ai mis son linge dans un sac à poubelle et le reste de ses affaires dans une boîte. Je pense qu'il a laissé des outils dans le *locker*, mais je ne suis pas allée vérifier.

— J'irai voir avant de partir. Et toi, comment ça va?

Il se tenait tout près et la regardait dans les yeux, l'air sincère. Comme il n'avait pas enlevé son manteau, Isabelle tendit le bras pour qu'il le lui donne.

— Ça va, je ne reste pas longtemps.

Elle demeurait immobile, le regard rivé au sien, si bien qu'elle perçut le moment précis où il devint mal à l'aise.

— C'est tout?

Il désignait la boîte et le sac déposés sur le sofa.

Isabelle acquiesça, mais ne fit pas un geste pour lui laisser la place de passer.

— J'espérais que tu viennes aujourd'hui.

— Ben, j'ai fait ce que j'ai pu. Je suis content que tu aies tout ramassé avant que j'arrive parce que je n'aurais pas osé fouiller dans tes tiroirs. Est-ce que je peux les prendre?

Il essaya de la contourner, mais Isabelle, qui n'attendait qu'un signe, combla le vide qui les séparait. Elle s'approcha jusqu'à le toucher et sentir l'odeur de menthe de son haleine. S'il l'avait prise dans ses bras, elle aurait fermé les yeux, mais il n'en fit rien. Il la repoussa même avec brusquerie.

— Woh! Qu'est-ce qui te prend?

Isabelle écarquilla les yeux, plus ahurie que lui.

— Je... je pensais que...

— Tu te trompes, ma fille! Je ne touche pas aux restes de mon frère.

Les restes de mon frère. Ces mots lui firent tellement mal qu'elle dut s'appuyer à son tour contre le mur pour éviter de s'effondrer.

— Mais entre toi et moi, il y avait…

Elle balbutiait, atterrée et humiliée.

— Je ne sais pas ce que tu t'es imaginé, Isa, mais il n'y a jamais rien eu entre toi et moi. Je te trouve moins épaisse depuis quelques années, mais ça ne veut pas dire que j'ai envie de coucher avec toi.

À ces mots, il empoigna le sac et la boîte et tourna les talons. Trente secondes plus tard, il était parti lui aussi.

Le condo avait été vendu avec prise de possession le 1er juillet. Après tant d'années de vie à deux, Isabelle trouvait difficile de rester seule. Elle angoissait, s'ennuyait, se désespérait. Elle aurait aimé retourner chez sa mère, reprendre sa chambre d'enfant, se retrouver dépendante pour quelque temps, histoire de faire le point et de retomber sur ses pieds. Mais sa mère voyait les choses autrement.

— Une fois que l'enfant a quitté le nid, il ne revient plus. J'ai ma propre vie, maintenant.

Sa mère avait raison. Elle avait sa vie, avec son nouveau conjoint et les enfants de celui-ci. Elle voyageait dans le Sud, fréquentait les grands restaurants, portait de beaux vêtements. Isabelle avait certes des amies qui lui offraient une épaule secourable, mais elles vivaient leur vie, elles aussi. Plusieurs avaient des enfants, un homme, une maison. D'autres menaient une carrière. Son frère s'occupait de sa famille, de son travail. Quand elle lui décrivit un soir la douleur de la solitude, il lui répondit que c'était le lot des célibataires, comme s'il s'agissait d'une condamnation, d'une punition.

Isabelle se mit à douter. Sommes-nous tous seuls au monde, dans le fond ? Ça ne pouvait être le cas. Chacun avait sa famille, ses amis. Pourtant, elle avait l'impression d'être abandonnée dans sa peine. Ces liens, qui lui avaient toujours parus d'une solidité à toute épreuve, semblaient désormais friables, comme les pétales d'une fleur fanée. Son avenir paraissait tellement sombre qu'elle refusait d'y penser.

En plus du poids de la solitude, il lui fallait faire le deuil de sa petite vie parfaite avec le bon gars, la belle maison, les beaux enfants. Malgré cette déception, quelque chose au fond d'elle-même lui disait qu'elle aurait pu survivre à sa rupture avec Marc. C'était l'attitude de Mathieu qui avait achevé de l'anéantir. Marc l'avait quittée, mais Mathieu l'avait repoussée. Du coup, toutes ses illusions étaient parties en fumée. De sa foi en elle-même, en ses capacités, en la vie, il ne restait plus rien. Rien qu'un orgueil blessé, une âme meurtrie deux fois, coup sur coup. Elle avait beau se répéter que Mathieu n'avait été qu'un amour secret, qu'elle l'avait sans doute idéalisé, il lui fallait admettre qu'elle avait rêvé de lui. Sans doute trop souvent et trop longtemps. Elle aurait dû se contenter de ce qu'elle avait. Avec Marc, elle aurait bâti une vie. Il ne l'aurait peut-être pas quittée si elle s'était mieux occupée de lui. Que d'humiliation et de douleur pour un simple rêve ! Quelle gamine elle avait été !

Elle repensait à toutes ces années passées à s'instruire, à devenir quelqu'un d'intelligent, d'intéressant, quelqu'un de moins superficiel, de plus sérieux. À quoi avaient-elles servi ? Sur quelle planète Isabelle avait-elle vécu pour croire qu'elle pouvait éveiller le désir d'un homme avec ses nouvelles connaissances ? Elle avait tout imaginé. Leurs conversations, leurs regards soutenus, leurs mains qui s'approchaient l'une de l'autre sans jamais se toucher. Dans le fond, rien n'avait eu de signification. L'humiliation était cuisante. Plus jamais elle ne se laisserait tenter. Elle blinderait son cœur, fixerait un point à l'horizon et foncerait sans se laisser distraire. Il lui faudrait trouver un autre plan de vie, imaginer ce qu'elle pourrait être, maintenant qu'elle n'était plus la conjointe de Marc et qu'elle savait qu'elle ne serait jamais celle de Mathieu.

Elle se rendait tous les jours à l'université, mais le cœur n'y était plus. Indifférente à ses cours, elle n'écoutait pas, ignorait les consignes, refusait de prendre des notes. Le soir, elle n'étudiait pas, elle ne lisait pas. Elle pleurait. Que lui était-il arrivé? Comment était-elle tombée si bas? Devant son miroir, le matin, elle étudiait son visage et ne se trouvait plus belle du tout. Elle fixait ses yeux comme elle le faisait autrefois, et c'est un monstre flou qu'elle voyait se dessiner. Elle n'avait que trente et un ans, mais se trouvait vieille. D'anciennes peurs remontaient. Vieillir. Être seule, malade et laide.

C'est dans cet état de vulnérabilité qu'elle redécouvrit Steve. La trentaine avancée, il habitait toujours chez ses parents. Ils s'étaient croisés une fois, alors qu'elle sortait de chez sa mère. Une autre fois à l'épicerie. La fois suivante, elle s'était laissée mener jusque dans son lit. Elle le trouva bon amant, meilleur que Marc, ce qui la surprit. Ce qui l'étonna moins, ce fut sa conversation. Il se révélait aussi ennuyeux qu'autrefois. Dès leur première étreinte, Isabelle regretta de lui avoir cédé.

Depuis sa séparation, Isabelle mangeait une fois par semaine avec sa mère. Cette rencontre s'ajoutait à leur séance de magasinage hebdomadaire. Le lien mère-enfant semblait, pour Isabelle, le seul qui existât vraiment. Elle s'y raccrochait, même si sa mère lui répétait qu'elle avait fini d'élever sa famille. Aux yeux d'Isabelle, les deux femmes se devaient un soutien mutuel devant l'adversité. Et l'adversité était là, à leur porte, avec tous les dommages imaginables. À force de discussions sur le sujet, Isabelle dut admettre qu'elles ne partageaient pas la même vision du monde. Un soir, sa mère lui lança :

— Tu avais un bon gars. Tu aurais dû te forcer pour le garder.

La phrase tomba comme un coup de tonnerre et laissa Isabelle sans voix. Le choc passé, elle essaya de se reprendre :

— Mais je me suis forcée !

— Peut-être que tu ne t'es pas forcée assez. Marc prenait tellement bien soin de toi.

— Je suis capable de prendre soin de moi-même.

— Tu es quand même juste une esthéticienne, Isabelle, et à trente et un ans, ça ne sera pas facile de te trouver un gars avec un aussi bon salaire.

Isabelle eut l'impression que son monde s'écroulait une deuxième fois. Si même sa mère n'avait pas foi en elle, quelle chance avait-elle ?

— Je gagne bien ma vie, et après mes études ça ira encore mieux. Je n'ai pas besoin d'un gars avec un gros salaire.

— Probablement pas… Je pense quand même que vous auriez dû faire comme on faisait dans le temps et vous marier.

Elle parlait en débouchant une bouteille de vin cher achetée par son nouveau conjoint. Isabelle l'écoutait, les mains moites. Elle aurait voulu interrompre cette conversation. Elle n'en aimait pas le ton, ni la direction.

— Tu aurais au moins eu une partie de son argent.

Voilà. De la manière la plus directe du monde, sa mère lui reprochait de ne pas avoir assuré ses arrières. Isabelle eut envie de lui crier d'arrêter de l'humilier, de la blâmer, que ça ne la regardait pas, qu'il s'agissait de sa vie à elle. Mais ça ne se fait pas de crier après sa mère. Elle déclara simplement et sur un ton qu'elle espérait assuré :

— Je ne veux pas de son argent.

— Tu dis ça, mais tu aurais pu continuer l'université s'il t'en avait laissé un peu.

C'était vrai. Avec l'argent de Marc, Isabelle aurait pu aussi lui racheter sa part de condo au lieu d'être forcée de se chercher un appartement au rabais. Avec de l'argent, elle aurait sans doute mieux vécu leur séparation. Il lui semblait toutefois qu'épouser Marc pour ces raisons aurait relevé du vol... ou de la prostitution. Sa mère enfonça le clou.

— À mon avis, ça t'aurait pris soit le mariage, soit un p'tit.

Isabelle rougit, penaude. Elle repensait souvent à la conversation qu'elle avait eue sur l'oreiller avec Marc. Elle aurait peut-être dû insister puisqu'elle souhaitait vraiment, à l'époque, fonder une famille, commencer sa vie d'adulte, de femme, de mère.

— Marc ne voulait pas d'enfant. En tout cas, pas tout de suite.

À ces mots, l'image d'une jeune femme de dix-neuf ans au ventre rond la fit grimacer. Marc n'avait pas voulu d'enfant avec elle. Ou peut-être s'était-il trouvé trop jeune à l'époque. Être père exigeait de l'engagement, et Marc avait toujours refusé les engagements. Après avoir humé le vin, sa mère y goûta et reposa son verre, satisfaite.

— Si tu voulais un enfant, tu n'avais pas besoin de son consentement.

Ces mots choquèrent Isabelle parce qu'elle y avait pensé, autrefois. Vue sous ce jour, l'immoralité sous-entendue la bouleversait. Elle n'aurait jamais osé. Jamais.

— Ben voyons, maman ! Je lui en ai parlé, il m'a dit non, et après il a commencé à mettre un condom.

Sa mère leva les yeux au ciel, l'air découragé.

— Tu es donc bien innocente, ma fille! Il fallait arrêter la pilule et t'organiser pour tomber enceinte. Marc aurait été obligé d'accepter le bébé quand tu l'aurais mis devant le fait accompli. Lui en parler... Tiens donc! C'était certain qu'il allait prendre des moyens s'il n'en voulait pas.

La conversation dégénérait. Cette femme qu'Isabelle avait si longtemps admirée se permettait toutes les remarques, toutes les opinions, et laissait supposer que sa fille était capable de toutes les bassesses. C'était la faute du vin, sans doute. Dans son état normal, sa mère n'aurait jamais abordé de telles questions, fait de telles suppositions, de tels reproches. Mais avait-elle bu tant que ça?

— Je te dis que je vous trouve bonasses, toi pis les femmes de ta génération. Dans mon temps, on savait comment s'attacher un homme. Aujourd'hui, vous n'osez pas. Vous pouvez bien être mal prises quand ça tourne mal. Moi, avec ton père...

— Ne me dis pas que...

Isabelle souhaita être ailleurs, ne pas entendre ce qui allait suivre. Les paroles de sa mère l'atteignirent avec autant de dureté que celles de Marc et de Mathieu.

— Ça marchait de même, dans le temps, quand on voulait qu'un homme nous épouse. C'était ça ou attendre qu'il se décide. Pis ça, ça pouvait prendre des années. Des années pendant lesquelles il pouvait rencontrer d'autres femmes qui, elles, n'avaient pas les mêmes scrupules.

— Je ne pouvais tout de même pas forcer Marc à devenir père contre son gré!

— Qui te dit que ce n'est pas justement ce qu'a fait l'autre?

Isabelle avait-elle été à ce point naïve?

— C'est scandaleux de penser comme ça!

— En tout cas, ton chum t'a laissée, et sa nouvelle blonde attend un enfant. Moi, je n'ai pas besoin d'autres preuves que celle-là.

Isabelle cherchait des excuses, des explications. La vie ne pouvait se résumer à une compétition aussi sauvage. Il y avait l'amour, la confiance, l'engagement, sans lesquels on ne pouvait rien bâtir. C'était sa mère elle-même qui le lui avait enseigné.

— Tu m'as répété toute ma vie qu'il fallait que je respecte les autres. Pis là, tu me dis que chacun doit faire ce qu'il faut pour atteindre son but. Je ne comprends pas. Comment est-ce que tu as pu…

Sa mère secoua la tête et vida son verre d'un trait.

— Je pense que le monde est une jungle, Isabelle, et qu'il va falloir que tu apprennes à tirer ton épingle du jeu toute seule.

Ce soir-là, Isabelle retourna chez elle habitée par un mélange de colère et de déception. Cette conversation avait changé l'image qu'elle se faisait de sa mère, et cette désillusion s'ajoutait à toutes les autres. Imaginer que son père s'était fait piéger la révoltait. Pour ne pas reproduire un comportement similaire, elle décida de rompre avec Steve. Après tout, ne se servait-elle pas de lui pour atténuer sa peine, pour combler un besoin d'affection, pour effacer la douleur et l'humiliation causées par le rejet? Le pauvre était en train de tomber amoureux. Il lui avait même offert de partir en appartement avec elle. Sur le coup, Isabelle avait promis d'y réfléchir. Au fond, elle savait depuis le début qu'elle ne l'aimait pas. Avec lui, c'était une fuite en avant. Il lui évitait de penser et de se regarder en face. Steve avait beau se comporter comme un ado attardé, il ne méritait pas qu'elle en abuse. Isabelle n'était pas comme sa mère et ne le serait jamais.

L'éclatement de la bulle technologique surprit bon nombre d'investisseurs. Des actions qui atteignaient deux cents dollars en janvier avaient chuté à vingt dollars en mars. Et leur valeur allait en diminuant. De riche qu'il était devenu, Marc revint vers la classe moyenne endettée. Son courtier le pressait de rembourser son emprunt, son patron le surveillait pour l'empêcher de regarder la dégringolade en direct sur internet.

Si Isabelle n'osait se réjouir publiquement des déboires de son ex à la Bourse, en privé, il lui arrivait de sourire. Ce tournant dans leurs situations respectives relevait d'une forme de justice poétique qui, à défaut de lui offrir une vengeance personnelle à laquelle elle n'avait jamais songé, lui donnait au moins l'impression qu'elle n'était pas la seule à en baver dans ce monde.

Elle souffrait moins. Sa part de profit sur leur condo lui permettrait de terminer sa session l'esprit tranquille avant de se chercher un emploi. Elle avait trouvé un appartement, un trois et demie à distance de marche de l'université et près d'une ligne d'autobus. Menacé de faillite, Marc avait réclamé la voiture qu'il avait achetée pour elle l'année précédente. Isabelle lui avait tendu les clés sans hésitation. Elle n'avait plus qu'une envie désormais : couper tous les ponts avec lui.

Malgré sa résolution, elle avait attendu une semaine avant de rompre avec Steve. Elle avait hésité, puis s'était dit qu'il aurait été pratique d'avoir un homme pour l'aider à déménager. Quand cette idée avait jailli dans son esprit, elle avait cru entendre sa mère. « Sers-toi-z-en ! Prends ce que tu peux ! Si tu ne le fais pas, d'autres le feront. » Elle avait aussitôt téléphoné à Steve pour lui déclarer qu'elle ne le reverrait plus, dût-elle porter elle-même les meubles sur son dos jusqu'au deuxième étage.

Quelques jours plus tard, avec une sollicitude qui la surprit, son frère lui offrait de l'aider à déménager. Il possédait une camionnette et transporterait sans difficulté l'ensemble de ses biens en un seul voyage.

Tout fut donc prévu pour le 1ᵉʳ juillet. Plus qu'un mois à attendre. Un mois qui devait se dérouler sans anicroche et sans imprévu. Isabelle avait terminé avec succès sa deuxième année d'université. Encore un an et elle obtiendrait son bac en histoire. Elle avait fait une demande de bourse pour l'automne et s'était fait embaucher pour l'été dans un petit salon d'esthétique de son quartier. L'avenir paraissait de nouveau bien dessiné.

Les jours s'écoulèrent lentement. Il y eut le rendez-vous chez le notaire, avec Marc et sa nouvelle conjointe. Il y eut un rendez-vous chez le dentiste parce que, à force de garder les mâchoires serrées, Isabelle avait commencé à avoir mal aux dents. Il y eut aussi l'examen chez le médecin : Pap test, auscultations répétées et variées, prise de tension artérielle, prise de sang, alouette. Isabelle avait tout mis au programme. Tant qu'à repartir à neuf…

Elle arriva dix minutes avant l'heure. Cette précaution s'avéra inutile, car, au bout de cinquante minutes, personne n'était venu la chercher. Dans la salle d'attente, les patients occupaient toutes les chaises. Certains lisaient, d'autres fixaient le néant, le regard droit, terne, résigné. Isabelle avait apporté une revue à potins qu'elle eut le temps de lire de la première à la dernière page. Après l'avoir refermée, elle jeta un œil sur la table au centre de la pièce. Plusieurs magazines y avaient été déposés à l'attention des moins patients. Le titre de la page couverture de la revue *L'actualité* piqua sa curiosité. *Changer de vie ? Beaucoup en rêvent. Certains osent. Pourquoi ? Comment ?*

Sur la couverture, une jeune femme, bonnet péruvien et grosses bottes, se prélassait dans un hamac au cœur d'une forêt enneigée. Elle tenait un verre de vin et semblait porter un toast à sa nouvelle vie au Yukon. Le Yukon? Isabelle dut faire un effort pour se rappeler ses cours de géographie du secondaire. Le Yukon… N'était-ce pas en Alaska? À voir la neige, les sapins et l'épais manteau de la protagoniste, ça devait se trouver dans ce coin-là. L'article traçait le parcours de gens qui avaient changé leur vie. Changer de vie? Pff! Elle-même y avait été forcée, et ça n'avait pas fait son affaire du tout. Elle aurait donné son bras droit pour retourner dans le passé et retrouver ce qu'elle appelait avec cynisme sa sérénité d'autrefois.

Le texte n'était pourtant pas dénué d'intérêt, même si Isabelle ne se sentait pas concernée. Elle avait l'impression que l'auteure dressait le portrait d'Américains, de gens fortunés, de téméraires. Une phrase revenait cependant : *Et s'il y avait de la place pour plusieurs vies dans une vie ?*

Lorsque son nom retentit enfin dans le haut-parleur, elle abandonna sans regret la revue sur la table. Changer de vie? Pff! Elle s'en serait bien passé.

Le mois de juin s'écoulait lentement et sous une chaleur accablante. Dans le Vieux-Québec, les touristes affluaient et les paquebots déversaient quotidiennement leurs hordes de passagers. À Sainte-Foy, cependant, la vie se déroulait comme d'habitude, sans la moindre variation. Isabelle se levait à 7 heures, déjeunait, se lavait, se coiffait et se maquillait. Elle enfilait une robe, des talons hauts, et se rendait au travail, une blouse blanche cintrée sous le bras parce que, dans le salon d'esthétique, la climatisation faisait rage. Elle offrait à chaque cliente le même air affable, le même sourire, la même délicatesse dans les soins. Mais à l'intérieur, quelque chose était mort. Une fibre humaine, qui l'avait pourtant fait vibrer pendant des années, était désormais aussi inerte qu'une plante desséchée. Son âme restait au neutre, tout le jour, toute la nuit. Elle vaquait à ses occupations comme un automate, et rien, pas même son magasinage hebdomadaire avec sa mère, ne réussissait à lui soutirer autre chose qu'une expression de détachement.

Elle comptait parmi ses clientes plusieurs copines de classe. L'université avait cet avantage de tisser des liens rapidement. Il ne s'agissait certes pas de liens très solides ni très intimes, mais ils lui permettaient au moins de briser la solitude.

Ce fut justement Céline, l'une de ces amies, qui l'appela un vendredi soir.

— Manon, Julie et moi, on va veiller au Bogart. Viens donc avec nous!

Isabelle hésita. Pour plate qu'elle était, sa routine avait quelque chose de rassurant. Elle savait où elle s'en allait. Toujours. Tout le temps. Sortir dans les bars, c'était prendre le risque d'une nouvelle déception. Elle n'y avait d'ailleurs pas mis les pieds seule depuis des années. Manquait-elle de courage? Peut-être. Mais elle avait la conviction qu'un autre rejet lui serait fatal. Céline insista:

— Envoye donc! Tu ne sors jamais. Ça va te faire du bien de voir du monde.

Isabelle céda. Et c'est ainsi qu'elle se retrouva en ce deuxième vendredi de juin 2000 dans le plus célèbre *meat market* de Québec.

À vivre longtemps en couple, on en oublie les tenants et les aboutissants du rituel des célibataires. Isabelle avait vécu onze années avec Marc. Onze années pendant lesquelles elle s'était lavée avant de sortir le soir dans le seul but de se faire belle. Prendre sa douche lui permettait de se coiffer ensuite plus facilement. Elle en profitait aussi pour s'épiler afin de montrer des jambes impeccables. Elle se parfumait, se maquillait. Tout cela pour le plaisir de Marc, pour qu'il soit fier de l'avoir à son bras. Et avant d'aller au lit, le soir, elle prenait une autre douche pour mieux dormir. Pour faire l'amour, aussi, quand ça arrivait.

Mais la donne avait changé. Ce soir-là, quand Isabelle se glissa sous la douche, ce n'était plus pour plaire à Marc. Ni à elle-même. Certes, elle voulait être jolie, mais il s'agissait là d'un simple effet collatéral. Une conséquence naturelle, en quelque sorte. Elle se lava les cheveux, s'épila, se coiffa, se maquilla, se parfuma comme auparavant. À cette différence près qu'elle agissait dans un tout autre but. Elle ne cherchait plus juste à séduire avec ses atours. Elle se pomponnait au cas où il se passerait quelque chose après. Au cas où elle ramènerait un homme. Ou en suivrait un. Être propre était une condition essentielle au sexe. Il ne devait y avoir aucun délai. Le feu pouvait s'éteindre à tout moment. De cela, Isabelle avait des souvenirs de sa jeunesse. Une espèce de faim des corps qui ne tolérait aucune entrave, aucune attente.

— Le maudit chien sale! Il m'a laissée pour une femme de dix ans plus jeune que moi. Je ne lui pardonnerai jamais, le…

Le bruit d'une chasse d'eau étouffa une nouvelle insulte. Assise sur un siège de toilette dans une cabine adjacente, Isabelle avait deviné de quel mot il s'agissait. Une autre femme répliquait :

— Rien à faire, les hommes sont tous des cons. Tu sais ce qu'on dit : s'ils perdent la tête quand ils voient une belle fille, c'est parce qu'ils n'ont pas assez de sang pour irriguer à la fois leur cerveau et leur pénis.

Des rires en cascade résonnèrent, teintés d'amertume, ce qui atténua temporairement la musique techno qui grondait dans le bar. Boum. Boum. Boum. Chicka Boum. La porte venait de s'ouvrir. La musique reprit ses droits, avant de s'étouffer de nouveau. Un bref coup d'œil sous la porte. Les deux femmes avaient disparu. Isabelle retint un sanglot. Ce qu'elle venait d'entendre ressemblait à s'y méprendre au discours qu'elle avait elle-même tenu à l'université et au travail tout le printemps. Ses amies devaient le connaître par cœur. L'entendre dans la bouche d'une inconnue lui avait fait une drôle d'impression. Elle en avait ressenti un élan de solidarité qui avait ravivé sa propre peine.

« Les hommes sont vraiment tous des cons ! » songea-t-elle.

Il y eut un éclair de musique plus forte. Puis de nouveau la sourdine. D'autres voix de femmes s'élevèrent près des lavabos. Isabelle eut honte de ses yeux rougis et n'osa quitter la cabine. La soirée s'éternisait. Elle regrettait d'être sortie. Elle aurait dû rester chez elle dans un confort rassurant où elle aurait pu se morfondre à sa guise. La rancœur lui remontait maintenant dans la gorge, et ici, au milieu de ces femmes et de ces hommes venus draguer, elle ne pouvait l'exprimer, ni par des larmes, ni par des cris.

L'eau coulait. Deux autres femmes discutaient. L'une d'elles devait se mettre du rouge à lèvres parce que ses mots sortaient, irréguliers et distordus, comme si elle parlait en gardant la bouche ouverte.

— Si tu voyais la peau de vache avec qui il vivait avant.

Il y eut une pause, le temps sans doute de tracer la lèvre du haut.

— Une pétasse qui chialait tout le temps sur tout. Elle l'étouffait. Pas capable de simplement le laisser vivre. Il ne pouvait pas manger ce qu'il voulait, s'habiller comme ça lui tentait, sortir quand il en avait envie. Elle contrôlait tout.

Une chance qu'on s'est rencontrés, lui et moi. Tu vas voir, je vais le rendre heureux. Déjà, il boit moins qu'avant. C'est la preuve qu'il se sent mieux depuis qu'on est ensemble.

Isabelle aurait pu sortir maintenant. Elle avait fini d'uriner, ses yeux avaient dû désenfler. Sauf qu'elle avait peur d'interrompre la discussion… et peur de sa réaction. Si celle qui parlait avait dix-neuf ans et un ventre rond, Isabelle était capable de lui sauter au visage. Peu lui importait qu'il s'agisse d'une autre femme qui parlait d'un autre homme. Elle lui en voulait tout simplement de tenir de tels propos. Elle était l'ex. Celle qui avait choisi la nourriture de l'homme et ses vêtements, celle qui lui avait dicté ses heures de sortie. C'était pour son bien, s'était-elle répété. Elle l'avait voulu en bonne santé, beau et fort. Jamais il ne lui était venu à l'esprit qu'elle l'étouffait.

La curiosité l'emporta sur la prudence, et Isabelle ouvrit la porte toute grande. Devant le miroir, deux femmes d'une quarantaine d'années se maquillaient en poursuivant leur conversation, indifférentes à la mauvaise humeur d'Isabelle.

— C'est certain que je ne vais pas tolérer longtemps qu'il fume son joint. En tout cas pas dans la maison.

— Tu fais bien. Le mien, il fait des efforts pour fumer moins. Je ne voudrais pas que mes enfants prennent exemple sur lui.

— Certain! Moi, je lui ai dit qu'il ne pouvait plus découcher. C'est irrespectueux. Je suis sa blonde, maintenant. On doit dormir ensemble.

Isabelle réprima un sourire malicieux. Bientôt, dans quelques années peut-être, ces femmes-là seraient des ex, elles aussi.

Elle quitta les toilettes après avoir retouché son maquillage. Un bref coup d'œil dans le miroir lui avait confirmé que tout était parfait. Ne restait qu'à trouver l'homme. Une fois enveloppée dans la musique, elle remarqua l'odeur. Un mélange de parfum, de déodorant et de quelque chose d'autre. Ça sentait le sexe, si indéfinissable que ce soit, et ça lui fit monter un goût de bile dans la bouche. Les mots des femmes lui revenaient, le ton de leur conversation, leur rancœur, leurs jugements, leurs certitudes. Au fond, toutes ces histoires d'ex relevaient de la bêtise. Elle y voyait même une similarité avec les appartements à louer. Ne critiquait-on pas toujours la propreté des locataires précédents? On est toujours la *bitch* de quelqu'un, qu'on le veuille ou non.

Elle rejoignit ses amies au bar. Manon avait trop bu, comme ça lui arrivait souvent. Elle parlait fort, riait exagérément et se collait contre l'homme assis à côté d'elle. Isabelle fit un signe discret à Céline. Surtout, il ne fallait pas la laisser prendre un autre verre. Céline hocha la tête. Elle était du même avis. Julie, qui s'était trouvé un cavalier à son goût, s'était déjà retirée dans un coin sombre et se laissait embrasser à pleine bouche. Isabelle sourit, amère.

Il y en a au moins une qui aurait quelque chose à raconter le lendemain matin.

Elle se commanda un piña colada. Il y avait longtemps qu'elle avait perdu le goût de la bière. Marc en buvait tellement! Dans son esprit, le piña colada avait quelque chose de festif. Dès la première gorgée, le goût du jus d'ananas lui rappela le jour où elle avait refusé un emploi aux îles Vierges. Juste pour l'amour de Marc. Bien qu'elle fût suave, cette gorgée lui resta en travers de la gorge.

— Ton drink n'a pas l'air de ton goût. Tu veux que je t'en paie un autre?

Gênée à l'idée qu'on ait pu lire l'émotion sur son visage, Isabelle se composa un air plus calme. Elle s'était maquillée avec soin, comme autrefois. Fond de teint, crayon à sourcils, contour de l'œil charbonneux et rouge à lèvres pétant. Ses cheveux tombaient sur ses épaules en cascades brunes. On lui aurait donné vingt-cinq ans avec ses cinq pieds et un pouce en talons hauts. Elle avait revêtu une robe noire moulante et des bas de nylon diaphanes aussi sombres qu'aguichants. Tous ces artifices lui donnèrent l'assurance nécessaire pour se tourner vers celui qui lui offrait un verre avec autant de simplicité. Le premier mot qui lui vint à l'esprit fut « G.I. Joe ». Un G.I. Joe comme ceux avec lesquels jouait son frère quand il était enfant, mais grandeur nature, avec la barbe, les grandes mains et le torse large. Elle repoussa son piña colada.

— Je prendrais du vin rouge.

Elle essaya de se rappeler. La drague était tellement loin ! Elle eut peur d'être gauche. Elle se sentit vulnérable, pathétique. Comment justifier qu'elle en soit encore rendue là ?

L'homme attira l'attention du serveur et commanda du vin pour elle et une bière pour lui. Il paya, refusa le verre et but au goulot, comme on le faisait dans les tavernes du quartier Saint-Roch. Pendant le temps que dura la transaction, Isabelle l'étudia. Elle avait l'œil, côté esthétique, et aurait parié que ses cheveux, d'un brun plus clair que les siens, étaient fraîchement coupés, sa barbe, fraîchement taillée, et qu'il s'agissait chez lui d'un rite peu fréquent. Il se frottait souvent le menton du revers de la main comme pour vérifier si la lame avait fait son travail. C'était rare, à Québec, un barbu dans la trentaine. Plus rare encore dans un bar comme le Bogart.

Sans quitter sa bière des yeux, l'homme se gratta la nuque, comme s'il s'assurait de la disposition de quelques mèches invisibles qui devaient, il n'y a pas si longtemps encore, lui tomber dans le dos. Il portait des vêtements classiques, chemise d'été chic, pantalon foncé, chaussures de ville, mais paraissait mal à l'aise. De temps en temps, il bougeait les épaules. On aurait dit qu'il cherchait à étirer les coutures pour se dégager de l'espace. Vrai qu'il était à l'étroit dans cette chemise. La coupe était trop ajustée pour un homme de cette carrure. Peut-être avait-il engraissé récemment ? Ou peut-être avait-il emprunté ces vêtements pour sortir? Après tout, les jeans n'étaient pas permis au Bogart. Les T-shirts non plus. Elle misa sur cette dernière hypothèse et, même si la perspective d'un déguisement aurait dû lui faire perdre tout intérêt, elle se surprit à prendre plaisir au jeu. Cet homme n'était pas chez lui dans un bar aussi guindé. Ce n'était pas du tout un endroit pour boire à la bouteille. Il venait d'ailleurs de se commander une troisième bière, après avoir vérifié que le verre d'Isabelle était toujours aux trois quarts plein.

Il n'avait toujours rien dit, cependant, et fuyait son regard. Si bien que, quand il se tourna enfin vers elle en plissant les yeux, Isabelle fut surprise de découvrir des pupilles aussi claires qu'un ciel d'été.

— Tu viens souvent ici?

Elle éclata de rire tant la remarque était banale. Elle dit que non, qu'elle n'était pas venue ici depuis longtemps.

— Moi non plus.

Elle ne sut s'il voulait dire qu'il n'était pas venu au Bogart depuis longtemps ou s'il n'y venait pas souvent. De toute façon, cela importait peu. Il s'éclaircit la voix et lui demanda ce qu'elle faisait dans la vie. Isabelle réfléchit. Pour éviter que son embarras ne paraisse, elle but une gorgée de vin et replaça une mèche de cheveux. Que répondre? Elle avait peur qu'il la juge insignifiante si elle lui disait qu'elle était esthéticienne, et elle avait peur d'avoir l'air d'une personne à charge si elle admettait qu'elle était encore aux études à trente et un ans. Elle opta pour un compromis:

— Je travaille en esthétique pour payer mes études en histoire.

On ne pouvait trouver rien de faux dans cet aveu.

Parce que le vin lui avait redonné un peu de son assurance d'antan, elle lui tendit la main, presque cérémonieusement.

— Je m'appelle Isabelle.

Il s'agita encore dans sa chemise.

— Guy. Est-ce que tu restes à Québec?

— À Sainte-Foy. Et toi?

Il se commanda une autre bière et attendit qu'on la lui tende avant de lancer:

— Au Yukon.

La musique avait beau être forte, ce mot, Yukon, sonna aussi clairement à l'oreille d'Isabelle que s'il avait brisé le silence.

— Au Yukon? Wow! Tu es loin de chez toi. Je ne pensais pas qu'on parlait français dans ce coin-là.

— Je vis au Yukon, mais je viens de Québec.

Isabelle se rappela l'article de *L'actualité*. Était-ce le fruit du hasard si elle rencontrait justement ce soir un de ceux qui avaient changé de vie?

— C'est quelque part en Alaska, le Yukon, n'est-ce pas?

À voir l'exaspération dans les yeux de Guy, elle se dit qu'elle venait de dire une bêtise. Elle regretta l'audace dont elle avait fait preuve en se présentant. Il aurait mieux valu qu'elle s'éloigne avec ses amies, qu'elle refuse le verre, ou même qu'elle s'enferme dans sa solitude, quitte à ne plus jamais mettre les pieds dans un bar.

— C'est à côté de l'Alaska, de ce bord-ci des Rocheuses. Mais c'est au Canada *all right*!

L'explication était simple, claire et dépourvue de jugement.

— Tu parles drôlement. Tu fais quoi, là-bas?

Il s'éclaircit la voix encore une fois.

— Je suis prospecteur. Je cherche de l'or.

Elle rit.

— En as-tu trouvé?

Pour toute réponse, il étira le col de sa chemise, dévoilant une pépite du diamètre d'un vingt-cinq cents, soudée à un anneau dans lequel passait le lacet de cuir qui lui enserrait le cou. Isabelle s'approcha pour admirer le bijou. Il s'agissait d'un caillou rugueux, poli, mais pas aussi brillant que l'or de ses propres boucles d'oreilles.

— Ça vaut cher?

— Ça dépend des jours.

Elle continua d'admirer la pépite en se demandant combien elle pouvait valoir ce jour-là.

— Et tu en as trouvé beaucoup, des comme ça?

— Pas autant que j'en veux.

Il y eut entre eux un moment de silence. Isabelle se redressa sur son tabouret.

— Je n'ai jamais rencontré de mineur avant. Ça m'impressionne.

— Je n'ai pas dit mineur. J'ai dit prospecteur.

— Il y a une différence?

— *A big difference!*

Elle attendait qu'il s'explique, mais il s'était tourné vers la piste de danse où la boule de verre jetait des éclats de lumière flatteuse. La musique venait de changer, et la voix d'Enrique Iglesias envahit la boîte sur un rythme disco familier. Sur la piste, on s'agita de plus belle.

— Viens-tu danser?

Il avait posé sa question sans la regarder, en fixant un point droit devant lui, comme s'il anticipait fatalement une réponse négative. Isabelle fut émue par tant de timidité. Elle hocha la tête, prit sa main et se laissa guider, abandonnant en chemin son sac à main sur les genoux de Céline.

Now that you're gone, I just wanna be with you, chantait Iglesias, d'une voix suppliante. Tout le monde chantait avec lui, sauf Guy qui se contentait de hocher la tête, les lèvres closes.

La musique entraînait les danseurs, rythmant les pas, les déhanchements, et leur collant à chacun un sourire sur le visage. Isabelle s'étonna de voir Guy aussi souple, lui qui paraissait engoncé dans ses vêtements quelques minutes plus tôt. Il n'avait pas l'habitude, mais bougeait tellement bien qu'elle eut envie de s'approcher, de reprendre sa main, de se lover contre lui. Elle n'en fit rien, mais la pensée suffit à lui donner chaud. Guy dégageait une sorte de solidité brute, sans artifice. Elle l'imaginait dans le bois, couvert de sueur, la barbe plus longue, les cheveux en bataille, et elle le trouva tellement beau qu'elle en oublia ses vêtements d'imposteur, sa bière au goulot et cette manie qu'il avait de se racler la gorge avant de parler. Elle riva ses yeux aux siens et rit quand il se détourna, gêné d'être le centre de tant d'attention.

Le rythme changea de nouveau. Un sifflement que tout le monde reprit en chœur. Quelques notes de guitare. *Wind of change*, un slow vieux de dix ans, envahit la discothèque. Il y eut un moment de gêne entre Isabelle et Guy. Il ouvrit enfin les bras, elle s'y réfugia volontiers. Il était grand, beaucoup plus grand qu'elle, et c'était bon d'appuyer la tête contre son torse. Autour d'eux, d'autres couples se formaient, mais Isabelle ne les voyait pas. Elle avait fermé les yeux. Elle respirait la chemise, le déodorant, la sueur sous-jacente, et quelque chose encore, cette odeur indéfinissable qui lui donnait envie de se coller davantage. Elle aurait sûrement fini par l'embrasser si des éclats de voix n'étaient venus briser le charme. Dans un coin du bar, elle vit un homme basculer sur une table et une femme grimper par-dessus. Isabelle reconnut Manon. D'un geste brusque, elle se dégagea.

— Ben voyons donc!

Guy suivit son regard et sourit en voyant ce qui se passait. C'était grotesque… quand on n'était pas concerné.

— Tu la connais?

— Malheureusement oui. Excuse-moi. Il faut que j'aille m'en occuper.

Elle abandonna à regret les bras, le corps et toutes les promesses qu'ils ne s'étaient pas encore faites pour s'élancer au secours de son amie. En fait, c'était plutôt l'homme sur le dos qui avait besoin d'aide pour se défaire de la poigne de Manon.

— Dis-le que c'est ça que tu veux !

Manon n'avait que cette phrase à la bouche et elle la criait tellement fort qu'on n'entendait plus le sifflement ni les notes de guitare. Si on ne la faisait pas descendre de la table, elle allait commencer à se déshabiller. Déjà, les portiers accouraient. D'un commun accord, Isabelle et Céline empoignèrent leur amie.

— Lâchez-moi, vous autres ! C'est le mien. Je ne vous le laisserai pas. Lâchez-moi, je vous dis !

Manon eut beau les invectiver, leur lancer des insultes, elle se retrouva les pieds sur le sol, soutenue par ses deux amies qui répétaient leurs excuses en chœur. Isabelle aperçut Julie, toujours dans les bras de sa nouvelle conquête.

— On rentre, nous autres. Viens donc nous aider à l'amener à l'auto !

Julie abandonna son homme à regret.

— Je vous aide jusqu'au stationnement, mais après ça, vous vous débrouillerez. Je ne vais pas risquer de perdre ce mec-là pour une soûlonne comme Manon.

Quinze minutes plus tard, la voiture roulait sur le boulevard Laurier. Manon gisait inconsciente sur la banquette arrière, la tête appuyée sur l'épaule de Céline. Au volant, Isabelle gardait les dents serrées, furieuse contre elle-même autant que contre son amie. Elle pensait à Guy. Elle ne lui avait pas dit son nom de famille et n'avait même pas eu le temps de lui laisser son numéro de téléphone.

7.

Un matin de la mi-janvier, Isabelle a téléphoné pour m'inviter à prendre une tasse de thé à West Dawson.

— Pour te rendre chez moi, tu prends la Front Street jusqu'au pont de glace. Tu traverses et, de l'autre côté, tu tournes à gauche avant la grande côte. Il faut prendre le petit sentier qui monte dans le bois. Ça va te mener sur un chemin plus large. Mon entrée, c'est la troisième.

J'ai ri. Cette visite à West Dawson avait des allures d'expédition, ce qui n'était pas pour me déplaire.

En début d'après-midi, donc, j'ai emprunté la Front Street en direction du pont de glace qui n'avait de pont que le nom. Il s'agissait en fait d'une piste de traverse où on avait enlevé la neige et où il était possible de rouler sur les eaux gelées du fleuve Yukon. J'en étais encore à plusieurs centaines de mètres quand une camionnette s'est immobilisée à côté de moi.

— T'en vas-tu de l'autre bord ?

Il m'a fallu un moment pour réagir, surprise que j'étais qu'on s'adresse à moi en français. J'ai répondu par l'affirmative avant de contourner le véhicule, d'ouvrir l'immense portière et de me hisser sur le siège du passager.

Le chauffeur était un barbu comme j'en avais rencontré cent fois depuis mon arrivée, que ce soit au bureau de poste, dans la rue ou à l'épicerie. Mis à part les autochtones et quelques originaux, les hommes de Dawson portaient tous la barbe. Celui-là ne se distinguait pas des autres, sur aucun autre plan d'ailleurs. De stature moyenne, il avait la peau du visage tannée par le soleil et le froid. Ses cheveux bruns mêlés de gris dépassaient d'un bonnet péruvien et rejoignaient les poils denses et drus qui lui montaient dans le cou, le dispensant de porter un foulard. Ses mains, nues et noircies par la suie ou la graisse de machinerie, serraient un volant que j'imaginais glacé.

— Comment tu trouves ça, chez nous?

Il poursuivait en français, comme si c'était la chose la plus naturelle du monde.

— C'est beau. Comment savais-tu que j'étais francophone?

Il s'est tourné vers moi et m'a fait un clin d'œil.

— Dans une petite place comme icitte, tout' se sait très vite.

J'ai haussé les sourcils, incrédule. Il a précisé:

— Ben, presque tout'.

Comme j'avais toujours l'air sceptique, il a éclaté de rire, puis s'est éclairci la voix avant de passer aux aveux.

— Je t'ai entendue parler en français avec Colette au General Store...

Je me rappelais très bien ma surprise en découvrant des francophones à Dawson. Car il n'y avait pas que la caissière de l'épicerie! Une des serveuses du restaurant et un des commis du bureau de poste étaient aussi originaires du Québec.

— ... Et puis tout le monde parle de toi au village. On n'a pas l'habitude des touristes en janvier.

Il avait raison sur ce point. Je devais détonner dans ce décor nordique où tout le monde connaissait tout le monde. À la défense des touristes qui boudaient l'endroit en hiver, j'aurais pu arguer le manque de lumière et les -50 °C fréquents, mais je me suis retenue. De toute manière, je l'aimais bien, ce petit village, avec ses rues qu'on ne déblayait pas, les « *Good day!* » lancés par les promeneurs, et le calme de la forêt omni-présente.

— Oups ! Il est déjà 2 heures. Excuse-moi.

Comme s'il s'agissait d'un rendez-vous à ne pas man-quer, mon chauffeur a allumé la radio. Une voix de femme est sortie des haut-parleurs. Une voix qui parlait en anglais avec un accent francophone à couper au couteau.

— *Welcome to CFYT, 106,9 FM, the Spirit of Dawson. You are listening to Francopen and here is* Jusqu'au bout.

J'ai dû avoir l'air surprise en reconnaissant la voix d'Éric Lapointe parce qu'un gigantesque éclat de rire a envahi la cabine.

— Avoue que tu ne t'attendais pas à ça au Yukon ! C'est le show à Julie. On en a juste une heure par semaine, mais ça fait du bien d'écouter des tounes en français.

Je lui ai donné raison encore une fois. Moi-même, j'ap-préciais l'accent d'Éric Lapointe après avoir vécu les quinze derniers jours presque uniquement en anglais.

J'allais lui confier à quel point ça me plaisait d'avoir ren-contré une autre personne qui parlait ma langue quand j'ai aperçu la canette de bière qu'il tenait entre ses cuisses. J'ai senti mes mains devenir moites dans mes mitaines. Nous venions de descendre sur le fleuve et la camionnette roulait sur la glace, aussi stable que sur l'asphalte, mais j'angoissais tout à coup.

— Je m'en vais chez Isabelle St-Martin. Sais-tu où elle habite ?

Je priais pour que ce ne soit pas trop loin.

— *Sure* que je le sais ! Mais je ne peux pas te conduire jusque-là. Ce n'est pas exactement une *highway*, son chemin. Il t'aurait fallu un *ski-doo*.

Voilà qui m'a intriguée au point de me faire presque oublier la bière dont il venait de boire une gorgée. Isabelle vivait donc dans un coin à ce point reculé qu'une camionnette, pourtant bien équipée pour affronter l'hiver, ne pouvait se rendre jusque chez elle.

— Tu viens d'où?

Il avait posé sa question sans quitter la glace des yeux. J'ai répondu de la même manière.

— J'habite à Montréal, mais je suis originaire de Québec.

— Ah, oui? Quel quartier?

— Saint-Sacrement.

— *Really?* Moi aussi. On a dû jouer ensemble dans la cour d'école quand on était *kids*.

Je me suis tournée vers lui, encore une fois sceptique.

— Ça me surprendrait. Tu as quel âge?

— Quarante-deux.

«Juste ça!» me suis-je dit en réalisant que je lui aurais facilement donné dix ans de plus. Je l'ai quand même corrigé.

— Quand j'en avais dix, tu en avais quinze. Tu ne jouais certainement plus aux mêmes jeux que moi.

Il s'est esclaffé, comme si l'idée de lui à quinze ans ravivait des souvenirs cocasses.

Nous avons rejoint l'autre rive et quitté le chemin principal pour nous engager sur une route qui semblait ne mener nulle part. La camionnette s'est arrêtée au bout de trente mètres.

— As-tu l'intention de rester longtemps à Dawson?

Pressée que j'étais de descendre, j'ai soufflé qu'il me restait un peu moins de trois semaines.

— Ah, c'est plate!

Il s'était exclamé avec une telle déception dans la voix que je n'ai pu m'empêcher de l'étudier avec davantage d'intérêt. J'ai alors remarqué le bleu de ses yeux et je me suis rappelé cette manière qu'il avait de s'éclaircir la voix à tout moment. J'ai compris que j'avais affaire à l'homme qu'Isabelle avait connu au Bogart. Je l'avais imaginé plus beau, plus costaud

106

aussi et d'apparence plus jeune. Puis je me suis rappelé qu'il s'était écoulé neuf ans depuis leur rencontre. Tout le monde vieillit en neuf ans. Je devais admettre, cependant, que je trouvais attendrissantes ses manières un peu rudes et cette timidité qui le rendait un peu gauche. Je me suis surprise à lui pardonner sa bière au volant et ces mots d'anglais qui émaillaient ses paroles.

Puisque j'étais rendue à destination, je l'ai remercié pour la traversée et j'ai ouvert la portière.

— Il faut monter. Jusqu'en haut, je veux dire. Tout en haut.

D'une main, il a indiqué le sentier qui commençait derrière moi.

— Ça *splite* à la fin. Tu prends le chemin le plus large. Surveille pour l'entrée avec un drapeau rouge. Ben, la dernière fois que j'y suis allé, il y avait un drapeau rouge attaché à un arbre. Sa maison est cent pieds plus loin dans le bois. *Anyway*, tu ne peux pas te perdre. Les chiens vont japper quand ils vont te sentir arriver. Tu auras juste à te guider à l'oreille. En passant, je m'appelle Guy.

Je me suis présentée à mon tour. Il m'a serré la main avant de me laisser descendre en me souhaitant une bonne journée. À travers la vitre, je l'ai vu boire une grande gorgée de sa bière, puis embrayer en marche arrière. Je l'ai regardé s'en aller, perplexe. Même si je lui trouvais un certain charme, je n'étais pas certaine que je l'aurais suivi au Yukon, cet homme-là. Isabelle avait dû voir chez lui quelque chose qui m'échappait.

La camionnette venait de s'engager dans la grande côte.

Il était temps pour moi d'entamer le sentier.

8.

Quand le téléphone sonna le lendemain matin, Isabelle fut surprise de reconnaître l'accent de Guy. Ses paroles sonnaient comme de la musique à ses oreilles. Il l'invitait à dîner.

— Comment est-ce que tu as fait pour trouver mon numéro ?

Elle n'en revenait pas. En moins de douze heures, cet étranger, qui ne connaissait que son prénom, avait réussi à retrouver sa trace.

— J'ai demandé à ta chum, celle qui est restée au bar. Elle n'a pas voulu me dire où tu restais, ni ton téléphone, mais elle m'a donné ton nom au complet. J'ai pris une chance. Ça s'adonne que tu es dans le *phone book*.

Effectivement, la ligne téléphonique du condo avait toujours été à son nom. Isabelle avait insisté en emménageant avec Marc pour que certaines factures lui soient adressées. Elle voulait se faire un nom, se créer un dossier de crédit qui lui permettrait, un jour, de faire des emprunts toute seule. Elle n'avait toutefois jamais imaginé qu'une simple inscription dans l'annuaire allait lui servir à ce point des années plus tard.

Guy proposa de venir la chercher. Elle lui donna son adresse avec des indications pour trouver la rue du Campanile parce qu'il s'avouait peu familier avec les nouvelles rues, lui qui avait quitté Québec dix ans plus tôt. Elle attendait sur le seuil à midi quand une BMW s'arrêta devant chez elle.

— Méchante belle auto !

— Merci, elle est à mon frère. Moi, j'ai juste un *truck*, pis il est resté à l'aéroport de Whitehorse.

— Qu'est-ce qu'il fait dans la vie, ton frère?

— Il vend des BMW.

Ils rirent d'une seule voix, et plus tard, tandis que Guy empruntait le chemin Sainte-Foy, Isabelle le regarda du coin de l'œil en se répétant qu'elle ne devait pas tomber amoureuse. Pas tout de suite. Elle avait trop de vécu, trop de peurs, trop de doutes pour céder aussi facilement à ce genre d'émotions.

Guy choisit un endroit quasi désert.

— Je ne suis plus habitué aux *big crowds*. J'espère que ça te va.

Si ça lui allait? Isabelle avait craint qu'il l'emmène dans une de ses places à déjeuner bondées où on ne s'entendait pas parler. Ils s'installèrent tout au fond et entamèrent une conversation qui dura deux heures. Guy lui décrivit l'endroit où il vivait et les animaux sauvages qui rôdaient aux alentours. Il lui parla de la grandeur du Yukon. Un territoire aussi vaste que la France, mais où il n'y avait presque personne. Puis il lui vanta Dawson.

— C'est petit, mais c'est beau.

— Et chez toi?

— Chez moi? C'est tranquille. Je n'ai pas de voisin.

— Pas de voisin?

Pour une fille de Sainte-Foy, la chose était difficile à imaginer.

— Disons que j'en ai, mais qu'ils sont tellement loin que c'est comme s'ils n'existaient pas.

Isabelle fit semblant de comprendre, alors qu'elle ne pouvait concevoir un instant qu'on ait des voisins à ce point éloignés qu'on en oubliait leur existence. Même à la campagne, la chose semblait inimaginable.

Elle avait effectué une petite recherche depuis la veille. Internet était là pour ça. Elle avait ainsi découvert que

Dawson City était un minuscule village situé au milieu du Yukon, à six mille kilomètres de Québec. Il s'agissait effectivement d'un territoire canadien avec une population totale de trente mille habitants, dont vingt-cinq mille habitaient Whitehorse, la capitale. Dawson constituait la deuxième ville en importance, avec mille deux cents habitants. Mille deux cents! C'était moins que l'achalandage quotidien d'un centre commercial. C'était… minuscule.

Guy portait un jean et un T-shirt, et semblait nettement plus à l'aise dans cette tenue que dans celle de la veille. Il ne soutenait pas davantage son regard, cependant. Ce jeu étrange s'ajoutait à son français ponctué d'anglais pour créer quiproquo sur quiproquo. Il leur fallait souvent tous les deux répéter ou reformuler ce qu'ils disaient. Loin d'irriter Isabelle, ces ajustements avaient quelque chose d'intrigant, voire d'exotique.

— Tu reviens souvent au Québec?

Elle priait pour une réponse positive. Elle venait peut-être de le rencontrer, mais elle n'avait pas envie de le laisser repartir aussi loin. Pas tout de suite, en tout cas.

— La dernière fois, c'était il y a quatre ans.

Isabelle demeura bouche bée. Percevant sa déception, Guy ajouta:

— Je ne peux pas venir plus souvent à cause de mon travail. Ça fait déjà une semaine que je suis ici. Pis là, je manque de temps.

Elle leva un sourcil interrogateur. Il manquait de temps?

— Je reprends l'avion à soir.

Isabelle déglutit. Ils étaient deux à manquer de temps. Pour parler. Pour se découvrir. Pour se connaître. Il eut un sourire triste.

— Mon frère vient me reconduire à Montréal en fin d'après-midi.

Il avait croisé les mains sur la table, et ses doigts s'entre-mêlaient, tendus et agités. Il chercha quelque chose d'autre à dire, mais ne trouva rien. Il ne pouvait pas lui demander de le suivre et n'avait pas l'intention de demeurer à Québec. Elle n'avait pas l'intention de partir ni de lui demander de rester.

— Je peux te donner mon adresse de courriel. Si jamais tu repasses dans le coin…

C'était inutile. Guy ne repasserait pas dans le coin avant des années, ils le savaient tous les deux.

— Je vais aussi te donner la mienne, mais je t'avertis : je *checke* mes *e-mails* une fois par deux semaines, des fois même une fois par mois.

Isabelle n'en revenait pas. N'avait-il pas internet, chez lui ? Au lieu de répondre, il lui dit simplement :

— Je les *checkerai* peut-être plus souvent si je sais que tu vas m'écrire.

Elle le lui promit. Leur temps était écoulé. L'heure du départ arrivait. Il devait la ramener chez elle, passer chercher sa valise, récupérer son frère, se rendre à Montréal. Prendre l'avion. Pour s'en aller tellement loin !

Dans la voiture, ils parlèrent peu. Ils ne s'embrassèrent pas, même devant chez elle. Ça ne servait à rien. Si seulement ils s'étaient connus un jour plus tôt…

La voiture n'avait pas quitté Québec qu'Isabelle envoyait déjà un courriel.

J'aurais aimé qu'on ait plus de temps. Je te souhaite un beau voyage de retour.

Il ne lirait ces mots qu'en arrivant chez lui, mais ça importait peu. Isabelle lui avait écrit pour elle-même, pour exorciser le regret qui lui écrasait la poitrine. Du temps, n'en manquions-nous pas tous, toujours ?

Leur idylle n'avait pas duré vingt-quatre heures, mais elle avait fait des ravages. Dans l'esprit d'Isabelle, les émotions avaient pris le contrôle. Elle souffrait comme une adolescente de quinze ans qui vient d'être abandonnée par son cavalier un soir de danse. Elle se trouvait ridicule, ce qui ne l'empêcha pas de lui écrire de nouveau le lendemain.

Quand tu auras deux minutes, parle-moi de toi.

Elle faillit ne pas envoyer ce mot tellement elle avait honte de ses sentiments. On aurait dit qu'un démon avait pris possession de son corps et de sa tête. Mais une partie d'elle-même résistait, même si tout le reste lui échappait. Il n'était pas question d'aller au Yukon. Elle n'était pas comme ces gens de la revue *L'actualité* qui avaient ressenti un jour le besoin de changer de vie. Elle n'était pas de ceux qui abandonnaient tout pour recommencer ailleurs. Elle était Isabelle St-Martin, petite fille de Sainte-Foy, esthéticienne et étudiante en histoire. Si c'était vrai qu'elle avait traversé une mauvaise passe, elle n'en était pas pour autant désespérée. Un nouvel appartement l'attendait, l'université l'attendait. Et un homme, sans doute aussi, quelque part dans Québec. Elle finirait bien par mettre la main dessus, au Bogart ou ailleurs, et alors sa mère lui dirait enfin qu'elle aurait réussi, qu'elle était à la hauteur, qu'elle n'avait pas gâché sa vie en perdant Marc.

Guy ne reviendrait pas de sitôt au Québec, il l'avait dit clairement. De toute façon, on ne changeait pas de vie pour une personne rencontrée un soir. On ne voyait ça que dans les films. Guy était un homme comme les autres, avec des qualités et des défauts qu'elle ne soupçonnait pas. Un homme qui menait une vie à l'autre bout du monde et avec qui il ne se passerait plus jamais rien maintenant qu'il était parti.

Juin était bien entamé et, avec lui, la canicule s'était installée sur Québec. Le temps chaud et humide envoyait les gens dans les centres commerciaux ou au bord du fleuve, dans Charlevoix. Isabelle, elle, travaillait à l'air climatisé et ne profitait en rien de ces belles journées.

Elle consultait sa boîte de courriel plusieurs fois par jour, même si la raison lui interdisait d'attendre une réponse. Combien de temps faudrait-il à Guy pour arriver au Yukon? Lui répondrait-il? Il avait admis, à demi-mot, que sa maison n'était pas reliée à internet. Comment s'y prenait-il alors? Trouvait-on des cafés internet dans le Grand Nord?

Le soir, elle faisait d'autres recherches, étudiait les paysages, les températures moyennes, la durée de l'hiver et celle de l'été. Chaque fois qu'elle regardait le minuscule point représentant Dawson City, à cinq cent trente kilomètres au nord de Whitehorse, elle se répétait qu'elle perdait son temps à souhaiter un mot de Guy. Car même s'il lui répondait et qu'ils commençaient une correspondance, où cela les mènerait-il? Nulle part. Absolument nulle part. La seule chose qui était garantie dans cette histoire, c'étaient les larmes qu'elle verserait à la fin. Soit ils n'en pourraient plus d'attendre, soit ils se lasseraient.

Malgré ses remontrances, quand le mot de Guy arriva, cinq jours plus tard, son cœur ne fit qu'un bond dans sa poitrine.

Désolé du retard. J'avais plein de choses à faire en arrivant. Comment ça va?

Il était trop tard, maintenant, pour reculer. La correspondance, qu'elle souhaitait et redoutait à la fois, venait de commencer.

Je vais bien. J'ai trente et un ans et je suis célibataire depuis quatre mois. Et toi?

Elle reçut une réponse dès le lendemain.

Je vais bien aussi. J'ai trente-quatre ans. Et je suis célibataire depuis plus longtemps que ça.

Peu loquace, le bonhomme. Qu'attendait-il pour parler de lui? Devait-elle lui tirer les vers du nez un à un? Elle tapa une seule phrase.

Je n'ai pas d'enfants.

113

Aux grands maux les grands moyens. Elle l'interrogerait s'il le fallait.

Il se produisit alors ce qu'elle n'attendait pas : Guy lui répondit le même jour.

Moi non plus.

À partir de là, à force de déclarations disparates, ils établirent une conversation longue distance où ils se révélèrent tour à tour. Guy écrivait peu, mais sans ambiguïté. Il possédait un grand terrain, une camionnette et une maison qu'il avait construite de ses mains. Il avait étudié dans la même école secondaire qu'Isabelle.

Je t'ai peut-être déjà cruisée à la poly.

Isabelle s'amusa de le voir tirer une telle conclusion.

Sûrement pas. Je m'en rappellerais.

Un jour, il lui demanda si elle voyageait, des fois. Elle se vit forcée de lui répéter qu'elle travaillait en esthétique pendant ses vacances de l'université. Il mit du temps à lui réécrire. Elle craignit d'avoir fait une gaffe et se trouva pathétique de s'analyser de la sorte.

— Cesse donc d'attendre et commence à vivre ! lui répétait sa petite voix intérieure.

Une part d'elle-même refusait de s'alanguir plus longtemps et se rebellait contre ce qu'elle considérait comme de l'enfantillage. L'autre attendait.

Juin tirait à sa fin. Dans un peu plus d'une semaine, Isabelle emménagerait dans son nouvel appartement. Débuterait alors sa nouvelle vie. Il faisait toujours chaud. Un été exceptionnel, disaient les analystes à la télévision. Isabelle se demandait quelle température il faisait au Yukon l'été. Comme le silence de Guy se prolongeait, elle lui tendit une perche et se haït dès qu'elle eut envoyé le message.

Ici, on crève. Il fait quel temps chez vous ?

Elle attendit encore. Puis, le jour de la Saint-Jean, elle ouvrit son ordinateur. L'invitation était là.

Tu n'aurais pas envie, par hasard, de venir passer le reste de l'été ici ?

Elle y avait pensé sans oser se l'avouer. Un mois ou deux au Yukon, avec Guy, loin de ses problèmes avec Marc, loin du jugement de sa mère, loin du salon d'esthétique qui l'abrutissait, c'était tentant.

J'ai vendu mon condo. Je déménage dans un loyer la semaine prochaine. On verra après le 1ᵉʳ juillet.

Il était presque minuit, mais c'est un ciel bleu qui l'accueillit à Whitehorse. Un ciel d'un bleu aussi clair que les yeux de Guy qui l'attendait dans le terminal. L'avion avait atterri sans problème, déversant son flot de passagers directement sur le tarmac. Isabelle avait suivi la file jusqu'à l'intérieur et s'était retrouvée dans les bras de Guy moins de quinze minutes après avoir posé le pied au Yukon. Ils s'étaient embrassés comme des amants séparés longtemps contre leur gré.

— Comment s'est passé le voyage ? Tu n'as pas trouvé ça trop long ?

Cinq heures entre Montréal et Vancouver, deux heures d'attente, puis trois heures entre Vancouver et Whitehorse. Elle était fourbue.

Ils récupérèrent les deux énormes valises dans lesquelles Isabelle avait mis tout ce qu'elle jugeait nécessaire. Elle ne savait pas encore combien de temps elle resterait.

En fin de compte, elle n'avait pas emménagé dans son nouvel appartement. Elle avait plutôt résilié son bail, mis ses biens en entreposage, annulé sa session d'automne à l'université et acheté un aller simple pour Whitehorse. Tout cela sur un coup de tête.

— Sur un coup de folie, oui ! s'était-elle dit.

Elle n'avait cessé de se sermonner en sélectionnant les vêtements qu'elle emportait à l'autre bout du pays.

Dans son courriel suivant, Guy lui avait dit qu'il faisait beau et chaud au Yukon, que le soleil ne se couchait pas, qu'il ne pleuvait presque jamais. Elle s'était décidée en vingt-quatre heures. Vingt-quatre heures, et sa vie avait basculé.

Quatre jours plus tard, elle prenait l'avion comme si la chose avait été longuement planifiée, sauf que, dès le décollage, elle s'était traitée d'imbécile. Plus tard, en apercevant les montagnes où la neige n'avait pas encore fondu, elle s'était répété l'insulte. Parce qu'il fallait qu'elle soit imbécile ou folle pour s'être lancée dans pareilles aventures. Il n'y avait pas d'autre explication. Enfin, pour se convaincre qu'elle ne s'en allait pas à l'abattoir, elle s'était rappelé que, dans le fond, elle n'avait rien à perdre puisqu'elle avait déjà tout perdu.

Oui, elle avait déjà tout perdu. À moins qu'elle n'ait jamais rien possédé. Sa vie d'avant n'avait peut-être été qu'une illusion. Le seul fait d'en arriver à cette conclusion l'avait atterrée. C'était le 25 juin. Sa mère avait loué un chalet dans Charlevoix pour elle et son amoureux. Son frère venait d'annuler sa participation au déménagement pour cause de vacances en Europe.

— Une occasion comme celle-là, tu comprends, on ne la laisse pas passer.

Céline, Manon et Julie travaillaient des heures de fou et, le soir, elles s'enivraient comme jamais. Isabelle ne leur avait pas parlé de l'invitation de Guy. Comment aurait-elle pu? Elles avaient déjà fait du Yukonnais de passage leur tête de Turc préférée.

— Il avait dû se tromper de bar, ce soir-là. On l'aurait imaginé plus facilement en Basse-Ville, il me semble, avec les autres soûlons qui boivent leur bière à la bouteille.

— En tout cas, il ne sait pas s'habiller. Elle sortait d'où, cette chemise-là? Elle était bien trop petite.

Même si Isabelle avait passé sa vie dans ce milieu où on jugeait les gens plus vite que Lucky Luke ne dégaine son revolver, elle avait ressenti de la gêne à entendre ses amies parler ainsi de l'homme qui l'intéressait. Elle avait relu les courriels de Guy en se demandant si elle ne se trompait pas. Pendant la lecture de l'un d'eux, quelques mots lui étaient revenus en mémoire. Une occasion manquée. Un emploi qu'elle avait refusé aux îles Vierges. Elle avait dit non pour plaire à Marc. Cela avait-il valu le sacrifice?

Elle n'avait même pas pris la peine de se répondre. Ce souvenir soulignait en rouge le fait qu'elle ne voulait plus faire ses choix en fonction des autres.

Elle avait quand même éprouvé des doutes. Dans l'autobus pour Montréal d'abord, puis dans l'avion au-dessus des Prairies. Puis, enfin, en survolant les montagnes yukonnaises encore enneigées. Mais quand elle avait aperçu le vert émeraude du fleuve, quand elle avait constaté la beauté des paysages, le peu d'habitations visibles, les rares voitures sur les routes, elle s'était sentie apaisée. Sa décision était la bonne. Il y avait tout un monde à découvrir en dehors de Québec. Plein de gens à rencontrer en dehors de sa famille et de ses amies.

Dans le stationnement, elle suivit Guy vers un mastodonte rouge couvert de boue. La plus grosse camionnette qu'elle avait vue de sa vie. Une bête énorme surmontée d'une armature métallique qui cerclait tout l'avant et se découpait en arabesques sur le rouge de la peinture. Isabelle devina qu'il s'agissait d'une mesure de protection supplémentaire pour la route. Elle frémit en imaginant l'animal assez gros pour frapper la structure d'acier plutôt que de passer sous le camion.

— On va s'arrêter un peu en ville pour que tu puisses te reposer. Ensuite, on va redescendre sur Dawson parce que je ne peux pas rester loin trop longtemps.

— Pas de problème.

C'était vrai. Isabelle n'avait pas de problème avec ce plan. Avec aucun plan d'ailleurs. Se retrouver à minuit en pleine lumière la grisait. La fatigue avait fait place à une excitation grandissante. Elle était au Yukon. Elle n'arrivait pas encore à le croire.

Guy s'engagea sur un boulevard bordé de commerces qui semblait traverser la ville d'un bout à l'autre. On n'y voyait rien de chic, rien de neuf. Pas de boutiques de lingerie ou de beaux vêtements, mais des endroits louches, des restaurants où Isabelle n'aurait jamais osé mettre les pieds et des bars devant lesquelles se querellaient des clients d'origine autochtone. Elle s'inquiéta quand Guy se stationna devant un de ces bars douteux et fut à peine rassurée de découvrir un intérieur semblable à celui de la Cage aux sports. Comme la porte restait grande ouverte, des souris avaient réussi à se faufiler jusque sous les tables. Isabelle en ressentit un vif dégoût et refusa de manger.

— Qu'est-ce que tu bois ?

— Du vin rouge.

À la serveuse qui s'approchait, Guy commanda en anglais une bière et un verre de vin avant d'échanger avec elle quelques plaisanteries. Ils riaient tous les deux, et Isabelle réalisa pour la première fois la faiblesse de son anglais. Certes, dans l'avion, elle n'avait rien compris des consignes de l'agent de bord. Elle avait mis cette difficulté sur le compte de l'interphone d'où les mots sortaient déformés. Or, cette conversation entre Guy et la serveuse l'intimidait. Elle se sentit en pays étranger et les larmes lui montèrent aux yeux. Avant que ça paraisse, elle s'excusa et se rendit aux toilettes.

Parce qu'il faisait toujours clair à l'extérieur, elle avait du mal à croire qu'il était déjà 1 heure du matin et qu'ils allaient bientôt prendre la route en direction de Dawson. Mais la fatigue était là, même si elle ne la sentait pas. À preuve, ces larmes qui ruisselaient sur ses joues.

Qu'était-elle venue faire à l'autre bout du Canada, dans un endroit où on ne parlait pas sa langue, où les souris couraient sur le plancher des bars, avec un homme qu'elle connaissait à peine? Elle prit peur. Et s'il l'emmenait dans le fin fond du bois? Et si c'était un détraqué? Et s'il s'avérait violent? Et si…

Sur le comptoir gisait un panier en osier dans lequel on avait déposé des bonbons aux emballages colorés. Pour effacer le goût de bile qu'elle sentait monter dans sa bouche, Isabelle tendit la main et pouffa en reconnaissant entre ses doigts des sachets de condoms. Rire lui fit du bien. Elle n'était pas en danger. S'il avait eu l'intention de lui faire du mal, Guy ne l'aurait pas d'abord emmenée dans un endroit public où il s'assurait d'être vu en sa compagnie. La peur s'estompa. Un peu d'eau froide sur les yeux et quelques grandes respirations plus tard, Isabelle retrouvait sa confiance en elle. Et en lui. Elle devait lui donner une chance. Elle refit le trait de crayon qui soulignait son regard, ajouta un peu de mascara, se pinça les joues. Elle était aussi belle que d'habitude. Aussi belle qu'avant cette poussée d'angoisse. Elle coiffa ses longs cheveux en queue de cheval, froissa sa frange pour lui donner du volume et se sourit dans le miroir, prête à affronter ce qui se trouverait sur son chemin. Que ce soit l'anglais ou un barbu yukonnais.

Ils roulaient depuis deux heures sur une route déserte. Il ne faisait toujours pas nuit, Isabelle avait même l'impression que le soleil allait se lever. Elle avait incliné son siège au départ de Whitehorse. Guy le lui avait suggéré en lui recommandant de dormir. Il leur faudrait entre cinq heures et demie et six heures pour atteindre Dawson. Elle était aussi bien d'en profiter pour dormir. On était déjà demain.

— Il n'y a pas d'avion entre Whitehorse et Dawson ?

En mesurant l'ampleur du territoire qui les séparait de leur destination, Isabelle n'arrivait pas à croire qu'aucune compagnie aérienne n'assurait le transport entre les deux plus grosses communautés du Yukon. On était peut-être dans le Nord, mais on était quand même en Amérique.

— *Sure* qu'il y a un avion. Demain matin. Il aurait fallu que tu dormes à l'hôtel. Ça aurait coûté beaucoup plus cher que le gaz pour monter et redescendre. De toute façon, j'avais des commissions à faire en ville.

Il désigna l'arrière de la camionnette.

— Tant qu'à être icitte, je me suis arrêté au Extra Food. La boîte est pleine. On ne manquera de rien cet été.

— Il n'y a pas d'épicerie à Dawson ?

Isabelle redoutait la réponse. Ils avaient quitté Whitehorse depuis longtemps maintenant. Vers quoi s'en allait-elle ?

— Il y a deux épiceries, mais c'est plus cher et moins varié.

Quelque chose dans l'intonation de ce dernier mot inquiéta Isabelle, mais rapidement la beauté du paysage lui fit oublier ses doutes. La route serpentait en hauteur et, tout en bas, dans une vallée large et profonde, le fleuve Yukon se ruait entre les rochers, créant une écume importante et visible de loin. Guy vira dans un stationnement surgi de nulle part.

— C'est Five Finger Rapid.

Ils se retrouvèrent dans un belvédère en terrasses d'où on avait une vue imprenable sur les rapides en question. Mais c'était l'ensemble du paysage qui impressionnait. Des collines sculptaient l'horizon, recouvertes d'un vert sombre et animées ici et là par les feuilles des peupliers faux-trembles qui s'agitaient dans la brise. Même la frange acérée des épinettes qui découpaient les sommets semblait plus intense, presque tragique. Il faisait frais, et le ciel se colorait de rose, déjà, au nord.

L'endroit était désert. Évidemment, il était 3 h 30 ! Leur pause dura une quinzaine de minutes. Quinze minutes pendant lesquelles Guy décrivit avec l'enthousiasme d'un enfant le naufrage des radeaux de la ruée vers l'or et le dynamitage des rochers qu'avait nécessité, quelques années plus tard, le passage des bateaux à aubes. Puis ils reprirent la route, toujours en pleine lumière.

— Il faudrait vraiment que tu dormes. Il nous reste un peu plus de trois heures. Je te jure que tu ne manqueras pas grand-chose à partir d'ici.

Il lui sourit avec bienveillance. « Dors, ma belle, semblait-il lui dire. Tu peux me faire confiance. Il ne t'arrivera rien. Je t'emmène chez moi. »

Malgré tous ses efforts pour rester éveillée, Isabelle finit par sombrer dans un sommeil si profond que le reste de la route passa comme un éclair.

Quand elle ouvrit les yeux, la camionnette était immobile. En se redressant sur son siège, elle aperçut une rivière. Le courant y était tellement fort qu'il lui donna le vertige. Au milieu des eaux noires, une île avait l'air d'un château fort, jonchée de troncs d'arbre morts et de branches. Le soleil était déjà haut, le ciel sans nuage.

Il n'y avait pas une construction à la ronde. Aucune trace de civilisation à part ce canot hissé sur la berge et dans lequel Guy entassait les provisions.

— On s'en va où, là ?

Elle avait mis un pied hésitant sur le sol et s'étirait, ankylosée par les heures de route. Des collines cachaient l'horizon de tous les côtés. Des collines et des épinettes. Une brise tiède soufflait de l'ouest.

— Mets-toi un gilet ou un manteau. Sinon, tu vas avoir froid sur la rivière.

— Sur la rivière?

Isabelle fut parcourue d'un frisson malgré la chaleur et jeta un regard horrifié sur le cours d'eau où les flots descendaient avec force.

— On va la traverser en canot?

— Pas le choix, je reste de l'autre bord.

Isabelle scruta en vain l'autre rive.

— Ne cherche pas. On ne voit pas la maison d'ici.

— C'est loin?

— Pas loin, mais dans le bois. Le sentier est juste là.

Toujours engourdie par le sommeil, Isabelle regarda dans la direction indiquée, mais ne vit rien. Rien que de la forêt dense et sombre et inquiétante. Guy avait transféré la moitié des boîtes et des sacs de denrées rapportés de Whitehorse. Le reste attendrait à l'arrière de la camionnette.

Il lui tendit une veste de flottaison avant de pousser l'embarcation sur l'eau. Isabelle ne fit pas un geste pour le suivre. Elle regardait la rivière, paralysée. Avec ce courant, l'autre côté lui parut loin.

— Je n'ai jamais fait ça.

— Quoi? Tu n'as jamais fait de canot?

Il avait l'air tellement incrédule qu'Isabelle sentit le besoin de se justifier.

— Je vis en ville, tu sauras.

Il rit, ramena l'embarcation sur la rive et s'approcha pour ajuster la veste de flottaison qu'Isabelle venait d'endosser. En tirant sur les sangles, il s'aperçut qu'elle tremblait.

— Je ne suis pas habillée pour faire du sport. J'haïs ça, le sport. Pis tu ne m'as jamais parlé d'une rivière. Je ne savais pas qu'il fallait traverser. Je ne sais pas comment ça marche, un canot.

— Voyons, calme-toi. Ce n'est pas difficile. Je traverse deux fois par jour.

Elle hochait la tête, mais la peur agrandissait son regard. Il la prit par les épaules.

— Écoute ! Tu n'auras même pas besoin de ramer. Je suis habitué. OK ?

— OK.

— Je vais t'expliquer comment on va faire. Tu vois l'île, là ?

Elle hocha la tête.

— Bon. On va ramer comme si on voulait remonter la rivière. Par là.

Il lui montrait l'est.

— Comme ça, le courant va nous ramener sur l'île. Jusque-là, tu me suis ?

— Oui.

Il lui montrait la pointe de l'île, là où les troncs d'arbres étaient le plus nombreux.

— Ensuite, on va traîner le canot jusque de l'autre côté, pis on va refaire la même chose. Ramer super fort pour remonter le courant. Pis on va arriver de l'autre bord, vis-à-vis d'ici. OK ?

— OK.

Elle ne se sentait pas rassurée, mais voyait bien qu'elle ne pouvait rester en arrière. Guy s'en aperçut et se ravisa.

— Bon ! J'ai trouvé ce qu'on va faire. Tu vas me regarder traverser la première fois. Ensuite, je vais revenir chercher le reste de l'épicerie, et tu auras juste à monter à ce moment-là. Tu auras pu voir par toi-même que je suis assez fort pour t'amener jusque-là.

Il avait levé les bras et imitait le cri de Tarzan. Elle rit. Rire faisait du bien. Rire apaisait la peur. Comprenant l'ampleur de la détresse qu'il venait de désamorcer, Guy l'embrassa.

— Attends-moi, ça ne sera pas long.

Une minute plus tard, il pagayait en pleine rivière et, si son canot était orienté vers l'amont, c'est tout droit qu'il se dirigeait. Tout droit sur l'île qu'il atteignit en peu de temps, qu'il longea comme prévu avant de reprendre le large. Il fut très vite de l'autre côté.

— Si l'eau n'était pas aussi froide, je reviendrais à la nage pour t'impressionner.

Il cabotinait en déchargeant le canot. Puis, après avoir effectué la manœuvre inverse, il accosta à deux pas d'Isabelle.

— Te sens-tu assez brave pour me suivre?

Elle acquiesça, grimpa à l'avant et attrapa la pagaie qu'il lui tendit.

— On y va! Tu n'as pas besoin de ramer si tu ne veux pas. Ça ne prendra pas de temps de toute façon.

Guy pagayait fort et avec adresse. Sans ces vagues qu'il fallait fendre presque de front, Isabelle n'aurait même pas été mouillée. Mais il y avait les vagues, et son pantalon était trempé de la taille aux chevilles quand elle mit pied à terre. La peur, elle, avait disparu. Une brouette les attendait dissimulée par des buissons. Elle contenait la première moitié des provisions. Isabelle aida Guy à transférer le reste. Ils firent ensuite une pause, burent chacun une canette de bière en riant des difficultés qu'Isabelle venait de surmonter pour son baptême de rivière. À la fin, elle s'engagea derrière lui dans le sentier.

— Mon doux Seigneur!

La forêt venait de s'éclipser pour faire place à une clairière au centre de laquelle se trouvait une cabane en rondins. Sur la galerie, un magnétophone branché à une batterie d'auto crachait à tue-tête *Is this love* de Bob Marley. Près du tiers du terrain était occupé par un potager clôturé. Le reste n'était qu'arbres, arbustes et foin long. En bordure du bois, une construction minuscule, un peu plus d'un mètre sur un mètre, sema la panique dans l'esprit d'Isabelle.

— Ne me dis pas que c'est une bécosse que tu as là.

Guy se raidit.

— C'est-à-dire que…

Elle s'énerva.

— J'espère au moins que tu as le reste.

— C'est quoi, le reste ?

— Un bain ou une douche, un lavabo ou un évier.

— C'est-à-dire que…

Il se répétait, mais n'osait se retourner tandis qu'il dirigeait la brouette vers la cabane. La porte s'ouvrit à leur approche, un homme jeune – sur le coup, Isabelle aurait dit un adolescent – les accueillit. Il portait un jean et un T-shirt sale, et sa barbe, plus longue que celle de Guy, était aussi noire que les poils qui lui couvraient les bras. Avant de venir les rejoindre, il écrasa sa cigarette par terre et s'attacha les cheveux sur la nuque.

— Wow ! Tu es revenu de bonne heure, Guy. Je ne t'attendais pas avant… bien plus tard.

Il avait parlé en français. Isabelle en fut tellement surprise qu'elle figea sur place.

— Changement de plan, grommela Guy, visiblement de mauvaise humeur.

Isabelle se demandait ce qui le contrariait le plus. L'apparition du jeune homme ou la découverte prématurée de la bécosse ? Chose certaine, elle était aussi furieuse que lui et, sans la présence de ce jeune homme, elle aurait piqué une colère terrible. Après la rivière, il y avait ça. « Ça » étant l'absence évidente d'eau courante.

— Serge, je te présente Isabelle. Isabelle, Serge, qui se sert dans mes affaires, des fois, quand il est mal pris.

Il y avait une pointe ici, une pointe qu'Isabelle perçut, mais qui n'atteignit manifestement pas sa cible. Serge fouillait déjà dans les provisions.

— J'espère que tu as rapporté de la bière. Il n'en reste plus.

— Tu viens d'où, Serge?

C'était plus fort qu'elle. Isabelle s'attendait si peu à rencontrer d'autres francophones qu'elle n'avait pu s'empêcher de l'interroger. Serge lui répondit en remuant les sacs de farine pour voir dessous.

— De Montréal.

— Et tu habites où?

Elle estimait que cette cabane comptait au maximum deux pièces et ne s'imaginait pas y vivre à trois.

— J'ai ma cabine sur le bord de la rivière.

Il lui montrait le sentier d'où elle venait.

— Bon, je m'en retourne. Il fait tellement beau aujourd'hui, je vais aller pêcher. Me semble que ce serait bon, un ou deux *graylings* pour dîner. Pour souper, au pire.

Il récupéra son disque dans le magnétophone et ramassa un sac de biscuits.

— Est-ce que je peux?

Guy poussa un juron et lui fit signe de s'en aller. Serge parti, il vida la brouette, déposant les sacs et les caisses sur la galerie sans même oser jeter un regard vers Isabelle. Cette attitude distante la blessa.

— Je pense qu'on devrait parler.

— Pas maintenant.

Elle pouffa de rire.

— Pensais-tu vraiment que ça me prendrait trois jours à me rendre compte que tu n'as pas l'eau courante?

Il ne répondit pas.

— Je n'ai quand même pas l'air si niaiseuse que ça, il me semble.

Toujours pas un mot.

— Pourquoi tu ne me l'as pas dit avant?

Comme il persistait dans son mutisme, elle se planta en travers de son chemin et se braqua.

— *Hey!* Je te parle. Pourquoi tu m'as menti?

Il la contourna sans rien dire. Sur la galerie, les provisions s'entassaient.

— Bon, je vois qu'il y a autre chose que je ne savais pas.

Comme il l'ignorait toujours, elle ajouta :

— Je n'avais pas imaginé que tu avais autant mauvais caractère.

Cette fois, il réagit.

— Je n'ai pas mauvais caractère. Je suis juste gêné.

— OK, monsieur le gêné. Pourquoi tu m'as menti ?

— Je ne t'ai pas menti.

— Tu ne me l'as pas dit. Ça revient au même.

Il s'était enfin immobilisé. Il déposa son sac, s'essuya les mains sur son jean et leva les yeux vers elle.

— Serais-tu venue si je te l'avais dit ?

Isabelle réfléchit, mais finit par secouer la tête.

— Ben, c'est pour ça.

Il récupéra le sac qu'il lança près des autres. Cette indifférence piqua Isabelle au vif.

— Chez nous, ça s'appelle de la manipulation.

Il s'arrêta net.

— Ici, ça s'appelle de la solitude et ça dure depuis trop longtemps.

Elle fut incapable de lui répliquer. Il la regardait maintenant, et elle percevait dans ses yeux une telle détresse qu'elle en oublia sa colère. Guy n'avait pas voulu risquer qu'elle change d'avis en lui disant la vérité. Cette vérité avait quand même quelque chose de renversant. Comment croire, en effet, qu'on puisse vivre sans eau courante en Amérique du Nord au XXIe siècle ?

Son regard balaya encore une fois le jardin, la forêt, puis la maison. Elle remarqua l'absence de fils électriques.

— D'accord. Tu n'as pas internet et tu n'as pas l'eau courante. Y a-t-il autre chose que je devrais savoir ?

Il s'éclaircit la voix.

— Euh… je n'ai pas l'électricité non plus.

Isabelle secoua la tête, soudain lasse. Comment sécher ses cheveux sans séchoir? Il lui fallait une mise en plis, sans quoi ses boucles gonfleraient et formeraient une boule autour de sa tête. Ce n'était plus à la mode depuis longtemps, ce genre de coiffure. Mais comme il n'y avait pas d'eau, se laver les cheveux devenait plus problématique que de les faire sécher. Comment faisait-il donc pour la lumière? pour la cuisine? pour la lessive?

— Ben, j'ai de l'électricité, mais il faut partir la génératrice. Comme elle marche à l'essence, disons qu'il faut quand même la ménager.

Isabelle demeura silencieuse pendant plusieurs minutes avant de demander:

— Comment fais-tu, pour l'eau?

— Celle que je bois, je vais la chercher au poste de pompiers. Pour arroser le jardin, j'ai installé une pompe dans la rivière. Pour me laver, ben, j'ai une douche dehors en été.

Il fit une pause et, réalisant qu'il tenait là un moyen de faire diversion, il sauta sur l'occasion.

— Viens, je vais te la montrer.

Il la conduisit derrière la maison où avait été installée une douche rudimentaire alimentée par un tuyau venu de la forêt. Un rideau de plastique assurait un minimum d'intimité. Il lui fit une démonstration. Isabelle tendit le bras, et une eau tiède coula sur sa main.

— Le seul problème, c'est qu'il faut se laver vite vite parce qu'une fois que l'eau qui était dans le tuyau a coulé, c'est celle de la rivière qui arrive. Ça refroidit tout d'un coup.

Isabelle s'imagina sous le jet glacé et grimaça. Elle n'arrivait toujours pas à croire qu'on doive se laver de cette manière en l'an 2000. À la limite, si on faisait du camping. Mais pas toute l'année, quand même! Guy continuait de lui décrire son mode de vie.

— L'hiver, je vais au Bonanza Gold Motel une fois par semaine. Il y a des douches publiques et des laveuses aussi, pour le linge. Le reste du temps, je me lave dans un bol, comme bien du monde icitte. Mais si ça ne te va pas, on peut aller plus souvent au Bonanza.

Se laver dans un bol? On aura tout vu! Qu'était-elle venue faire dans ce trou perdu? Elle ne pouvait tout de même pas vivre dans ces conditions! Lui, peut-être, mais pas elle.

Elle décida qu'elle ne resterait pas plus d'un jour. Il lui fallait une salle de bain. Peut-être trouverait-elle à se loger au village? Où était-il, justement, ce village?

Ils étaient revenus devant la cabane parce que Guy voulait entreposer la nourriture sans tarder pour éviter d'attirer les ours. Isabelle l'avait suivi. Elle était découragée. Fatiguée et découragée. Elle aurait voulu avoir du temps pour penser, un endroit pour se reposer. Et puis elle voulait manger. Et boire. Et s'asseoir. N'importe quoi plutôt que de rester debout à se désoler de ce qu'elle venait de découvrir.

Elle s'écrasa sur la galerie. Non, elle ne pouvait pas rester ici. Pas un jour, pas une heure de plus. Elle s'appuya à une poutre et ferma les yeux. Guy rentrait les caisses et les sacs en silence. Il n'avait pas besoin d'explication. Il constatait son échec. Peut-être même regrettait-il ses omissions. Les choses étaient pires maintenant qu'Isabelle avait traversé le Canada pour venir jusqu'à lui. Qu'allait-elle faire? Où pouvait-elle aller?

Dans la forêt, une horde de corbeaux croassa. Isabelle ouvrit les yeux. Un renard roux longeait le fond du terrain en contournant la bécosse. Dans le ciel, un aigle tournoya avant de se poser au sommet d'une épinette. On était ici dans la nature. Une nature encore plus sauvage que ce qu'Isabelle avait imaginé. Il n'y avait personne à la ronde. Personne, à part les animaux. Quelle vie une fille de la ville comme elle pouvait-elle mener ici?

Dans la cabane, Guy venait de pousser un juron. Isabelle jeta un œil dans sa direction, à temps pour voir le sac de noix se répandre sur le plancher. Guy se pencha, ramassa le dégât avant de revenir vers la brouette. L'œil d'Isabelle s'attarda un moment sur l'intérieur. Puis, intriguée, elle se leva et franchit le seuil.

C'était vraiment petit. Dans la chambre, située tout au fond et qu'aucune porte ne séparait de la pièce principale, il n'y avait qu'un lit et une commode. Dans la cuisine toutefois... Large de trois mètres sur quatre, la pièce comptait un poêle à bois, une cuisinière au gaz, deux chaises et une table sur laquelle se trouvait une minuscule télévision munie d'oreilles de lapin. Tous les murs étaient encombrés. Le plancher aussi. Et le petit comptoir jouxtant la cuisinière était jonché de vaisselle, d'ustensiles et d'outils. Mais le pire, dans ce désordre – tout relatif étant donné l'étroitesse des lieux –, c'était la solitude qui s'en dégageait. Une solitude cruelle que trahissait chacun des objets parce qu'on ne les trouvait qu'en un seul exemplaire. Guy en souffrait. Il l'avait admis lui-même un peu plus tôt. Dire qu'il n'avait que trente-quatre ans...

Quand elle revint sur la galerie, il était en train d'ouvrir deux canettes de bière. Il lui en tendit une. Le soleil tapait fort, ce qui força Isabelle à plisser les yeux.

— D'accord. Je te donne une semaine pour faire tes preuves. Et je me donne une semaine pour voir si je peux m'habituer. *Deal*?

— *Deal*.

Ils frappèrent leur canette l'une contre l'autre, se disant qu'au pire ils ne feraient qu'un bout de chemin ensemble.

La surprise suivante sema de nouveau la consternation dans l'esprit d'Isabelle. Ils s'étaient cuisiné un souper convenable sur le barbecue et avaient mangé à 17 heures. À 17 h 45, Guy lui annonça qu'il devait partir travailler.

— Tu pars chercher de l'or à cette heure-là ?

Elle allait ajouter qu'il ferait nuit sous peu, mais se ravisa. Il ne ferait pas nuit avant des semaines.

— Ben… je ne suis pas prospecteur. Enfin, je ne le suis plus. Ou plutôt, je ne suis plus juste ça. À deux cent cinquante dollars l'once, ça ne vaut pas la peine de chercher de l'or.

— D'accord. Tu fais quoi ?

— Je suis *cook* au casino.

Si Isabelle avait dû imaginer un métier pour Guy, elle n'aurait jamais pensé à cuisinier. L'image romantique du prospecteur qui l'avait attirée jusqu'au Yukon venait de s'effondrer.

— Tu travailles jusqu'à quelle heure ?

— De six heures et demie à deux heures du matin.

— C'est au village, le casino ?

— Oui.

— OK. Je viens avec toi.

— Voyons donc, Isabelle ! Je vais travailler. Je ne pourrai pas m'occuper de…

— Je n'ai pas besoin qu'on s'occupe de moi. Je suis majeure et vaccinée. Il fait beau, je vais en profiter pour le visiter, ce village-là. Tu m'en as assez parlé. Ensuite, je boirai un verre au casino en t'attendant.

— Il y a des spectacles. Pour les touristes, je veux dire.

— Ça tombe bien, je suis une touriste.

L'aplomb avec lequel elle avait pris le contrôle de la situation l'étonnait elle-même. Qu'avait-il pensé en l'attirant ici ? Qu'elle l'attendrait à la maison comme une pauvre fille en peine ? Elle avait fini de jouer à ce jeu-là. Guy ne s'en était pas encore rendu compte, mais il n'avait pas choisi une petite bonne femme soumise. Peut-être qu'à certains moments de

131

sa vie Isabelle s'était effacée pour faire plaisir à Marc, mais ces jours-là étaient bel et bien révolus.

Ils firent donc le trajet inverse. Cette fois, même si Isabelle ne se sentait guère plus en confiance, elle refusa de montrer sa peur et pagaya.

Ils prirent la route en direction de l'ouest. Le soleil était toujours très haut dans le ciel. Des maisons apparurent à droite. Plus loin, il y eut des indications. Un quartier par-ci, un autre par-là, le tout se densifiant à l'approche d'un pont de fer qui traversait la rivière. De l'autre côté, après qu'ils eurent contourné une muraille de pierres, Dawson apparut, lot de maisons carrées et colorées dignes d'un décor du Far West.

— On fait un petit tour de ville et, après ça, je te laisse aller.

Isabelle acquiesça. Guy lui indiqua où se trouvaient les épiceries, la banque, la pharmacie, les restaurants, les bars et le bureau de poste. Il se dirigea ensuite vers le nord-est, presque au pied de la montagne. Diamond Tooth Gertie's, le nom du casino, était écrit en grosses lettres sur une enseigne de bois ouvragée. Guy gara la camionnette juste devant.

— C'est icitte que je travaille.

Il s'agissait d'un édifice carré de la grosseur d'un super-marché et dépourvu de fenêtres. La porte principale se trouvait sur un coin.

— Quand tu auras fini de faire ton tour, tu diras au portier que tu es ma blonde et que tu viens d'arriver en ville. Je vais l'avertir pour qu'il te laisse entrer.

Isabelle haussa un sourcil.

— Est-ce que c'est ça que je suis, ta blonde ?

— J'espère bien.

Il lui fit un clin d'œil, avant de s'éloigner.

Sur la scène, quatre jeunes femmes d'à peine vingt ans dansaient le french cancan. Les froufrous, le piano, les lumières tamisées et les rires des hommes qu'elles enjôlaient, tout participait à donner l'impression d'une autre époque. Au fond de la salle, derrière les spectateurs, les machines à sous clignotaient, tintaient et attiraient l'attention dès que la musique s'estompait. Le long du mur, des tables de black jack et de poker occupaient les plus audacieux.

Assise en retrait, Isabelle observait la salle, convaincue d'être tombée sur un village épargné par le temps. Elle en avait fait le tour et constaté la présence de maisons en ruine, d'autres restaurées, d'autres plus récentes, mais déjà usées. Elle avait marché dans les rues en terre battue et sur les trottoirs de bois, croisé des guides de Parcs Canada en costumes d'époque, aperçut des bateaux sur le fleuve et admiré les montagnes environnantes. Elle avait vu les gens. Beaucoup de jeunes adultes. Plus encore de touristes. Guy avait raison, c'était pour eux qu'on présentait le spectacle au casino. À voir l'attention avec laquelle ils fixaient la scène, Isabelle imaginait sans peine les pensées lubriques qui leur traversaient l'esprit devant les filles qui se dandinaient, les cuisses qui se dévoilaient, les derrières qui se trémoussaient. Ils étaient vraiment faciles à repérer, les touristes. Plus gras, plus propres et plus richement vêtus que les gens de la place. Des *boomers* comme on en trouvait partout l'été au Québec ou sur les plages de la Floride en hiver, et qui avaient bien quarante ans de plus que les filles embauchées pour les distraire.

Le troisième spectacle de la soirée, plus grivois que les deux premiers, tirait à sa fin. Près du piano, Gertie chantait, baignée de lumière.

— *You give me fever…*

Ses doigts claquaient au rythme de la contrebasse. Elle devait approcher quarante ans, Gertie, bien en chair dans cette robe longue et moulante. Les plumes à son chapeau s'agitaient, presque aussi aguichantes que ses déhanchements. Les hommes sifflaient, et les jetons pleuvaient sur la scène. C'est ainsi que les clients faisaient part de leur plaisir, de leur admiration, de leur désir. Ils lançaient sur l'artiste les jetons avec lesquels on misait aux tables de jeu.

Après un dernier *What a lovely way to burn!*, la dernière note s'étira jusqu'à ce que les applaudissements s'élèvent de partout. Comme une diva en pleine gloire, Gertie s'inclina, rayonnante. Les acclamations furent suivies d'un brouhaha de fin de spectacle. Des clients s'en allèrent, d'autres se commandèrent à boire pour se tourner vers les tables de jeu. Isabelle se demandait encore comment elle avait pu atterrir ici. Ça faisait juste vingt-quatre heures qu'elle avait mis les pieds au Yukon, et elle n'en revenait pas de tout ce qu'elle avait déjà vécu. Son cœur battait fort, le sang circulait vite dans ses veines. Elle se sentait étrangement vivante malgré son désarroi. Elle fut tirée de ses réflexions par trois jeunes femmes qui venaient vers elle. Il s'agissait de trois danseuses. Isabelle les reconnut même si elles avaient changé de costume.

— Il paraît que tu vis avec Guy?

Qu'on lui parle encore en français la surprenait davantage que le ton âpre de la question, mais elle n'eut pas le temps de répondre. Les deux autres filles poursuivaient en anglais un interrogatoire que la troisième traduisit.

— Tu arrives d'où? Pis tu restes combien de temps?

Le ton n'avait toujours rien de courtois. Isabelle balbutia une réponse vague et se présenta.

— On sait qui tu es.

Cette attitude agressive finit par l'indisposer. Qu'avait-elle fait pour mériter autant d'attention? Une des anglophones fit une remarque qui provoqua le rire de ses compagnes.

— Ça fait longtemps que vous faites des spectacles? Vous dansez vraiment bien.

Isabelle avait décidé que la meilleure défensive était l'attaque. Et la flatterie.

— J'adore vos costumes.

La tension baissa d'un cran. L'une des filles s'approcha d'Isabelle, examina son maquillage et l'interrogea sur le trait de crayon qui soulignait sa paupière supérieure. Comment faisait-elle pour faire une ligne aussi large qui ne coulait pas ? Dans ce domaine, Isabelle était imbattable. Elle les invita à s'asseoir à sa table et entreprit de leur expliquer la technique. Ça n'avait rien de bien sorcier pour une esthéticienne.

— Avez-vous votre maquillage pas loin ? Je pourrais vous montrer comment je fais.

Il suffisait de si peu…

Quelques minutes plus tard, elle se trouvait dans les loges à tracer des lignes d'*eyeliner*. Les autres danseuses s'étaient approchées, elles aussi. Isabelle s'amusait de ce revirement de situation. C'est Gertie, la première, qui saisit l'occasion.

— Tu demanderais combien pour me maquiller avant chaque spectacle ?

Isabelle n'avait pas prévu se chercher un emploi. Diable ! Elle n'avait même pas encore décidé combien de temps elle resterait.

— Dix dollars, et je te maquille au complet.

— *Right on !*

Isabelle serra la main qu'on lui tendait pour sceller l'accord en se demandant si elle n'était pas en train de perdre la tête. Comment pouvait-elle promettre de travailler ici, alors qu'elle songeait encore à partir quelques heures plus tôt ?

La conversation dévia. Isabelle apprit que Gertie s'appelait Lorraine, qu'elle jouait le rôle de Diamond Tooth Gertie, *The Queen of Trouble herself*, depuis tellement d'étés qu'elle ne les comptait plus.

— Vous travaillez juste l'été ?

L'autre acquiesça. Voilà qui expliquait la différence qu'Isabelle avait remarquée entre les travailleurs. Certains avaient cet air tragique des combattants, alors que d'autres semblaient là pour faire la fête.

La loge était maintenant très animée. On parlait maquillage, spectacle, puis l'une des filles revint à Guy. Elle voulait savoir comment Isabelle s'y était prise pour séduire l'homme que toutes avaient convoité sans succès.

— On pensait qu'il était *gay*.

Elles rirent en chœur à cette affirmation. Isabelle comprit que Guy avait eu l'embarras du choix à Dawson. Pourquoi alors était-il allé chercher une femme à Québec ?

Elle aurait voulu pousser plus loin son investigation, mais la conversation dévia de nouveau. Les danseuses aimaient parler des travailleurs saisonniers. Ils constituaient, avec l'argent, l'alcool et le soleil, la principale raison qui justifiait leur présence au Yukon, été après été.

Quand Isabelle retourna dans la grande salle, elle laissa dans la loge sept nouvelles copines, toutes plus excitées les unes que les autres à l'idée de porter sur scène un maquillage professionnel.

Une serveuse l'interpella tandis qu'elle reprenait sa place en retrait.

— *Last call, honey!*

Au Yukon, en effet, les bars fermaient à 2 heures au lieu de trois.

Le soleil avait disparu derrière les montagnes, mais il faisait toujours clair. Beaucoup trop clair pour dormir. Guy avait eu un quart de travail éreintant et conduisait en silence, buvant toutes les trois minutes une gorgée de cette bière qu'il tenait entre ses cuisses. Quand il l'eut terminée, il en ouvrit une deuxième.

Isabelle le regardait avec suspicion. Ça la rendait nerveuse qu'il boive en conduisant. Comment pouvait-il défier la loi aussi ouvertement ? Elle n'osa toutefois briser le mutisme dans lequel il se murait encore une fois. Il avait ses habitudes, se répétait-elle. Des habitudes prises au fil de longues années de vie en solitaire. Pour se calmer, elle se dit qu'il n'avait peut-être pas bu autant qu'elle l'imaginait, qu'il tenait sans doute bien l'alcool, qu'il connaissait le chemin. N'importe quoi pour dédramatiser la situation.

Ils étaient seuls sur la route. Pas de police, pas même une autre voiture. Guy ne roulait pas vite. Il conduisait même très droit et paraissait aussi concentré que d'habitude. S'il s'était contenté de deux bières, Isabelle l'aurait peut-être excusé. Mais voilà qu'il venait d'en ouvrir une troisième. Isabelle essuya ses mains moites sur son pantalon. Elle craignait le pire. Un orignal sortant des fourrés, un ours apparaissant au milieu du chemin, une autre camionnette arrivant en sens inverse, une embardée. Elle imaginait aussi les titres des journaux : *Une Québécoise trouve la mort dans un accident au Yukon.* La peur, sans doute exagérée par la fatigue, lui broyait les tripes.

Guy ne parla pas davantage quand ils traversèrent la rivière en canot. C'est tout juste s'il lui sourit de lassitude en s'engageant dans le sentier. Une fois à la maison, il la laissa prendre la douche la première. Il faisait un peu froid pour se laver dehors, et l'eau n'était pas aussi chaude qu'Isabelle l'aurait voulu, si bien qu'elle ne passa que deux minutes sous le jet. Elle enfila un T-shirt et s'empressa de rentrer. Elle trouva Guy dans le lit, endormi.

Les oiseaux chantaient quand elle ouvrit les yeux. L'eau de la douche produisait un chuintement agréable. La cabane fleurait bon le café, le bois et le pain grillé. Elle enfila un pantalon, chercha un verre au milieu du fouillis qui régnait dans l'évier. À défaut d'en trouver, elle attrapa un pot Mason, de ceux qu'on utilise pour faire des conserves, qu'elle remplit d'eau à partir d'un bidon posé sur le comptoir. Puis elle sortit.

Elle se sentait en camping à se brosser les dents en plein air le matin, les cheveux en bataille, sans maquillage. Elle avait déjà fait du camping, enfant, avec l'école. À l'époque, c'était toujours ainsi qu'on commençait la journée. Marcher dans l'herbe humide pour aller se brosser les dents au lavabo des toilettes publiques. Sauf qu'il n'y avait pas de lavabo dans les environs. Ni de toilettes d'ailleurs. Il n'y avait que cette bécosse qu'Isabelle dut se résoudre à utiliser. Hormis la planche percée d'un trou, l'endroit n'avait rien de commun avec les bécosses d'antan. Pour commencer, il n'y avait pas de porte. Trois murs, un toit et un panneau de styromousse isolante qui servait de siège. Rien qui donne le goût de s'attarder.

Lorsqu'elle revint, Guy l'attendait torse nu sur la galerie, les cheveux mouillés, le jean descendu très bas sur les hanches, le bouton encore détaché. Il tenait une tasse de café dans chaque main, et la pépite d'or qu'il avait autour du cou étincelait au soleil.

— *Oh, my god!*

Pas besoin de parler anglais pour s'extasier ainsi devant un homme inconscient de l'effet qu'il produisait. Car il ne le faisait pas exprès, Isabelle l'aurait juré. Guy était trop timide pour ça.

— J'espère que tu le prends noir parce que je n'ai pas de lait.

Se méprenant sur les causes du regard insistant qu'elle posait sur lui, il ajouta :

— Je n'ai pas l'électricité, donc pas de frigidaire.

Isabelle ne s'étonnait pas de l'absence de réfrigérateur, même si la chose avait de quoi surprendre. Ce qui l'intriguait, par contre, c'était cette distance qu'il s'évertuait à maintenir entre eux. Guy voulait une compagne, avait-il dit, mais, depuis son arrivée, il la traitait comme une sœur. Elle n'y comprenait rien.

— As-tu du sucre, au moins ?

Elle avait lancé sa question avec un sourire coquin qui passa inaperçu. Guy retourna dans la cuisine et en revint avec une cuillère et un pot Mason rempli à demi. Isabelle sucra son café sans grande conviction.

— Où est-ce que tu ranges les tasses ? J'en ai cherché une en me levant, mais je n'en ai pas trouvé.

Tant qu'à faire diversion, aussi bien que ça soit utile.

— J'en ai juste deux. Celles-là. Elles étaient au fond de l'évier, en dessous de la vaisselle d'hier. J'en trouverai d'autres, si tu veux. Il y en a sûrement au *free store*. Ça, c'est le magasin de la *dump*. Tout est gratis. J'irai faire un tour cette semaine.

Isabelle approuva distraitement, toujours subjuguée par cet homme à demi nu qui jasait magasinage comme si de rien n'était.

La brise soufflait sur la clairière un parfum de conifères. Elle faiblit tout à coup et quelques maringouins bourdonnèrent dans les oreilles d'Isabelle qui agita la main pour les chasser.

— Qu'est-ce qu'on fait, aujourd'hui ?

Elle le fixait avec intensité.

— Ce que tu veux. On peut aller à la pêche. J'ai deux cannes, pis j'ai…

Il avait détourné les yeux et s'attardait maintenant sur les montagnes environnantes. Isabelle soupira. Assez de niaisage ! Elle s'avança jusqu'à n'être plus qu'à un pas. Il resta immobile, mais elle perçut un bref mouvement de recul des épaules et de la tête. Elle lui retira sa tasse des mains et la posa, avec la sienne, sur le plancher de la galerie.

— Qu'est-ce que tu fais? Tu ne veux pas qu'on déjeune avant de partir?

C'était une feinte. Il essayait encore une fois de détourner son attention. Si elle n'avait pas eu autant envie de lui, elle aurait éclaté de rire. Mais, tendu comme il l'était, Guy aurait pensé qu'elle se moquait de lui. Elle le poussa doucement contre la porte. Adossé au chambranle, il ne pouvait plus battre en retraite. Elle s'approcha.

— Tu ne m'as pas fait venir jusqu'ici juste pour me montrer à pêcher, quand même?

Ce n'était pas une question, mais il balbutia néanmoins une réponse qui s'éteignit quand Isabelle posa ses lèvres sur les siennes. Il lui rendit d'abord son baiser, mais tenta de se dégager au bout d'une minute.

— Tu ne trouves pas qu'il est de bonne heure pour ça?

Que de candeur! Elle lui sourit.

— Il n'est jamais trop de bonne heure pour ça.

Comme elle se rapprochait de nouveau, il s'éclaircit la voix.

— Oui, mais…

Elle l'embrassa et fut surprise de le sentir reculer plus encore, comme s'il voulait se fondre dans le bois de la porte. Elle s'écarta. Il était paralysé, cherchait dans quelle direction fuir. Elle eut pitié de lui.

— Qu'est-ce qui ne va pas?

Il profita de l'espace qu'elle laissait enfin entre eux pour se dégager et gagner l'autre bout de la galerie.

— Rien. Je trouve juste qu'il est un peu de bonne heure, c'est tout'.

Elle fronça les sourcils, l'étudia avec attention et réalisa tout à coup qu'elle l'avait effarouché. Elle éclata de rire.

— Tu n'as pas besoin d'avoir peur. Je ne te ferai pas mal.

— Je n'ai pas peur.

Isabelle se rappela tout à coup que Guy avait trente-quatre ans. S'il vivait encore à Québec, il écouterait sans doute la radio poubelle. Il répandrait les idées de son animateur vedette et y croirait. C'était un X. Un de ceux qui, comme Marc, fuyaient les femmes de caractère parce qu'ils les trouvaient castratrices. Un de ceux qui préféraient les belles nouilles parce qu'elles étaient moins suspectes, voire dangereuses. Isabelle connaissait le discours. Elle repensa à Marc et à sa toute jeune compagne, et son visage se crispa. La rancœur jaillit d'un coup.

— Si tu n'avais pas envie de moi, tu avais juste à le dire avant. Je n'aurais pas fait six mille kilomètres en avion.

Elle se tut pour mesurer l'effet de ses paroles, mais Guy regardait ailleurs. Comme d'habitude.

— Une chose est sûre, c'est que je ne suis pas venue jusqu'ici pour pêcher…

Plus il l'ignorait, plus elle enrageait.

— … ni pour que tu me parades devant tes amis. Cette game-là, j'ai fini de la jouer.

Elle se détourna, attrapa sa tasse et s'adossa au mur. Déjà, l'irritation soufflait sur la flamme du désir et commençait à l'éteindre.

— Ce n'est pas ça…

Malgré cette ouverture, il ne fit pas un geste vers elle. Isabelle jura. Les paroles des danseuses lui revinrent à l'esprit.

— Es-tu gay?

Ces mots eurent l'effet d'une provocation. En moins d'une seconde, Guy fondait sur elle, l'enlaçait et l'embrassait avec plus de fougue qu'il ne l'avait fait jusque-là. Il glissa ses mains sous son chandail pour le remonter jusqu'à sa poitrine. Hors d'haleine, Isabelle l'interrompit.

— Woh, les moteurs! Attends un peu! On ne va pas faire ça dehors, quand même.

Une fois allumé, on aurait dit que Guy s'enfiévrait.

— Il n'y a personne. Je n'ai pas de voisin.

Elle attrapa ses mains qui tentaient maintenant de se glisser dans son soutien-gorge.

— Il y a Serge.

Il s'immobilisa.

— Hum…

Ce fut son seul mot. Il jeta un coup d'œil en direction du sentier et se gratta la barbe. Puis, sans crier gare, il lui prit la main, l'attira dans la cuisine, referma la porte et se jeta sur elle. Il l'embrassait sans lui laisser le temps de reprendre son souffle. Un à un, il lui retira ses vêtements, s'impatientant quand l'agrafe du soutien-gorge lui résista. Il se dévêtit en quelques secondes. Chacun de ses gestes semblait animé par une faim terrible. Une faim qu'il avait dû refouler depuis son arrivée, mais qui paraissait désormais impossible à maîtriser.

Isabelle se demandait ce qu'elle avait bien pu dire pour transformer un homme timide en une bête déchaînée. D'une certaine manière, la force avec laquelle il la serrait l'effrayait.

— As-tu des condoms ?

C'est tout ce qu'elle avait trouvé pour le forcer à ralentir. Elle en avait apporté, ils étaient dans sa valise dans la chambre. Elle espérait que, le temps d'aller les chercher, Guy reprendrait ses esprits. Peine perdue, il fouillait déjà dans un tiroir, en sortit trois, en lança deux sur la commode avant d'ouvrir le troisième. Le condom enfilé, il se jeta sur elle, cherchant son chemin comme un poisson qui remonte le courant. Il se glissa à l'intérieur et, moins de deux minutes plus tard, elle l'entendait râler.

Immobile sous lui, Isabelle n'en croyait pas ses oreilles. Guy gardait la tête enfouie dans ses cheveux, comme un enfant qui chercherait à s'y cacher. Lorsqu'il se retira enfin, il bascula sur le dos et ferma les yeux, silencieux et honteux. Son corps était aussi couvert de sueur que s'ils avaient fait l'amour pendant des heures.

— Tu es déjà venu ?

Comme il ne répondait pas, elle éclata d'un rire où l'incrédulité se mêlait à la déception. Guy lui tourna le dos.

— Ne ris pas de moi en plus.

Elle redevint sérieuse.

— Je ne ris pas de toi. Je ris de nous. Si tu en avais autant envie, pourquoi tu t'es organisé pour me tenir occupée tout ce temps-là ? Tu voyais bien que je ne t'aurais pas dit non.

Comme il se murait dans le même mutisme que la veille, Isabelle le poussa du coude.

— Arrête de bouder ! S'il y a quelqu'un qui devrait être fâché, ici, c'est moi. Pis moi, j'en ris. Alors, dis quelque chose !

— Qu'est-ce que tu veux que je te dise. Ça fait cinq ans.

— Qu'est-ce qui fait cinq ans ?

Elle n'avait pas besoin d'entendre la réponse. Elle additionna les indices et arriva à une conclusion qui l'aurait jetée par terre si elle n'avait été allongée dans le lit. Elle ne pouvait imaginer un homme aussi sexy condamné à l'abstinence. Ça n'avait tout simplement pas de sens, même si ça expliquait ce désir si fort qu'il n'avait pu durer. La chose semblait quand même difficile à croire, surtout si on pensait aux aveux des danseuses du casino. Guy aurait pu choisir n'importe laquelle.

— Je ne comprends pas.

Elle aurait pu tout aussi bien dire «Je ne te crois pas», mais elle jugea que ce n'était pas vraiment poli. Guy aurait pu mal le prendre, vu les circonstances.

Elle le secoua.

— Je te parle, là. Et ne me dis pas que tu dors parce que je t'étripe.

— Je ne dors pas.

— Alors, ne me laisse pas comme ça. Ce n'est pas humain. Tu sais bien que j'en avais envie, moi aussi.

À ces mots, il pivota et se retrouva face à elle. Parce qu'il hésitait encore à la regarder dans les yeux, Isabelle l'embrassa et enroula ses jambes autour des siennes.

— Si tu t'occupes de moi, je te pardonne le reste.

Il toussa, pour la forme. Par habitude. Pour cacher sa nervosité.

— OK, mais je ne suis pas très bon. Je t'avertis.

Il n'était qu'à quelques centimètres de son visage.

— Comment ça, pas très bon ? Tu n'as pas quinze ans, quand même.

— Dans ce domaine-là, je pense que oui.

— Voyons donc ! C'est comme le vélo. Ça ne se perd pas.

Il secoua la tête avant de lui murmurer à l'oreille :

— Ce n'est pas vrai, ça. On désapprend avec le temps.

— Tu penses ?

— Je le sais.

— Ben… essaie-toi quand même. Je te donnerai mon avis après.

Elle prit sa bouche, attrapa sa main qu'elle dirigea entre ses cuisses.

Elle avait faim. Quelle heure était-il ? Difficile à dire. Avec toute cette lumière, Isabelle avait perdu ses repères. Guy dormait, collé dans son dos, en cuillère, le nez enfoui dans ses cheveux. Il devait manquer d'air, le pauvre, mais ça ne semblait pas le gêner. Elle déplaça le bras qui lui enserrait la taille par en dessous, repoussa avec douceur la main posée sur sa cuisse et se faufila hors du lit. Une fois dans la cuisine, elle fouilla dans les sacs. Parmi toutes ces provisions rapportées de Whitehorse, il devait bien y avoir quelque chose à manger.

Elle trouva une boîte de fruits en conserve qu'elle versa dans un bol avant de pousser la porte pour aérer la maison.

Il faisait chaud. Le soleil était haut. Les oiseaux s'étaient tus. On entendait un silence à peine brisé par des piaillements si lointains qu'on avait l'impression de les imaginer. Guy avait raison quand il disait qu'il n'avait pas de voisins.

— Reviens.

La supplique l'arrêta juste avant qu'elle franchisse le seuil, nue et étrangement enhardie. Amusée qu'il la rappelle aussi vite, elle pivota et retourna dans la chambre. Guy était allongé sur le dos par-dessus les couvertures. Isabelle le regarda des pieds à la tête, s'arrêta sur le pénis qui reposait sur le côté, peut-être inerte, peut-être en attente, elle ne savait trop. Elle se demanda combien de temps il lui faudrait pour s'habituer à elle, réapprendre ce qu'il avait déjà su, faire l'amour lentement, en savourant chaque caresse, plutôt que d'aller droit au but comme si sa vie en dépendait.

Elle se glissa contre lui et, aussitôt, il se lova dans son dos. Il ne se rendormit pas. Elle sentait sa respiration irrégulière dans son cou.

— Veux-tu recommencer?

— Non. Je veux juste te tenir.

Ils restèrent en silence, blottis l'un contre l'autre comme des amoureux qui se réchauffent en plein hiver. Sauf qu'on crevait de chaleur, et leurs corps moites n'en étaient que plus collés. La pièce sentait le sexe et la sueur. Eux aussi.

Isabelle avait des questions, mais hésitait, ne sachant si c'était le moment. Il suffisait peut-être simplement de bien choisir ses mots. Ne pas le blesser avec des suppositions ridicules. Ne pas l'insulter.

— Savais-tu d'avance que ça se passerait comme ça?

Il hocha la tête dans son cou.

— C'est pour ça qu'on n'est pas allés à l'hôtel à Whitehorse?

Pas de réponse.

— As-tu vraiment quitté Québec le jour où on a dîné ensemble, ou bien c'était juste une autre tactique pour me cacher ton secret?

Pas de réponse, là non plus.

— Comment ça se fait que tu n'aies pas eu de fille depuis cinq ans?

Il la serra plus fort.

— Il n'y en avait pas une à ton goût à Dawson?

Cette fois, il émit un grognement négatif.

— Même pas parmi les filles du casino?

— Toutes des filles d'été, ça.

Isabelle sourit, heureuse de l'entendre enfin s'exprimer.

— Pis après? Ce sont des filles quand même.

Elle venait d'amorcer quelque chose et n'entendait pas battre en retraite, quoi qu'il en pense.

— Je ne voulais pas d'une blonde temporaire, pis ces filles-là repartent toutes en septembre.

— Ben, en attendant, elles auraient pu faire l'affaire.

Pour éviter d'avoir à s'expliquer, Guy la repoussa, se leva et entreprit de s'habiller. Isabelle soupira.

— Bon, ça recommence. Arrête de bouder, pis viens ici.

Il s'immobilisa, son T-shirt à la main.

— Juste si on change de sujet.

— Je veux comprendre, Guy. Qu'est-ce qu'elles ont de travers, les filles d'été?

Il poussa un bruyant soupir, finit de s'habiller. Mais, avant de franchir la porte, il lui lança:

— Elles sont trop jeunes. Elles ont l'habitude des gars qui sont bons dans le lit. Et elles n'ont pas deux cennes de patience.

Une fraction de seconde plus tard, il était dehors. Par la porte demeurée ouverte, elle le vit appuyer sur un bouton du magnétophone avant de s'éloigner vers le bois. Quelques notes de guitare se transformèrent en *Nothing Else Matters,* étrange ballade, mélange de *heavy metal* et de musique symphonique. Que Guy aime Metallica n'avait rien de surprenant. Quelque chose dans la voix rugueuse de James Hetfield rappelait son côté indomptable. Ce côté qui justifiait d'une certaine manière les longs silences qu'il lui imposait.

Restée au lit, bercée par la basse et les violons, Isabelle imagina la déception de ces «filles d'été» habituées à la performance. Elle imagina les moqueries, les cancans peut-être aussi. Elle comprit alors pourquoi Guy était venu la chercher aussi loin. Et pourquoi il ne lui avait pas tout dit.

Ce soir-là, au casino, Isabelle connut la gloire par personne interposée. Si les danseuses s'étaient contentées d'un maquillage à peine plus élaboré que d'habitude, Lorraine, la chanteuse, avait demandé quelque chose d'extravagant. Isabelle lui dessina un regard charbonneux évoquant les espionnes de la Première Guerre mondiale et les vedettes du Moulin Rouge. Une fois sur scène, Lorraine récolta tellement de jetons qu'elle en lança un de cinquante dollars sur la table d'Isabelle.

Dans le stationnement, avant de prendre le chemin du retour, Isabelle admira le soleil qui descendait entre les collines, juste au-dessus du fleuve Yukon. Le ciel entier se parait de rouge et de mauve, comme si les rayons s'étiraient et enveloppaient toute la planète. Il était 2 h 30. Le bruit des bulles de gaz carbonique qui éclatent la ramena sur terre. À côté d'elle, adossé à la camionnette, Guy venait de s'ouvrir une canette de bière. L'angoisse de la veille revint d'un coup.

— Ça me stresse que tu boives en conduisant.

Il haussa un sourcil.

— Je ne conduis pas, là. Je ne suis même pas au volant.

— Tu sais ce que je veux dire.

—Oui, je le sais.

Ce soir-là, il attendit d'être arrivé à la maison pour ouvrir la seconde canette.

Et tous les autres soirs aussi.

9.

J'ai marché pendant trente minutes en pleine forêt sur une pente si raide que j'étais couverte de sueur en arrivant au sommet. Je venais juste d'atteindre un chemin plus large quand les chiens ont aboyé. J'ai suivi les instructions de Guy et me suis retrouvée dans une clairière où une radio diffusait une chanson de Vincent Vallières. Dans un coin du terrain, Isabelle St-Martin s'acharnait avec sa hache sur une grosse bûche. Elle était plus costaude que dans mes souvenirs, et combien moins chic! Salopette rapiécée, chemise de laine à carreaux, grosses bottes de travailleur aux pieds, c'était définitivement une femme des bois. La hache qu'elle maniait avec aisance le prouvait hors de tout doute.

Devant moi se dressait une cabane en rondins, et derrière celle-ci, une demi-douzaine de niches autour desquelles autant de chiens, retenus par des chaînes, s'époumonaient pour signaler ma présence. Un gros chien noir, sorti de je ne sais où, a bondi vers moi. Je n'ai pas peur des chiens habituellement, mais, à voir l'énergie qui se dégageait de celui-là, j'ai reculé.

— Ne t'inquiète pas, m'a lancé Isabelle en laissant tomber sa hache, elle n'est pas maline. Tu n'as pas eu trop de trouble à trouver la place?

La chienne me reniflait partout.

— J'ai eu de l'aide.

Un peu craintive à la vue des mâchoires qui me frôlaient les doigts, je lui ai raconté ma balade sur le fleuve avec Guy en évitant de mentionner la bière. Si je me doutais que l'Isabelle d'autrefois en aurait été scandalisée, je ne savais pas ce qu'en pensait la Yukonnaise qu'elle était devenue. Je ne voulais pas prendre le risque de l'insulter.

Les autres chiens s'étaient tus. Seule la chienne noire continuait de rôder autour de moi, respirant tantôt mes bottes, tantôt mes cuisses. Voyant mon malaise, Isabelle l'a réprimandée.

— Léa, ça suffit. Va jouer!

Pour la distraire, elle lui a lancé un bout de bois.

— Excuse-la. On n'a pas souvent de la visite.

Avec une maison aussi difficile d'accès, cela n'avait rien de surprenant. Puisque la chienne me laissait enfin tranquille, j'ai suivi Isabelle vers sa cabane qu'aucun fil ne reliait au reste du monde.

— Tu n'as pas l'électricité?

Elle a ri.

— Pas d'électricité, pas de téléphone, pas d'eau courante. Mais j'ai le gaz. Justement, j'ai fait des muffins tantôt. J'espère que tu as faim.

J'ai répondu par l'affirmative au moment où la chienne me bousculait pour passer devant. Isabelle s'est excusée. Ce n'était pas ses chiens, elle les gardait pour un ami.

— Ce sont des chiens de traîneau. Ils sont bien pratiques pour sortir du bois de chauffage.

Ah, bon! Je ne voyais pas l'intérêt de garder autant d'animaux juste pour sortir des troncs d'arbre de la forêt, mais, après tout, je n'étais pas à une surprise près.

— C'est ta préférée?

J'ai désigné la chienne qui venait de bondir sur le lit. Isabelle a eu un petit rire malicieux.

— Si leur maître apprend que Léa dort avec moi, il va m'arracher la tête. Mais comme il n'est pas là, je peux bien faire ce que je veux. Garde tes bottes, surtout! Le plancher est froid.

Elle a éteint la radio et allumé une série de lampes DEL dont le fil était branché sur une batterie d'automobile.

— Au début d'avril, je vais réinstaller mes panneaux solaires. En attendant, j'ai juste ça comme éclairage. J'espère que ça te convient.

Si ça me convenait? Dans cette lumière presque bleue, j'avais l'impression de découvrir la caverne d'Ali Baba. Cette cabane n'était pas plus grande que le salon de mon appartement à Montréal. Dans un coin, une table jonchée d'outils était bordée sur deux côtés par des chaises en bois. À ma gauche se dressait une bibliothèque chargée de livres au milieu desquels se trouvait la photo d'un bambin de deux ans environ. À ma droite, un lit surélevé recouvert d'une courtepointe et d'un plaid accueillait la chienne. La mini-cuisine était dotée non pas d'armoires, mais d'une série d'étagères en bois où s'entassaient de la vaisselle et des pots de verre remplis de riz, de pâtes, de fruits secs, d'huiles et d'épices. Une cuisinière au gaz et un évier sans robinet complétaient l'aménagement. Poêlons, skis, raquettes, de même qu'un fusil de chasse ornaient les murs. Sur le poêle à bois, qui se trouvait presque au centre de la pièce, Isabelle faisait fondre de la neige dans un chaudron. Mis à part l'ordinateur portable abandonné sur le comptoir, j'étais persuadée que Grizzly Adams ne vivait pas plus simplement.

Nous nous sommes installées près du poêle. Quelques bûches jetées au hasard avaient suffi à raviver les flammes. Isabelle a versé du thé dans deux pots Mason et m'en a tendu un avec un muffin.

— Où est-ce qu'on en était rendues?

Ravie à l'idée d'entendre la suite de l'histoire, je lui ai rappelé le casino et la cabane de Guy sur le bord de la rivière.

— *Right on!* m'a-t-elle lancé avant de replonger dans le passé.

10.

La première chose qu'Isabelle remarqua fut que sa relation avec l'eau avait changé. Quand il faut aller la chercher en ville, la rapporter d'abord en camionnette, puis en canot et ensuite à pied sur deux cents mètres, l'eau potable acquiert de la valeur. On n'allait pas jusqu'à s'en priver, mais le mot gaspillage prenait un sens plus précis. On ne laissait jamais couler le robinet du bidon de plastique bleu plus longtemps que nécessaire. On se brossait les dents avec l'eau contenue dans un verre. Par verre, il fallait entendre ici un pot Mason parce que c'était plus pratique et moins fragile. De la même manière, on n'abusait pas de l'eau pompée à la rivière parce qu'il fallait transporter, depuis le village, l'essence qui alimentait la génératrice qui, elle, alimentait la pompe. Ce qui ne voulait pas dire pour autant qu'on s'en privait. On utilisait ce dont on avait besoin, mais on se lavait les mains dans un plat d'eau savonneuse qui passait la journée sur le comptoir. On prenait une douche rapide. On récupérait l'eau de vaisselle pour arroser le potager. Finalement, vivre avec Guy, c'était comme faire du camping toute l'année.

Dans ces conditions, Isabelle renonça à son double shampoing quotidien suivi d'un traitement avec revitalisant. La mise en plis habituelle lui parut futile. Elle découvrit un truc de grand-mère : des cheveux attachés serrés se salissent moins vite. Elle roula les siens en chignon tous les matins. Deux fois par semaine, elle s'arrêtait au Bonanza Gold Motel, prenait une longue douche à son goût. Si Guy n'avait tant aimé y enfouir son visage, nul doute qu'elle les aurait coupés, ses cheveux. Mais elle était chaque fois émue de le voir se blottir contre elle et plonger le nez dans la masse de boucles brunes. Elle raccourcit néanmoins la frange. De la poupée de Québec, elle gardait le maquillage léger, qu'elle accentuait avant d'aller au casino. Guy, que le sexe quotidien commençait à rassasier, ne dit pas un mot.

Vivre sans électricité ne posait pas vraiment de problème, surtout avec cette lumière dont l'intensité faiblissait à peine la nuit entre 2 heures et 4 heures. La cuisinière au gaz remplaçait avantageusement la cuisinière électrique. Un barbecue, aussi rudimentaire que la douche, permettait de griller le poisson que Guy pêchait le matin pendant qu'Isabelle faisait la grasse matinée. Tout ce soleil avait fini par avoir raison de la vitalité avec laquelle elle était arrivée au Yukon. Après deux semaines complètes à dormir trois heures à peine par nuit, Isabelle s'était effondrée. Elle profitait maintenant des absences de Guy pour somnoler en se demandant combien de temps encore on verrait le soleil à minuit.

Avant de la laisser seule dans la cabane, Guy avait pris soin de lui montrer comment utiliser la bombonne de poivre de Cayenne. Elle était toujours sur la table, à l'extérieur, cette bombonne chromée. Dès le début, sa présence avait laissé Isabelle perplexe.

— C'est du *bear spray*. Tu enlèves le capuchon de plastique et tu pèses sur le bouton.

Isabelle s'en était emparée et, du bout des doigts, elle avait essayé d'enlever la protection de plastique.

— Woh! Tourne la bouteille sinon tu vas m'envoyer ça dans la face.

Comme Guy semblait réellement paniqué, elle s'était exécutée et avait placé la bombonne de manière à ce qu'un jet accidentel se dirige vers le sol. Elle réussit à dégager le bouton de peine et de misère.

— Tu te pratiqueras pour être capable de l'utiliser plus vite que ça. Mais le mieux, c'est de faire du bruit tout le temps. Ils ne viendront pas, les ours, s'il y a trop de bruit.

Ces instructions n'avaient rien pour rassurer Isabelle qui commença, dès ce jour-là, à s'inquiéter quand elle devait utiliser la bécosse. Elle se mit alors à imiter Guy, allumant le magnétophone chaque fois qu'elle s'éloignait vers le bois, priant pour que les ours n'aiment pas Metallica.

Elle lui avait pardonné ses mensonges et ses silences. À force de partager sa vie, elle en était même rendue à excuser le piège qu'il lui avait tendu. Sans les leurres avec lesquels il l'avait appâtée, jamais elle n'aurait trouvé le courage de venir dans le Grand Nord. Elle découvrait avec stupéfaction qu'elle aimait s'occuper des petits détails du quotidien. Sans factures à payer, sans télévision, sans téléphone et sans internet, elle prenait le temps de vivre.

À mesure que la saison avançait, les touristes se faisaient plus nombreux à Dawson, malgré la pluie. Guy se plaignait du mauvais temps, ses collègues du casino aussi. Isabelle, pour sa part, ne s'irritait pas de ce crachin quotidien qu'on qualifiait ici d'averse. Elle avait l'habitude d'orages autrement plus violents. Et puis la pluie ne durait jamais longtemps. Dès que les nuages s'étaient dispersés, le soleil revenait. Et le soir, il faisait presque toujours beau. Isabelle ne se lassait pas de regarder le soleil de minuit descendre dans le fleuve, au nord, pour remonter presque aussitôt. C'était tellement extraordinaire! Chaque fois. Comme le spectacle quotidien de Diamond Tooth Gertie.

Le casino était plein à craquer tous les soirs. Avant chaque spectacle, Isabelle maquillait les danseuses et la chanteuse.

Elle commençait à comprendre un peu d'anglais. Les mots les plus familiers, les expressions aussi. Quand elle était mal prise, elle trouvait toujours quelqu'un pour traduire, dans la salle comme dans la loge. Quand une des serveuses démissionna, le gérant lui proposa son poste. Isabelle essaya de s'esquiver.

— *But... I don't speak English.*

— *You will learn.*

Elle apprit, en effet. Sur le tas.

Un mois après son arrivée, elle occupait deux emplois et gagnait autant d'argent que Guy. Ce dernier ne lui demanda rien. Le terrain lui appartenait depuis longtemps, il ne devait pas un sou à personne et ne recevait pas non plus de factures par la poste, n'étant abonné à aucun service. Elle dut insister pour payer la moitié de l'épicerie, ce à quoi il céda en regimbant.

— Mets-en quand même de côté pour l'hiver. Tu as commencé trop tard pour recevoir du chômage.

Ainsi, l'été s'écoula sous la lumière d'un soleil sans fin. À l'abri des regards, de l'autre côté de la rivière Klondike, Isabelle et Guy vivaient leur lune de miel. L'amour devint plus facile, plus lent et plus agréable. Pour eux deux.

Il lui avait donné un filet pour se couvrir les bras et la tête afin qu'elle ne serve pas de casse-croûte aux moustiques. Malgré cette protection, les maringouins ne cessaient de la harceler quand elle sarclait à quatre pattes, tâche dont elle s'acquittait de son propre chef. Ce potager constituait d'ailleurs un luxe dans une région où, en règle générale, le pergélisol interdisait toute forme de culture. Autour de Dawson, seules quelques parcelles de terrain échappaient au gel permanent. Guy avait mis la main sur une de celles-là.

Quand Isabelle s'était rendue dans le potager la première fois, elle avait été scandalisée par le désordre qui y régnait. La faute revenait à cette lumière qui baignait la région vingt-quatre heures par jour, faisant pousser les légumes deux fois plus vite qu'au Québec, les mauvaises herbes aussi. Puisque Guy ne croyait pas en un entretien préventif, Isabelle avait entrepris de nettoyer les rangs une fois par semaine.

Cet après-midi-là, le bourdonnement incessant des maringouins l'avait presque rendue folle. C'est soulagée qu'elle s'était réfugiée dans la serre érigée derrière la maison, à côté de la remise. Guy y cultivait les légumes trop fragiles pour survivre à la brièveté de l'été yukonnais. Après y avoir cueilli de quoi préparer une salade pour le souper, Isabelle s'en revint vers la maison, les bras chargés, toujours émerveillée qu'on puisse vivre aussi simplement.

Guy était parti au village chercher le courrier, remplir les bidons d'eau potable et récupérer quelques morceaux de l'orignal qu'il avait abattu l'automne dernier et dont la viande était entreposée dans le congélateur d'un ami. Évidemment, l'ami en question habitait une maison reliée au réseau électrique. Un ami bien pratique, l'avait taquiné Isabelle.

Elle mangeait de la viande maintenant. Pour la convaincre, Guy lui avait décrit la chasse. Manger du gibier et cultiver des légumes dans un potager, c'était respecter la nature pour rester en vie. Isabelle s'était rendue à ses arguments. De toute façon, à force de vivre dehors, elle avait toujours faim. Marc n'en serait pas revenu s'il l'avait vue mordre dans un hamburger maison, lui qui s'était plaint pendant des années de leur absence au menu.

Elle marchait donc en direction de la galerie, les bras pleins, la tête ailleurs. La forêt était tellement paisible qu'elle entendait l'herbe se froisser sous ses pieds. Quand, à l'intérieur, on remua de la vaisselle et qu'on renversa une chaise, Isabelle s'immobilisa, alerte. D'instinct, elle déposa sa cueillette sur le sol et s'avança à pas prudents. La bombonne de poivre de Cayenne se trouvait comme toujours sur la table de la galerie. Sans faire de bruit, elle grimpa les marches, s'en empara et se réfugia sur le côté de la maison. Isabelle n'avait plus de doute maintenant. Il y avait quelque chose à l'intérieur. Quelque chose qui, à en juger par tous ces bruits, se cherchait à manger. Elle passa en revue la nourriture stockée. De la farine, du beurre, du sucre, le reste d'un pain, de la confiture, des épices, du riz, des pâtes, des fèves et des fruits secs.

Elle se demanda ce qu'elle devait faire. Pouvait-elle s'avancer, entrer dans la cuisine, appuyer sur le bouton et vider la bombonne? Elle ne savait pas. Guy ne l'avait pas préparée à cette éventualité. Il avait juste dit: «Tu vises les yeux et le nez.» Peut-être était-il préférable de fuir? Mais où diable irait-elle? Il n'y avait pas de cachette sur le terrain. La remise ne possédait pas plus de porte que la bécosse. La serre était transparente, comme toutes les serres. Restait à se sauver chez Serge, en espérant que sa cabane ne serait pas verrouillée et qu'il serait chez lui.

Ça bougea de nouveau dans la cuisine. Isabelle pria pour que la bête finisse par sortir d'elle-même, mais elle retira quand même la protection de plastique de la bombonne au cas où l'animal percevrait son odeur. Tendue et alerte, elle étira le cou et jeta un œil en direction de la porte. Elle reconnut la silhouette d'échalas qui se tenait sur le seuil. Serge mangeait des biscuits, de grosses bottes de travail aux pieds, une bière dans la main. Isabelle sortit de sa cachette, furieuse.

— Je te jure que si jamais tu me refais ça, je t'envoie le poivre de Cayenne en pleine face!

Il avait sursauté en entendant sa voix et reculait maintenant parce qu'il venait d'apercevoir l'objet avec lequel elle le menaçait.

— Woh! Baisse ça! C'est dangereux.

— Ce qui est dangereux, c'est un imbécile comme toi qui entre chez les gens quand ils ne sont pas là et qui fait comme chez lui.

Serge retrouva assez de contenance pour se montrer arrogant.

— Ça n'a jamais dérangé Guy, avant.

Isabelle s'était avancée et se tenait maintenant tout près, son «arme» toujours tournée vers lui.

— Moi, ça me dérange. Et comme je vis ici, astheure, ben tu vas te comporter comme quelqu'un de civilisé et tu vas arrêter de vider notre garde-manger.

Il continuait de boire sa bière, toujours indifférent.

— À ta place, ma petite madame, j'en parlerais avec Guy. Ce n'est pas comme ça qu'on vit, ici.

Isabelle secoua la tête et agita la bombonne.

— À ta place, j'écouterais la petite madame parce que tu lui as fait une peur bleue et que, la prochaine fois, elle ne se gênera pas pour t'arroser.

— Baisse ça!

Isabelle sentait encore l'adrénaline dans ses veines. Ce n'était pas un jeune comme Serge qui lui ferait la leçon.

— Je vais la baisser si ça me tente. Mais avant, tu vas t'excuser pour m'avoir fait peur de même. Tu vas ranger les biscuits. Pis tu vas t'asseoir sur la galerie comme un bon p'tit gars bien élevé qui attend que les propriétaires de la maison reviennent avant d'entrer chez eux.

— Ben, voyons donc…

Il cherchait à se rappeler son prénom. Elle le lui remémora avec cynisme.

— Je m'excuse, Isabelle.

— Je m'excuse, Isabelle.

Il avait répété ces mots en s'assoyant sur une des chaises de la galerie.

— Pis la prochaine fois que tu nous rendras visite, Serge, tu apporteras de la bière, comme on fait dans les pays civilisés.

Serge hocha la tête, vida sa canette et la regarda d'un air mi-interrogateur, mi-penaud. Isabelle soupira.

— OK, je vais aller t'en chercher une autre. Mais la prochaine fois, je m'attends à ce que tu arrives les mains pleines.

Quand Guy revint avec l'eau et la viande, il trouva Serge en train d'expliquer à Isabelle comment réagir quand on est attaqué par un ours.

— S'il est en dedans, tu t'en viens dans ma cabane au plus vite et tu attends. Il finira bien par s'en aller. S'il est dehors, tu entres, tu refermes et tu te caches avec ta bombonne.

Guy l'interrompit.

— Fuck la bombonne, Isabelle! Si tu es en dedans, pis qu'il y a un ours qui essaie d'entrer, tu te caches dans la chambre et tu prends mon fusil. S'il entre, tu tires.

Isabelle lui sourit, railleuse :

— Et il est où, ton fusil?

— En dessous du lit. Toujours chargé. Au cas où.

En apparence, rien ne distinguait Isabelle des autres employées du casino. On lui donnait, à elle aussi, la jeune vingtaine. Elle était mignonne, s'habillait sexy et se maquillait de manière à attirer l'attention. Elle admettait volontiers ne jamais avoir travaillé dans les bars avant d'arriver au Yukon. Elle se trouvait gauche avec un plateau dans les mains, était exténuée à la fin d'une soirée de va-et-vient entre les tables et s'exaspérait d'une main baladeuse ou d'un frôlement plus discret. Cependant, même si elle avait l'air plus jeune, Isabelle possédait une expérience de vie propre à une trentenaire. Et ce n'était pas parce qu'elle était venue rejoindre Guy au Yukon sur un coup de tête qu'elle avait perdu tout jugement.

Elle savait utiliser le charme et l'humour pour faire rire les clients et avait développé, au fil de ses années en esthétique, une expertise dans l'art de ménager l'amour-propre des autres. Cette sensibilité, devenue une seconde nature avec le temps, lui permit de repérer les faiblesses de ses collègues. Sans perdre de temps, elle en tira profit et récolta, dès les premières semaines, des pourboires deux fois plus gros que la plupart des serveuses. Très vite, il y eut des jalouses, et on saisit toutes les occasions pour la narguer, accusant son décolleté et la longueur de sa jupe d'être la cause de tant de générosité. Isabelle ne répliquait jamais, mais continuait son manège mystérieux.

À la fin du mois d'août, quand on commença à gratter les pare-brises le matin et que les touristes se firent de plus en plus rares, tout le monde se plaignit d'une diminution de revenus. Tout le monde, sauf Isabelle qui rentrait du travail les poches pleines, le sourire aux lèvres. Son lourd accent québécois n'était pas étranger à l'abondance de pourboires qu'elle récoltait quotidiennement. Les hommes trouvaient sexy sa manière de rouler les *r*, d'omettre les *h*, et de structurer ses phrases à la française. Mais elle possédait un autre truc.

C'est à Guy qu'elle devait son avantage sur les autres serveuses. À Guy, et à cette tolérance qu'elle avait développée depuis qu'elle avait emménagé chez lui.

Guy avait maintenant les cheveux trop longs et il ne s'était pas rasé de l'été, si bien que sa barbe lui descendait jusque dans le cou et rejoignait le poil qui lui couvrait la poitrine. Il portait de vieux vêtements souvent poussiéreux et ne se souciait pas de les agencer selon les couleurs. Quand elle l'avait questionné sur la chemise et le pantalon chics du Bogart, il avait reconnu les avoir empruntés à son frère. Cet aveu, peut-être le dixième ou le vingtième qu'il lui faisait depuis son arrivée, n'avait provoqué chez elle aucune réaction. Parce que Guy, malgré ses airs d'ours mal léché, était quelqu'un de charmant. Elle avait appris à voir au-delà des apparences et de ses manières, qui avaient perdu leur lustre au fil des ans.

Il en allait de même pour les autres hommes qu'elle croisait au bureau de poste, à l'épicerie, à la pharmacie ou dans la rue. Tous possédaient un côté rude évident et un côté poli, moins évident. Surtout les plus vieux. Ils arboraient souvent une tignasse blanche bien trop longue, portaient une barbe qui n'avait pas vu l'ombre d'un rasoir depuis dix ans au moins, avaient des mains calleuses, des ongles noircis, des vêtements sales et des bottes usées à la corde. Ils buvaient beaucoup, mais s'enivraient rarement. Et si la serveuse qui leur apportait leur bière savait se montrer le moindrement gentille avec eux, ils ne lésinaient pas sur le pourboire. Alors que les jeunes…

Ç'avait été une surprise pour Isabelle de découvrir que les clients les plus sexy étaient les moins généreux. Il lui avait fallu deux soirées pour s'en apercevoir. Même s'ils étaient beaux, les travailleurs migrants venaient à Dawson pour gagner un maximum d'argent en un minimum de temps. Et pour faire la fête, évidemment! S'ils s'enivraient quotidiennement, ils se montraient chiches quand venait le temps de récompenser celles qui leur servaient à boire. Isabelle les trouvait séraphins et les laissait de bon cœur entre les mains avides de ses collègues plus jeunes. Elle leur préférait les locaux plus âgés qui passaient leurs soirées aux tables de jeu. Il n'était pas rare que l'un d'eux lui demande de rester quand elle déposait son verre sur la table.

— Ne bouge pas de là, tu me portes chance.

Isabelle obéissait et récoltait un jeton quand le client remportait la mise.

Ces hommes étaient des mineurs, des prospecteurs, des ouvriers spécialisés ou des manœuvres qui s'affairaient sur les différents chantiers. À cause de la rudesse du climat yukonnais, il y avait toujours plusieurs édifices en rénovation ou en restauration, des travaux qui duraient souvent tout l'été.

Parmi les clients, il y avait des femmes aussi. Les femmes de ces hommes, mais également les célibataires que l'aventure avait conduites aussi loin au nord. Parmi elles, Isabelle avait identifié des artistes, des femmes de ménage, des caissières, des employées de Parcs Canada, des enseignantes – même si celles-là fréquentaient peu le casino – et des infirmières. Aucune d'entre elles ne constituait une clientèle payante. Isabelle, tout comme les autres serveuses d'ailleurs, les négligeait parce qu'elles s'avéraient le plus souvent aussi pingres que les jeunes étalons, en plus de ne pas offrir la possibilité d'un flirt, d'un baiser ou d'une nuit torride après le quart de travail.

Il y avait quelque chose de rassurant aux virées hebdomadaires au bureau de poste. Peu importait la nature de ce qui se trouvait dans la boîte, un avis du gouvernement, un journal, une lettre ou une publicité, cela donnait l'impression d'être relié au reste du monde. Le courrier avait pris une valeur nouvelle aux yeux d'Isabelle et, comme les autres Yukonnais, elle avait commencé à anticiper le moment d'insérer la clé, de la tourner et d'ouvrir la case postale de Guy, toujours avec l'espoir d'un mot qui lui confirmerait qu'elle existait encore sur la planète Terre.

Le bureau de poste, cependant, ne servait pas qu'à la distribution du courrier. On y apprenait aussi tout ce qui se passait au village. Un babillard vissé sur un mur annonçait les différents événements. Lors de la fermeture du bar laitier au début septembre, la crème glacée serait offerte gratuitement. Quelqu'un donnait des cours de yoga. Quelqu'un d'autre avait des chiots à vendre. Un autre encore se cherchait un appartement. On y apprenait aussi qu'il y aurait bientôt des élections au conseil municipal.

C'est toute la région qu'Isabelle découvrait en parcourant les annonces. Parce que Dawson City, c'était beaucoup plus que le village. C'était aussi Henderson Corner, Rock Creek, Hunker Creek, Bear Creek, Dredge Pond Subdivision, Calison, Moosehide, West Dawson, Sunnydale. Tous ces lieux possédaient une aura de mystère qui leur donnait un petit côté romantique. On y vivait presque partout sans eau courante. À West Dawson et à Sunnydale, en plus, il n'y avait pas d'électricité. C'était comme chez Guy, mais en plus isolé encore à cause de la largeur du fleuve. En fait, la rive ouest du Yukon était peuplée de marginaux, de solitaires, de *mushers* avec leurs chiens. Isabelle percevait chez ces gens quelque chose d'authentique, de réaliste et de douloureux qui faisait penser à l'hiver qui s'en venait et dont tout le monde parlait déjà. C'était quelque chose de brut, de naturel, qui échappait aux normes de la vie en société telle qu'Isabelle l'avait connue à Sainte-Foy. À cause de son emploi, elle n'y avait pas encore mis les pieds, se contentant de suivre des yeux les camionnettes que le traversier déversait plusieurs fois par jour sur l'autre rive. Force était d'admettre, cependant, qu'elle éprouvait pour la rive ouest une fascination qui aurait certainement horrifié sa mère.

Sa mère. Au début du mois d'août, Isabelle avait reçu une lettre d'elle. La joie ressentie en la découvrant dans la case de Guy n'avait d'équivalent que la déception qu'elle avait éprouvée en la lisant. Il s'agissait d'un interrogatoire truffé de remontrances. Quand revenait-elle ? Toute la famille l'attendait, comptait sur elle. Elle ne pensait tout de même pas passer l'hiver dans le Grand Nord ? Elle devait reprendre sa vie, ses études, se trouver un homme qui avait de l'allure, un homme du monde. Sa mère avait déjà commencé les recherches. Elle avait une amie dont le fils venait de divorcer…

Isabelle avait eu envie de jeter la lettre à la poubelle.

À Québec, il n'y avait pas que sa mère qui gardait l'espoir de la voir revenir au bercail. Ses amies aussi. Isabelle prenait ses courriels dans le hall des hôtels dès que l'occasion se présentait. Manon, Céline, Julie, toutes la sermonnaient, la questionnaient. Personne ne comprenait qu'une fille bien élevée comme elle puisse trouver du contentement à vivre comme Émilie Bordeleau dans *Les filles de Caleb*. Isabelle donnait toujours la même réponse. *Pour le moment, je reste ici.* À sa mère, cependant, elle demanda qu'on lui envoie ses vêtements d'hiver.

La boîte arriva au début septembre, deux jours après son anniversaire et une semaine avant la fermeture du casino. Isabelle avait été tout excitée en découvrant le carton lui annonçant qu'elle avait reçu un colis.

C'était une grosse boîte que Guy avait hissée à l'arrière de la camionnette, puis transportée dans le canot et portée sur ses épaules jusqu'à la maison. Quand elle en sortit son manteau de laine doublé de satin et ses bottes à talons hauts, il s'étrangla presque.

— Tu ne peux pas porter ça ici.

— Tiens donc! Pourquoi?

Il cherchait ses mots.

— C'est très beau, mais… ce n'est pas assez chaud.

Il avait accentué le « mais » en étirant le son *è* qu'il prononçait *é*. Isabelle avait remarqué qu'il s'agissait chez lui d'une manière polie d'attirer son attention. Elle examina son manteau, l'enfila et se rendit compte qu'elle avait maigri depuis l'hiver précédent. Ça ne pouvait mieux tomber.

— Je vais porter un chandail de laine en dessous. De toute façon, si je suis passée au travers des hivers de Québec avec ça…

Guy secoua la tête.

— L'hiver à Dawson ne se compare pas avec l'hiver à Québec. Dans un mois, il peut bien faire moins vingt.

Isabelle pensa lui décrire un hiver sous la neige et le vent à Sainte-Foy, mais se ravisa. Guy savait de quoi il parlait puisqu'il venait de Québec, lui aussi.

— Si tu n'aimes pas ce qu'il y a en ville, on peut toujours monter à Whitehorse.

Par « ce qu'il y a en ville », Guy faisait référence aux gros parkas qu'on trouvait dans la seule boutique de Dawson. Isabelle n'avait pas l'intention de porter un vêtement qui lui donnerait l'air d'avoir pris vingt kilos. Elle ne se taperait pas six heures de route non plus.

— On n'ira pas jusqu'à Whitehorse pour ça. Je te dis que je n'aurai pas froid.

— Comme tu veux.

Guy avait dit ce qu'il avait à dire et, pour lui, la conversation était terminée. Isabelle lui sourit. Elle aimait tellement cet aspect de sa personnalité! Il n'insistait jamais. « Vivre et laisser vivre » semblait être sa devise. Certes, il avait une opinion sur tout. Du désordre qui régnait chez telle personne à la tenue vestimentaire d'une autre, en passant par la manière dont telle autre construisait une annexe à sa maison ou aménageait son jardin. Cela ne signifiait pas pour autant qu'il imposait ses vues ou qu'il méprisait les gens. Quand, deux semaines plus tôt, la bibliothécaire avait eu un accident de la route et avait, du coup, perdu les matériaux qui devaient servir à construire sa maison, Guy lui était venu en aide même si cette femme-là n'était pas de ses amies. Isabelle l'avait accompagné lorsqu'il était allé lui porter des outils. Les gens avaient d'ailleurs été nombreux à se présenter chez elle, qui avec des madriers, qui avec des fenêtres, qui avec des vis, des outils. Isabelle n'avait entendu personne spéculer sur les causes de l'accident ni commenter le fait que cette femme construisait seule sa maison. Cette bienveillance dépourvue de cynisme l'avait émue.

Elle avait imaginé sans difficulté ce qu'on aurait dit autour de la table dans sa famille, si un accident semblable était arrivé à une voisine de Sainte-Foy. « Une femme, ça ne conduit pas un pick-up manuel, ça ne fait pas autant d'heures de route seule, ça ne construit pas seule une maison. L'accident était à prévoir. » Et personne, absolument personne, ne se serait saigné à blanc pour lui venir en aide. On l'aurait sans doute appelée pour lui demander si elle avait besoin de quelque chose, et la voisine aurait dit : « Non, non. Je m'arrange bien. » Les gestes de solidarité se seraient arrêtés là.

Isabelle n'aurait su dire si Guy approuvait ou non le comportement de la bibliothécaire, mais il était venu à sa rescousse avec le même empressement que ses concitoyens. Par la suite, comme tous les autres d'ailleurs, il l'avait laissée se débrouiller avec les travaux.

Il venait de faire preuve du même détachement fraternel envers Isabelle, et cette attitude provoqua chez elle une sensation d'euphorie. Le sourire aux lèvres, elle rangea dans la chambre le manteau, les chandails chauds et ses bottes à talons hauts.

Elle revint ensuite sur la galerie où Guy buvait sa bière tranquillement en regardant le soleil se coucher, un air serein sur le visage. Il faisait beau. La pluie avait cessé depuis une semaine. S'il n'y avait pas eu le froid du matin, on aurait pu croire que c'était l'été pour vrai. Mais l'automne était là. Les feuilles avaient jauni, et les herbes recouvrant le sol rougissaient. La nuit avait repris ses droits et durait maintenant aussi longtemps que dans le Sud.

Dans le Sud... Isabelle avait fait sienne cette expression des Yukonnais pour parler de là où ils venaient. Québec, pour aberrant que ça lui aurait paru quelques mois plus tôt, représentait désormais le Sud. Le Sud où elle ne vivait plus, mais où on l'attendait encore, manifestement, car la boîte de vêtements ne contenait pas de lettre ni de carte de souhaits. Après les réprimandes, les menaces et la description des plans qu'elle élaborait avec soin, sa mère n'avait plus daigné lui écrire un mot, pas même pour lui souhaiter un joyeux anniversaire. Elle avait sans doute été fâchée d'apprendre qu'Isabelle ne reviendrait pas cet automne. Peut-être croyait-elle la faire souffrir avec son silence ? Peut-être pensait-elle lui faire changer d'avis en la punissant de la sorte ? Ignorait-elle que deux personnes désormais séparées par six mille kilomètres n'avaient plus la même influence l'une sur l'autre ? Surtout quand l'une d'elles vivait sans électricité, ni eau courante, ni téléphone, ni internet, et que le courrier mettait deux semaines à lui parvenir, dans le meilleur des cas. Habiter aussi loin du monde moderne avait changé les priorités d'Isabelle. Elle avait maintenant trente-deux ans, commençait juste à vivre et n'avait pas l'intention de revenir en arrière.

Elle attrapa une canette de bière et l'ouvrit, étrangement sereine.

À côté d'elle, Guy toussa.

— Tu sais, tes talons hauts, ils vont rester pris entre les planches des trottoirs de bois.

Isabelle approuva en silence. Elle venait de céder du terrain et acceptait de s'acheter une nouvelle paire de bottes.

Le village était tombé désert tout d'un coup. L'activité qui avait régné pendant trois mois s'était volatilisée quand le dernier hôtel saisonnier avait placardé ses fenêtres et qu'on avait hissé les bateaux sur la grève. Les Yukonnais reprenaient possession de leur village en marchant au beau milieu de la rue. Ils reprenaient aussi possession de leurs bars en y flânant des heures durant. Et, comme pour suivre le rythme de la nature, ceux qui venaient de se retrouver au chômage se levaient le matin après le soleil, c'est-à-dire le plus tard possible.

Le fruit des potagers était encanné depuis quelques semaines déjà. On parlait maintenant de la chasse. Une fois par jour, Guy insistait pour qu'Isabelle apprenne à tirer. Il persévérait même si le résultat n'était pas concluant.

— Ceux qui vivent icitte et qui ne veulent pas chasser seraient aussi bien de vivre dans le Sud.

Isabelle s'appliquait, mais le recul du fusil lui broyait l'épaule à chaque fois. Pour le reste, cependant, c'est elle qui insistait. Apprendre à manier la tronçonneuse pour couper le bois, à sortir les troncs d'arbres morts de la forêt, à fendre les bûches avec la hache et à monter des cordes de bois stables près de la porte. Il lui avait montré comment allumer le poêle, comment faire du pain et comment cuisiner le gibier de l'année précédente sous forme de ragoût. Le soir, elle avait mal partout et s'écroulait dans leur lit, épuisée, mais épanouie, convaincue de se rapprocher un peu plus chaque jour de sa nature profonde.

Ils venaient de moins en moins souvent au village. Guy se révélait plus solitaire qu'elle ne l'avait pensé. À une agitation, même minime, il préférait le calme de son domaine si difficilement accessible.

Mais en ce vendredi soir de la fin septembre, il avait fait une exception. Un de ses amis venait de rentrer du Québec et lui avait donné rendez-vous au Pit, le bar de l'hôtel Westminster, un des édifices les plus anciens de Dawson. Isabelle avait profité de l'occasion pour régler un problème devenu urgent : ses cheveux, désormais trop lourds et longs à sécher.

Ils étaient donc arrivés au village après le souper. Guy l'avait laissée au salon de coiffure après être passé devant le Pit en camionnette pour s'assurer qu'elle trouverait l'endroit. Il s'était excusé de ne pas l'y avoir emmenée plus tôt, répétant qu'il détestait les bars. N'était-il pas préférable de boire tranquillement à la maison plutôt que de risquer un contrôle de police sur le chemin du retour ? Isabelle trouvait cette attitude paradoxale venant d'un homme qui, il n'y avait pas si longtemps, buvait sa bière au volant comme s'il s'agissait d'une simple boisson gazeuse. Elle avait cependant gardé sa réflexion pour elle. De toute façon, elle n'était pas non plus une fille de bar et, même si le Pit était reconnu comme « la » place à Dawson, elle n'avait pas encore éprouvé le désir d'y mettre les pieds. Avant ce jour-là.

Depuis la fermeture du casino, leur vie sociale était réduite à zéro. Quand Lorraine et ses danseuses s'en étaient retournées dans le Sud, Isabelle s'était sentie comme une enfant abandonnée par ses copines de classe. D'où ce besoin soudain de voir du monde. Elle comprenait maintenant pourquoi Guy avait toujours évité les « filles d'été ». En partant, les travailleurs saisonniers laissaient dans la vie des habitants permanents un vide douloureux. Pendant les semaines qui suivaient leur départ, on avait l'impression de vivre dans un village fantôme, la tête bourrée de souvenirs. Avec le temps, la sensation s'estompait, et on revenait à la réalité. Mais il demeurait toujours une forme de chagrin, même refoulé. L'hiver s'en venait. L'inévitable hiver. Il ne restait en ville que les plus courageux, les mieux adaptés, les increvables.

Il fallait ainsi se résoudre, quand on ressentait un urgent besoin de parler, à se parler entre nous. Parce qu'il ne viendrait plus personne de l'extérieur avant l'été suivant. Dans le cas d'Isabelle, parler entre nous signifiait parler avec Guy et avec Serge. Guy étant un homme de peu de mots et Serge, un être drôle mais frivole, la conversation se limitait à des banalités.

Il restait les caissières qui la reconnaissaient à l'épicerie, la dame de la pharmacie qui lui demandait des conseils de maquillage et, maintenant, la coiffeuse qui lui avait parlé de ses enfants et de son mari pendant qu'elle lui coupait les cheveux. Toutes étaient bien gentilles, mais aucune ne faisait vraiment l'affaire parce qu'aucune ne parlait français couramment et que l'anglais d'Isabelle, bien que fonctionnel, ne lui permettait pas encore d'exprimer le fond de sa pensée.

Isabelle se sentait nostalgique. Elle cherchait une confidente à qui elle pourrait raconter comment elle s'était transformée depuis qu'elle habitait chez Guy. Une vraie amie avec qui elle pourrait aborder les aspects de la vie à Dawson qui l'intriguaient encore. Pourquoi y avait-il un si grand nombre de célibataires, hommes et femmes, dans un si petit village? De quoi avait vraiment l'air l'hiver quand on lui enlevait sa part de légende? Qu'y aurait-il à faire une fois que le mercure descendrait et que la neige et le froid auraient figé le Yukon dans la glace? En un mot, elle voulait quelqu'un d'expérience avec qui partager des goûts et des idées, et à travers qui elle pourrait mieux connaître Dawson et sa population.

Elle pensait donc à cette amie qui lui aurait fait du bien, à ses cheveux fraîchement coupés et à Guy. Il ne dirait rien, mais il ne serait pas content. Cela la peinait, mais elle n'en pouvait plus de tout ce temps passé à les laver et les sécher aux douches publiques. Désormais, elle pourrait, si la situation l'exigeait, se les laver à la maison, dans le même bol où elle se lavait à la mitaine le reste du temps. Se laver à la mitaine, prendre sa douche deux ou trois fois par semaine, utiliser comme réservoir à eau chaude un chaudron d'eau tiède posé en permanence sur le poêle… comme elle avait changé depuis son arrivée au Yukon! Sa mère ne l'aurait pas reconnue si elle l'avait vue déambuler au milieu de la rue avec une tuque sur la tête. Qu'aurait-elle pensé de ses nouvelles bottes? Qu'elles soient chaudes aurait-il suffi à la convaincre qu'il s'agissait d'un bon achat? Sûrement pas. Ces bottes étaient laides et grosses et si lourdes qu'Isabelle traînait les pieds comme lorsqu'elle était enfant. Mais elle n'aurait pas froid, même en février. Guy le lui avait garanti.

La température frisait maintenant le point de congélation. Isabelle avait même aperçu quelques flocons. Dire que trois semaines auparavant elle buvait de la bière avec Guy sur la galerie! Ce temps était révolu. L'automne avait duré deux semaines. Le soleil se couchait tous les jours plus tôt, et, le soir, c'était devant le poêle à bois qu'on avait envie de passer la veillée.

1898. L'hôtel Westminster arborait fièrement l'année de sa construction sur sa façade. Précision inutile puisqu'on n'avait aucune difficulté à croire que le bâtiment était centenaire. Les murs de déclin rose semblaient sur le point de s'effondrer, et on ne les imaginait pas résister à une tempête hivernale. L'hôtel était toujours là, pourtant, cent deux ans plus tard, avec ses *bay-windows* et son enseigne « *Beer Parlour* ».

Les véhicules étaient stationnés devant en diagonale, comme au Québec dans les années soixante et comme on le faisait toujours partout à Dawson. Dans ce lot habituel de camionnettes, une voiture détonnait. Une Lada beige et rouillée sur laquelle étaient inscrits en lettres majuscules les mots « *Gold Fever* ». La fièvre de l'or. Le conducteur n'aurait pu choisir meilleure devise pour Dawson même si, comme Guy, la plupart des prospecteurs s'étaient reconvertis en ouvriers, cuisiniers, croupiers et autres corps de métier, en attendant une remontée du cours de l'or. Après tout, chacun avait le droit de rêver.

Des éclats de voix s'échappaient par la porte chaque fois qu'un client entrait ou sortait. Quand Isabelle pénétra à l'intérieur, elle comprit pourquoi l'endroit était à ce point prisé par les touristes l'été. Et pourquoi Guy n'avait pas encore osé l'y emmener. C'était un trou. Un trou comme on en voyait dans les bas quartiers de Québec. Un endroit malfamé, enfumé, où on buvait de la bière à la bouteille et où se trouvaient réunis Amérindiens et Blancs, tous aussi ivres les uns que les autres.

Plusieurs éléments contribuaient à donner au Pit son cachet ancien. Un grand miroir derrière le comptoir, des bouteilles d'alcool qui scintillaient sous l'éclat jaune des plafonniers, des tables de stratifié montées sur une tubulure en

171

métal digne des années cinquante, des chaises de bois verni, un bar bordé de tabourets rembourrés et élimés. Au milieu de conduits de ventilation apparents, des panaches d'animaux et des peintures inspirées de la ruée vers l'or ornaient les murs. Une vieille cloche avait été suspendue bien en évidence près du bar. Une épaisse fumée bleue voilait le plafond, et l'odeur, un mélange de cigarette et d'alcool fermenté, prenait à la gorge dès qu'on passait la porte.

Comme partout ailleurs à Dawson, on parlait anglais, sauf à une table du fond ; on y entendait des jurons bien québécois qui attirèrent l'attention d'Isabelle. Elle y repéra Guy en compagnie de Serge et d'un inconnu aussi grand et maigre que Serge, mais aussi blond qu'il était brun. En l'apercevant, Guy bondit de sa chaise.

— Isabelle, viens par icitte que je te présente mon grand chum Antoine Deschênes. Antoine, ma blonde, Isabelle.

L'homme lui serra la main en haussant un sourcil.

— Ta blonde ?

Il lui fit un sourire complice.

— Madame…

Il avait attiré sa main vers lui et s'apprêtait à y poser les lèvres pour rire, mais Guy intervint avec juste assez d'impatience pour rappeler que c'était à *sa* blonde qu'il s'adressait.

— Lâche-nous les « madame » à soir, pis commande donc de la bière pour tout le monde. La dernière fois, c'est moi qui ai payé.

Après un clin d'œil à l'intention d'Isabelle, Antoine reprit sa place.

— Tu prends quoi ?

C'était à elle qu'il s'adressait, mais le coup d'œil prudent qu'il jeta vers Guy signifiait qu'il avait compris l'avertissement.

— La même chose que vous autres.

Isabelle avait déboutonné son manteau. Elle retira sa tuque d'un geste tendu, dévoilant une tignasse frisée coupée

172

juste au-dessus des épaules. Guy eut d'abord l'air surpris, mais il se reprit aussitôt et il lui caressa les cheveux avec affection en lui murmurant un «T'es belle» discret. Puis il lui céda sa chaise et en vola une à la table voisine. La tension s'était dissipée entre elle et Guy, mais aussi entre Guy et Antoine. Ce dernier venait d'ailleurs de reprendre leur conversation là où, apparemment, elle s'était interrompue à l'arrivée d'Isabelle.

— Si on y pense un peu, c'est logique. L'or descend du ruisseau Bonanza, se ramasse dans la Klondike qui, elle, le pousse dans le Yukon. Si le Yukon coulait droit, on pourrait penser que cet or-là se retrouverait dans l'Arctique. Mais il ne coule pas droit pantoute, le Yukon. Il tourne juste après le village. D'après moi, il doit y avoir dans ce croche-là plus d'or qu'on n'en trouvera jamais dans les ruisseaux des alentours. Il s'accumule là depuis je ne sais pas combien d'années.

Isabelle trouvait chaque fois fascinant de rencontrer des Québécois expatriés. Ils avaient beau travailler dans différents domaines et avoir reçu une éducation et une instruction des plus variées, chacun d'eux éprouvait le même plaisir à fréquenter ses compatriotes. S'il y avait des femmes dans le lot, Isabelle ne les connaissait pas encore. Parmi les amis de Guy, elle comptait une demi-douzaine de francophones qui se faisaient un plaisir de lui parler en français quand ils la croisaient dans la rue. Il y avait le capitaine du traversier, un employé des postes, un opérateur de machinerie lourde, un charpentier, un vieux mineur qu'on ne voyait pas souvent en ville et Serge. Et maintenant, il y avait Antoine.

Son cas à lui était particulier en ce qu'il ne résidait pas de façon permanente à Dawson. Contrairement aux travailleurs saisonniers, il y venait seulement l'hiver. Isabelle ne fut pas surprise d'apprendre que la Lada stationnée devant la porte lui appartenait.

Peut-être à cause de l'alcool – ou était-ce dans son tempérament? –, Antoine parlait fort et s'exprimait tout autant avec ses mains. Sur la table, il avait posé une carte des environs où on reconnaissait au premier coup d'œil le confluent de la rivière Klondike et du fleuve Yukon. Antoine avait encerclé la courbe du fleuve juste après Dawson, au pied de la montagne, devant ce grand éboulis de sable blanc qu'on appelait communément *The Slide*. Il donna quelques coups secs sur cet endroit de la carte avec la pointe de son crayon.

— L'été, même si on plongeait, on ne verrait rien à cause de la White River.

Isabelle était d'accord. Tout l'été, la rivière White avait rejeté dans le Yukon des sédiments de cendres volcaniques, ce qui rendait l'eau opaque. Devant Dawson, où les eaux noires de la rivière Klondike rejoignaient les eaux grises du fleuve, on voyait deux couloirs bien distincts qui finissaient néanmoins par se mélanger plus loin en aval. La couleur du fleuve avait changé dernièrement, Isabelle l'avait remarqué.

— À l'automne, l'eau de la White River redevient claire. Celle du fleuve aussi, par conséquent.

Antoine s'interrompit, car la serveuse venait d'arriver avec des bouteilles qu'elle distribuait à la ronde. Il paya pour tout le monde avant de porter un toast.

— Aux chercheurs d'or!

Guy et Serge se joignirent à lui comme si l'expression possédait un sens particulier, connu d'eux seuls.

Isabelle les imita, mais elle avait l'impression de rêver. Devant elle, ce n'était plus le Guy qu'elle connaissait, mais un homme excité à l'idée de devenir riche. Un homme qu'on pouvait facilement croire aveuglé par la fièvre de l'or, comme l'avaient été les prospecteurs d'autrefois. Ses yeux brillaient, son sourire semblait figé, et il écoutait Antoine avec un intérêt presque religieux.

— Cet hiver, je vais plonger juste là.

Il désigna sur sa carte un point à peu de distance de la rive.

— J'ai rapporté tout ce qu'il faut. Les bombonnes d'oxygène, les masques, pis tout le reste.

Il commença à décrire comment il entendait descendre sous la glace du fleuve pour aller chercher l'or qui s'était supposément accumulé pendant des siècles au pied de la montagne.

Tandis que Serge paraissait toujours aussi excité à l'idée de devenir riche et se portait volontaire pour l'aider, Guy, lui, venait de s'assombrir.

— Tu prévois faire ça quand ?

— Je ne sais pas encore. Il faut que je me pratique avant.

Ces mots le firent sursauter.

— As-tu déjà plongé sous la glace ?

— Dans un lac, oui.

Le sourire de Guy avait complètement disparu.

— Il y a beaucoup de courant dans le fleuve, même en hiver.

— C'est pour ça que je vais être attaché. Pis que j'ai besoin de chums comme vous autres pour me remonter si je suis mal pris.

Serge, plus enthousiaste que jamais, trinqua encore une fois à la santé des chercheurs d'or. Guy leva sa bouteille, comme ses amis, mais Isabelle perçut dans son regard une inquiétude nouvelle. Fidèle à lui-même, il ne dit rien.

Elle l'observa encore un moment avant d'embrasser les trois hommes d'un même regard. Rêvait-elle ? Était-il possible d'ébaucher au XXIe siècle des plans aussi déments ?

Isabelle se doutait bien qu'un jour il leur faudrait se replier dans leur domaine et attendre que la rivière Klondike gèle pour de bon. Déjà, les rives étaient dentelées d'une glace cristalline qui collait au canot. La température de l'eau était si froide qu'on avait l'impression de se brûler quand on y plongeait les doigts.

Elle s'était imaginée isolée avec Guy une ou deux semaines, effectuant avec lui les tâches quotidiennes dans leur quiétude habituelle. Elle n'avait jamais pensé que cela pouvait durer plus longtemps. En le voyant arriver du village avec plusieurs *jerrycans* d'essence et des provisions suffisantes pour soutenir un siège, elle l'interrogea. Sa réponse la laissa interdite.

— La rivière, on voit tout de suite quand c'est trop dangereux de la traverser en canot. C'est pas mal moins évident de savoir si on peut la traverser à pied. Quand on choisit de vivre ici, il faut être patient et attendre que ça passe.

— Ça ne durera quand même pas des mois?

Guy ne perçut pas la détresse dans sa voix.

— On ne sait jamais. Si tu étais meilleure pour ramer, on pourrait prendre plus de chances, mais tu n'es pas habituée, et je ne voudrais pas qu'on renverse. Le courant de la Klondike ne pardonne pas.

Il n'y avait pas l'ombre d'un reproche dans sa voix, mais Isabelle n'en fut pas moins blessée. Elle craignit soudain de ne pas être assez bonne ni assez forte pour mener cette vie-là. Elle eut peur.

— Qu'est-ce qu'on fait s'il arrive un accident?

— Il y a une trousse de premiers soins dans la maison. On s'arrange si on peut. On s'essaie sur la glace si c'est plus grave. Au pire, on appelle l'aéroport et on fait venir l'hélicoptère.

Le détachement avec lequel il lui décrivait le pire fit naître chez elle une impatience toute féminine. Depuis son arrivée, elle dépendait de lui. Or, en découvrant cette nouvelle omission, elle se mit à douter de son bon jugement. Ça la rendit furieuse.

— Puisqu'on n'a pas le téléphone, on l'appellera comment, ton hélicoptère ?

— Il y a une radio sous le lit, avec le fusil. Je vais te montrer à t'en servir.

Il lui parlait toujours avec calme et patience, ce qu'Isabelle trouva exaspérant.

— Quand est-ce que tu avais l'intention de me dire qu'on serait coupés du monde aussi longtemps ? Attendais-tu que ton canot prenne dans la glace un beau jour pour me dire : « Chérie, on n'ira plus en ville pendant un bout. J'espère que ça ne te dérange pas ? »

Les mots étaient teintés de raillerie, mais le ton, lui, était mordant. Debout, un *jerrycan* dans chaque main, Guy ne répondait pas. Il affichait son air penaud d'enfant pris en défaut. Puis, constatant que le terrain devenait trop glissant, il refusa de l'affronter et s'en alla ranger l'essence dans la remise. Isabelle s'énerva et lui emboîta le pas.

— C'est dangereux de se couper du monde. Pourquoi on n'irait pas à l'hôtel ?

Guy lui répondit sans s'arrêter.

— Ça coûterait trop cher. La seule place abordable, c'est le motel Bonanza Gold, mais il y a déjà tous ceux de West Dawson qui travaillent en ville qui vont y louer des chambres. À moins d'une méchante bonne raison, on ne va pas les mettre dans la rue, surtout que nous, on est au chômage.

Isabelle le corrigea avec rudesse.

— Je ne reçois pas de chômage !

Comme Guy l'avait anticipé, elle n'avait pas travaillé le nombre de semaines requises pour y avoir droit. Elle vivait avec l'argent économisé pendant l'été et, parce qu'ils avaient peu de dépenses, cela suffisait pour le moment. Guy resta calme, rangea les *jerrycans* et se tourna enfin vers elle.

— Je veux juste dire que comme on ne travaille pas, on ne prendra pas la place de ceux qui sont obligés de travailler.

— Pis les fêtes ? Qu'est-ce qu'on va faire si la rivière n'est pas assez gelée pour aller prendre l'avion ?

À ces mots, Guy eut un air tellement surpris qu'Isabelle s'alarma plus encore.

— Dis-moi pas que tu n'avais pas prévu de rentrer pour Noël ?

Il se grattait le menton, cherchant ses mots. Ses doigts produisaient un froissement sec dans la barbe. Ce bruit autant que son air confus fit enrager Isabelle.

— Arrête de faire le gars perdu pis réponds-moi. Avais-tu l'intention de retourner à Québec pour les fêtes ?

Il secoua la tête.

— Pis moi, là-dedans ? Ça ne t'est jamais venu à l'idée que je voulais voir ma famille ?

Il inspira bruyamment.

— D'habitude, ça me prend cinq ans pour ramasser assez de milles.

— De quoi tu parles ? Mille quoi ?

— J'ai toujours acheté mes billets d'avion avec des Air Miles. Mais en juin, j'ai été obligé de débourser sept cents dollars pour aller à Québec parce que c'était les funérailles de mon père.

Les funérailles de son père ! C'était bien la première fois qu'il lui en parlait.

— Je te l'ai dit quand on s'est rencontrés. Je n'y retourne pas souvent.

— Quand même ! Aux cinq ans, c'est plus que pas souvent !

— Je n'ai jamais eu mille cinq cents dollars à mettre sur un billet d'avion.

— Mais ça ne te coûte rien pour vivre ici !

La voix d'Isabelle était maintenant haut perchée. Son ton cassant trahissait la colère qui sourdait. Guy, lui, gardait son sang-froid.

— Ça ne me coûte rien parce que je n'ai rien. L'épicerie, l'essence pis les autres cossins obligatoires, ça bouffe tout mon chèque de chômage. J'ai choisi de vivre de même, pis j'aime ça de même. Je peux aller à la chasse tant que je veux, pis je peux…

— Pis tu peux boire tant que tu veux aussi.

Isabelle regretta aussitôt ce qu'elle venait de dire, mais il était trop tard. Elle avait mis le doigt dans l'engrenage. Les yeux de Guy exprimaient son étonnement de même qu'une méfiance nouvelle.

— Ça, ça ne te regarde pas.

— Ça me regarde parce que je vis avec toi.

Il secoua la tête.

— Est-ce que tu m'as déjà vu soûl? Est-ce que je t'emprunte de l'argent? Est-ce que je suis violent? Ça ne t'enlève rien que je boive ma bière tranquille.

Au lieu de répondre, Isabelle laissa couler les mots qui lui brûlaient les lèvres.

— Je n'aime pas ça.

— Fallait le dire avant. Je ne me suis jamais caché pour boire.

C'était vrai. Elle le savait depuis le début. Pourquoi alors cela la dérangeait-il autant maintenant?

— Ce n'est pas bon pour toi de boire comme ça.

La voix de Guy devint cinglante.

— Arrête de jouer à la mère avec moi. Si j'avais voulu que quelqu'un d'autre dirige ma vie, je serais resté au Québec.

Sur ce, il tourna les talons et fonça vers la pile de bûches qu'il restait à fendre. Pendant l'heure qui suivit, on n'entendit plus dans la clairière que le fracas de la hache qui s'abattait sur le bois. La lune de miel était finie.

Ils dormirent dos à dos, et au matin Isabelle trouva une note sur la table. Guy était parti à la chasse et serait de retour dans deux jours.

— Tant mieux !

Elle froissa la note et la jeta dans le poêle. Elle avait besoin de temps, elle aussi, pour réfléchir à ce qui s'était passé la veille. Ses paroles avaient dépassé sa pensée. La rivière, au fond, avait servi d'excuse pour les autres reproches, pour justifier l'expression de ses doutes. Elle lui en voulait de se taire, de ne jamais la tenir au courant de ce qui l'attendait. Elle lui en voulait de boire parce qu'il lui était insupportable de penser qu'elle était dépendante – le mot la terrifiait – d'un alcoolique.

C'était vrai qu'elle ne l'avait jamais vu ivre. C'était vrai aussi qu'il s'agissait de son argent à lui et qu'il ne s'était jamais montré violent ni déplaisant. Elle était cependant d'avis que personne ne devait boire autant. Encore moins l'homme avec lequel elle avait choisi de vivre. C'était pour son bien qu'elle lui disait ça. Ne le voyait-il pas ? Au moment où elle se faisait cette réflexion, elle réalisa que c'était en fait une bonne chose qu'ils ne retournent pas au Québec pour Noël : elle aurait eu honte de le présenter à sa mère. Puis c'est d'elle-même qu'elle eut honte, honte d'avoir eu une telle pensée. Guy, elle l'aimait, mais elle se rendait compte qu'elle ne le connaissait pas encore. Pas assez. Il aurait fallu qu'il parle davantage, qu'il exprime ses émotions, qu'il lui raconte qui il était. Au lieu de quoi, il se murait au quotidien dans un mutisme intolérable. Il était secret et indépendant alors qu'elle était pour lui un livre ouvert.

Elle ne connaissait rien du Yukon, ou si peu, même après quatre mois. Elle ne savait jamais à quoi s'attendre, ni de l'homme ni de la nature. Les surprises se succédaient. Comment une femme pouvait-elle vivre dans ces conditions, sans avoir le moindre contrôle sur sa vie, sur son homme, sur son environnement ? Attendre pendant des semaines qu'une rivière fige dans la glace avec un gars qui buvait, ce n'était pas rien! À quoi Guy pensait-il donc? Qu'elle accepterait la chose sans broncher? Si au moins il lui en avait parlé!

Elle lui reprocha encore une fois ses silences. Elle avait pourtant appris à les aimer depuis le temps. Tout était si calme, si extraordinairement serein autour de lui. Il savait toujours où il s'en allait, ce qu'il fallait faire, ce qui les attendait. Il affrontait les obstacles l'un après l'autre, ne voyait jamais plus loin parce que, disait-il, c'était des soucis inutiles. Puisqu'elle admirait cette assurance, pourquoi voulait-elle tout à coup qu'il s'exprime comme tout le monde?

Et puis pourquoi fallait-il qu'il soit aussi compliqué? Ne pouvait-il pas voir de lui-même qu'il l'exaspérait?

Chose certaine, elle ne passerait pas ces deux journées à l'attendre. Il y avait beaucoup à faire, et après, elle se plongerait dans un livre ou ferait démarrer la génératrice et écouterait la télévision avec ses damnées oreilles de lapin, même si tous les postes étaient en anglais. Et demain, elle ferait la même chose. Elle vivait très bien toute seule avant de rencontrer Guy. Pourquoi en serait-elle incapable maintenant?

Elle sortit la farine, prépara de la pâte à pain qu'elle mit à lever le temps de cuisiner une soupe à la viande qui cuirait toute la journée sur le poêle. L'automne avait l'avantage de faciliter la conservation des aliments. Guy avait rapporté de chez son ami ce qui restait du gibier de l'année précédente, et les paquets avaient été entreposés dans un trou creusé à côté de la galerie. Le sol, déjà gelé, servait de congélateur. Il n'y avait plus de danger à laisser traîner de la nourriture, maintenant que les ours hibernaient. Même le litre de lait pouvait reposer sur le plancher de la cuisine, à côté de la porte où un mince interstice laissait passer juste assez d'air froid pour faire office de réfrigérateur.

Isabelle rentra du bois. Il devait faire -10 °C, et il neigeait à plein ciel des flocons aussi fins que de la poussière. Cette neige se déposait sur les épinettes et voilait la clairière d'une mince couche de blanc. Émue par la beauté de la nature, Isabelle se sentit envahie par une vague de nostalgie. Elle ne serait pas à Québec pour Noël. Même si elle n'y avait pas pensé avant la veille et n'avait pas vraiment eu envie d'y aller, le fait de devoir y renoncer à cause de Guy l'attristait.

Au milieu de l'avant-midi, la nostalgie se transforma de nouveau en fiel. Les journées étaient tellement courtes que, déjà, le soleil disparaissait entre les collines. Maudit pays! On gelait alors qu'à l'île d'Orléans on allait encore aux pommes. Pour la faire venir jusqu'ici, Guy l'avait leurrée en lui parlant des beaux jours. Il lui avait menti. Bon, peut-être pas menti, mais quand même, il ne lui avait pas dit toute la vérité. Il lui avait caché son peu de compétences au lit et la brièveté de l'été. Il lui avait caché la rivière, les attentes, et la solitude qui en découlait. Il avait omis de lui dire que partout ou presque on ne parlait qu'anglais. Et, quoi qu'il en dise, il lui avait caché qu'il buvait.

Elle grimaça, attrapa la hache et fendit du bois pour faire passer sa colère. Une colère dirigée contre Guy, mais aussi contre elle-même. Avait-elle été aussi stupide ou était-elle en train de devenir une mégère étroite d'esprit?

Quand la noirceur tomba, un peu avant le souper, elle rentra, chauffa le poêle et se plongea dans un livre emprunté à la bibliothèque. Un livre en anglais, évidemment!

Le lendemain matin, elle demeura tard au lit. Le poêle s'était éteint pendant la nuit, et le froid ambiant lui donnait la chair de poule. Blottie sous les couvertures, elle rêvassait. Elle se sentait mieux. La rage s'était dissipée et, à la place, elle avait trouvé un vide. Guy lui manquait. Elle s'ennuyait de ses silences, de cette manière qu'il avait de tousser avant de parler, de se coller dans son dos la nuit, de la regarder se maquiller dans un miroir de poche et de glisser ses mains dans son chandail quand elle cuisinait. Elle avait envie de frotter sa joue contre la sienne et de sentir la barbe lui érafler la peau, de l'embrasser à pleine bouche et de sentir les poils drus autour de ses lèvres, de respirer l'odeur qui imprégnait ses vêtements, un mélange de sueur et de fumée. Elle se trouva ridicule, mais accepta l'idée qu'elle était amoureuse d'un homme de Cro-Magnon.

La journée fut semblable à la précédente, mais, vers la fin de l'après-midi, elle profita de la dernière heure de lumière pour se rendre à la rivière. Ce qu'elle y vit l'inquiéta. La glace s'étendait d'une rive à l'autre, mince et molle et trouée de flaques d'eaux ténébreuses. À cause de la neige tombée la veille, elle paraissait plus solide qu'elle ne l'était. Il faisait froid, quinze degrés au moins sous le point de congélation.

De l'autre côté de la rivière, le canot avait été retourné. Isabelle n'apercevait la camionnette de Guy nulle part. En fait, elle ne vit pas le moindre véhicule tout le temps qu'elle passa à attendre sur la grève. Elle se rendit à la cabane de Serge et la trouva déserte. Elle revint sur ses pas, jeta un dernier regard en direction du canot, puis, avant que l'obscurité ne soit complète, elle reprit le chemin de la maison. Une fois à l'intérieur, elle jeta deux bûches dans le poêle et attendit.

La nuit vint, puis l'aube. Guy n'était toujours pas rentré. Elle regrettait d'avoir brûlé sa note. Elle ne se rappelait plus exactement dans quels termes il décrivait la durée de son absence. Peut-être avait-il écrit quelque chose au verso, précisé une heure de retour, une date? Isabelle s'en voulait d'avoir été aussi impulsive. Comme elle s'en voulait aussi de s'être querellée avec lui pour des broutilles. Quand il rentrerait, elle lui demanderait pardon.

Toute une journée passa. Puis une autre.

Ça faisait maintenant quatre jours qu'elle était seule dans la cabane de Guy, dans un silence total, au milieu d'une clairière de moins en moins accessible. Elle était retournée au bord de l'eau pour constater les progrès du gel. Les trous sombres avaient disparu.

Au quatrième soir, elle s'allongea dans le lit, morte d'inquiétude. Il devait lui être arrivé quelque chose. Guy ne l'aurait jamais abandonnée aussi longtemps. Il savait bien qu'elle était prisonnière puisqu'il avait lui-même renversé le canot de l'autre côté. Vers minuit, elle eut un doute. Et s'il était allé boire au Pit ? Et s'il s'était enivré au point de ne pas pouvoir conduire ? Elle se raisonna. Guy buvait souvent, mais jamais beaucoup. Et il ne s'enivrait pas. C'était lui-même qui le lui avait dit. Mais peut-être lui avait-il menti là encore ?

Il était bien 2 heures du matin quand elle entendit des pas sur la galerie. Elle bondit hors du lit, trébucha dans les couvertures et atteignit la porte au moment où elle s'ouvrait. Ils tombèrent dans les bras l'un de l'autre et s'embrassèrent un long moment avant qu'Isabelle ne réalise que le corps de Guy était glacé.

— Qu'est-ce qui t'est arrivé ?

Elle alluma une bougie et l'approcha. En découvrant les vêtements mouillés et tachés de sang, elle poussa un cri d'effroi.

— Tu es tombé à l'eau !

— Non, mais presque.

— Il y a du sang sur tes pantalons…

— C'est à Serge. Ben, c'était à Serge. Disons qu'il en a perdu pas mal ces derniers jours.

— Serge ? Il est blessé ?

— Il a mis le pied dans un piège hier matin. Ça a été l'enfer pour le sortir du bois et le ramener au pick-up. Ensuite, il a fallu que je le conduise à la clinique. Ils l'ont transféré en avion-ambulance à Whitehorse pour l'opérer.

— C'est si grave que ça ?

— Il va s'en sortir, mais il va boiter pendant un méchant bout'.

Il s'était avancé près du poêle et commença à retirer ses vêtements. Isabelle s'approcha pour l'enlacer.

— Attends, ça fait quatre jours que je ne me suis pas lavé.

Il attrapa le chaudron rempli d'eau frémissante, en versa quelques litres dans le grand bol qu'ils utilisaient pour faire leur toilette.

— Tu es couvert de sueur. As-tu eu chaud ou bien est-ce que tu fais de la fièvre?

Isabelle s'était emparée de la débarbouillette. Elle la plongea dans l'eau, y frotta le savon avant d'en frictionner le torse humide et froid. Guy frissonna, mais leva les bras et ferma les yeux.

— Un peu des deux, je pense. Le courant de la Klondike est rendu traître. Je crois bien que j'ai traversé en canot pour la dernière fois cette année.

Isabelle approuva.

— Ça veut dire qu'on est pris icitte astheure. Tu comprends ça?

Elle grommela un faible « Oui », replongea la débarbouillette dans le bol et l'essora avant de rincer la peau où perlait le savon.

— Je comprends surtout que tu as traversé la rivière même si c'était dangereux.

Il toussa, mais ne dit rien.

— Je ne veux pas savoir si tu l'as fait pour ne pas être pris avec tout le monde qui vit de l'autre bord ou bien si tu l'as fait pour ne pas que je reste toute seule ici. Je veux juste que tu me promettes de ne plus jamais me laisser comme ça. J'ai imaginé le pire, hier soir.

— Et c'était quoi, le pire?

Elle rinça encore le linge, puis l'écrasa dans sa main. L'eau ruissela le long de son bras.

— Le corps de l'homme que j'aime emporté par le courant sous la glace.

Guy sourit, mais garda les yeux clos.

— C'est vrai que tu m'aimes ?

— Si je ne t'aimais pas, je serais retournée au Québec ça fait longtemps.

Le sourire de Guy s'étira, lui donnant un air béat attendrissant. Émue, Isabelle s'approcha, mais il attrapa juste à temps les doigts qu'elle avançait pour détacher son pantalon. Il ouvrit les yeux.

— Va te coucher. Je finis et je te rejoins. Endors-toi pas, surtout.

Abandonnant le linge dans le bol, elle tendit le bras pour attirer le visage de Guy vers elle. Elle voulait sentir encore une fois le contraste des poils drus et de ses lèvres si douces en dessous.

Le temps s'était arrêté, figé par l'hiver yukonnais. Le mercure oscillait entre -15 °C et -25 °C. Le ciel demeurait gris. Il faisait noir de plus en plus longtemps, ce qui prolongeait le froid de la nuit. Isabelle regrettait l'entêtement avec lequel elle avait refusé de s'acheter un nouveau manteau. Chaque jour, qu'elle le veuille ou non, il fallait se rendre à la bécosse. Il fallait fendre du bois, choisir la viande ou faire fondre de la neige parce qu'il ne restait presque plus d'eau potable.

Ils passaient le plus clair de leur temps dans une cuisine devenue trop petite, et cette promiscuité ne se vivait pas sans heurt. Souvent, Guy sortait ses cartes et étudiait la région avec sérieux. Il pensait à cet or qui ne valait toujours rien.

— Un jour, j'en aurai tellement que je ne saurai plus quoi en faire.

En l'entendant exprimer tout haut ses espoirs d'une vie meilleure, Isabelle répliquait :

— Tu devrais te trouver une meilleure job. Tu serais riche pas mal plus vite si tu travaillais l'hiver.

Guy attrapait alors son manteau et sortait. Les récriminations d'Isabelle sur leur prétendue pauvreté l'exaspéraient. La pauvreté, dans la région, c'était quelque chose de relatif. Même s'ils vivaient simplement, Guy et Isabelle ne manquaient de rien. Ils mangeaient de la viande et des légumes tous les jours. Il y avait toujours du pain sur la table, du lait et de la bière sur le bord de la porte. Ils ne manquaient pas de bois pour tenir la cabane chaude jusqu'au matin. Et si Isabelle avait écouté Guy, elle aurait pu prendre l'air tous les jours au lieu de rester enfermée à ruminer. Parce qu'elle ruminait maintenant. Elle en avait contre le froid, contre la noirceur, contre la viande sauvage au goût trop fort. Elle rêvait d'une vraie tempête de neige collante au lieu de cette poussière blanche. Elle voulait des lumières de Noël, se rendre au cinéma et au centre commercial, voir du monde. Elle avait besoin de variété, dans tous les aspects de sa vie.

Le soleil se levait au sud-sud-est, se couchait au sud-sud-ouest et effectuait sa virée de plus en plus vite.

Isabelle l'imitait, se levant de plus en plus tard. Parfois, juste avant de faire à dîner. Certains jours, juste avant de faire à souper. Guy ne disait rien, mais passait la journée à réparer la remise, la serre, la clôture, ou à construire un fumoir pour l'été suivant. Trois semaines, déjà, que ça durait.

Un de ces matins trop sombres, Isabelle fut réveillée par une odeur inhabituelle. Dans son demi-sommeil, elle se rappela l'insouciance de ses années au secondaire, ses copines de classe, leur esprit de fête perpétuelle. Elle ouvrit les yeux et se mit à jurer.

— Pas ça, quand même !

Ça, c'était le joint qu'elle découvrit entre les doigts de Guy quand elle mit les pieds dans la cuisine. Assis sur l'autre chaise, Serge rangeait son sachet de plastique et son papier à rouler.

— Franchement !

C'était tout ce qu'elle avait trouvé à dire pour exprimer son indignation. Elle devait être drôle à voir dans son pyjama, pas coiffée et les joues rouges de colère, parce que Serge pouffa de rire avant de s'emparer du joint que Guy lui tendait en expirant de la fumée.

— Au lieu de te fâcher, tu devrais être contente. La rivière est assez solide pour qu'on la traverse à pied. Serge est revenu de la ville à matin.

— Oui, pis je t'ai apporté du poulet.

L'idée de la chair tendre et blanche d'un poulet la fit saliver. Elle se calma un peu.

— Comment va ton pied, Serge ?

— Bien, merci. Toi ? Il paraît que tu manques de lumi…

Un coup de coude lui fit échapper le joint qui tomba par terre.

— Fais donc attention !

Nul besoin de préciser quelle maladresse Guy reprochait à son ami. Après avoir ramassé le joint, Serge garda les yeux baissés, examinant avec une attention exagérée les marques de couteau laissées dans le bois de la table. Isabelle se sentit humiliée. Guy s'était donc plaint de ses sautes d'humeur ! Puisque se fâcher à ce moment-ci reviendrait à confirmer les accusations qu'on portait contre elle, elle changea de sujet.

— Vous pourriez au moins fumer ça dehors.

Serge prit un air outré.

— Tu n'y penses pas ! Il fait moins trente à matin. C'est pour ça que j'ai pu traverser.

Moins trente ! Dire qu'on n'était pas encore en janvier ! Dire qu'utiliser la bécosse était déjà pour elle une torture à -20 ºC! Parce qu'il n'y avait pas de porte et parce que le siège de styromousse n'avait rien d'invitant. Elle enfila son manteau et chaussa ses bottes en sacrant. La porte claqua fort derrière elle.

Quand elle revint dans la cuisine, quelques minutes plus tard, la pièce était remplie de fumée.

— Vous ne trouvez pas que vous êtes un peu vieux pour ça ?

Serge secoua la tête.

— L'âge, c'est relatif.

Guy saisit le joint qui tenait maintenant au bout d'une pince. Il le mit entre ses lèvres, aspira une longue bouffée avant de répéter :

— L'âge, c'est relatif.

Il éclata de rire comme un enfant. Serge l'imita, mais retrouva son sérieux quand ses yeux croisèrent le regard furieux d'Isabelle.

— Ben quoi ? Il n'y a pas grand-chose d'autre à faire en hiver par ici. Tu es aussi bien de t'habituer.

Isabelle n'eut pas le temps de répliquer. On frappait à la porte. Sans attendre qu'on lui ouvre, Antoine s'engouffra dans la cuisine.

— Salut, tout le monde ! Je vous apporte du pain chaud.

Il sortit de sous son manteau une miche enroulée dans un linge à vaisselle. Son sourire s'estompa quand il perçut la tension qui régnait dans la pièce.

— Vous vous êtes chicanés ?

Pour toute réponse, Isabelle s'approcha du comptoir et secoua les casseroles. Elle se fit du café, mais n'en offrit à personne. Elle se prépara à déjeuner, mais n'avala pas une bouchée. Il y avait des limites à ce qu'elle pouvait endurer. Elle n'allait tout de même pas accepter de faire rire d'elle par ces adolescents attardés. Puisqu'on pouvait désormais traverser la rivière, elle allait les abandonner à leur sort et quitter cette cabane du diable où elle était confinée depuis des semaines. Et tant qu'à faire, pourquoi ne retournerait-elle pas à Québec? Là-bas, on la laisserait tranquille. Là-bas, elle verrait du monde plus intelligent et plus sobre que ces trois-là. Là-bas, elle vivrait la vraie vie plutôt que d'attendre la fin de l'hiver.

Autour de la table, les trois hommes discutaient encore de ce plan ridicule. Antoine n'en démordait pas. En janvier ou en février, il creuserait dans le fleuve Yukon pris en glace, toujours persuadé d'y trouver de l'or.

— C'est malade, votre affaire!

— On ne t'a pas demandé de descendre, à ce qu'on sache.

— Vous allez vous tuer!

— Dans ce cas-là, tu boiras une bière à la mémoire de trois vaillants chercheurs d'or qui auront osé braver le fleuve à la poursuite de leur rêve.

Ils la taquinaient à tour de rôle, ce qui ne fit rien pour apaiser son humeur.

Elle les abandonna à leurs railleries, se réfugia dans la chambre où elle fourragea dans ses affaires et commença à s'habiller pour aller en ville. Alors qu'elle mettait la main sur sa valise, l'idée de retourner à Québec s'imposa de nouveau. Sans réfléchir, elle y enfouit ses vêtements. Mon doux qu'ils puaient! Elle n'avait rien lavé depuis des semaines. Ça lui levait le cœur matin après matin de remettre le même linge sale. «Bon. Assez, c'est assez!» Elle revint dans la cuisine, l'œil triomphant, et croisa le regard de Guy. Un regard qu'elle jugea à mi-chemin entre l'incrédulité et l'indifférence, ce qui la fit enrager davantage. Elle enfila son manteau et ses bottes, et leur lança à tous les trois un brusque «Salut!» avant de sortir sans fermer derrière elle.

Il faisait vraiment froid, et sa valise était si lourde qu'à défaut de pouvoir la soulever elle la traînait dans la neige.

Elle avait oublié de prendre les clés de la camionnette, mais, qu'à cela ne tienne, elle marcherait jusqu'à Rock Creek. Elle y trouverait bien quelqu'un pour la conduire à l'aéroport. Assez, c'est assez!

Quand Guy la rattrapa, elle venait d'atteindre la rive.

— Où est-ce que tu t'en vas, comme ça?

— Chez nous!

— C'est ici, chez nous.

— Ici, c'est chez vous. Moi, je m'en retourne au Québec.

Il semblait surpris. Sa voix se fit plus douce.

— Arrête donc! Tu ne vas pas me faire une crise pour un petit joint, quand même.

— Pour le joint, pis pour le reste. J'en ai par-dessus la tête de toutes tes niaiseries.

Cette fois, il était plus que surpris.

— Mais de quoi tu parles?

— De ta bière, de ton boudage, de ta viande pas mangeable. Pis je suis tannée d'être toute seule à longueur de journée, pis de ne jamais voir d'autre monde que toi, pis de ne pas pouvoir me laver comme il faut ni faire mon lavage. Pis astheure, j'en ai par-dessus la tête de ton pot.

— Voyons donc, Isabelle. C'est la première fois que tu me vois fumer.

— Pis c'était la dernière!

Elle s'attendait à ce qu'il argumente, à ce qu'il s'excuse, qu'il promette de ne pas recommencer. Au lieu de quoi, il lui tendit les clés.

— Tiens. Laisse-les sur le *dash*. Je passerai le chercher dans le parking de l'aéroport plus tard aujourd'hui. Le vol est à 3 heures. Tu es en masse d'avance.

Sur ce, il fit demi-tour, abandonnant Isabelle sur le bord de la rivière gelée, toute à sa colère et à sa déception.

11.

— Antoine est mort cet hiver-là.

Ces mots me bouleversèrent.

— Il est mort ?

Isabelle a hoché la tête, pensive, comme si le souvenir était encore douloureux.

— Il a mis son plan à exécution. On m'a dit que Guy a essayé de le décourager. J'aurais voulu voir ça.

En effet, j'imaginais difficilement un gars discret comme Guy tenter de convaincre un ami de renoncer à ses projets. Il avait fallu des circonstances exceptionnelles pour qu'il intervienne dans la vie d'un autre. Isabelle a poursuivi :

— Comme il n'a pas réussi à le faire changer d'idée, il lui a dit qu'il ne serait pas là quand il plongerait. C'était la seule chose qu'il pouvait faire pour aider Antoine envers et contre lui-même.

Je repensais à l'homme qui m'avait fait traverser le fleuve dans sa camionnette quelques heures plus tôt. Son indépendance et son détachement n'allaient pas jusqu'à regarder avec indifférence un ami risquer sa vie.

— Antoine a fait à sa tête. Au milieu du mois de février, il a découpé un trou dans la glace exactement là où il l'avait prévu. Quelqu'un m'a raconté qu'avant de descendre il aurait crié : « Je remonte avec de l'or ou bien je ne remonte pas. » Il n'est jamais remonté. Son oncle était avec lui. Un autre de ses amis aussi. Ça n'a pas dû être facile pour eux autres.

À ce moment-là, un gémissement puissant m'a rappelé que je me trouvais toujours dans une cabane de West Dawson, huit ans après les événements. Abandonnant un moment son récit, Isabelle s'est levée pour faire sortir Léa. Au lieu de revenir à sa chaise, elle a ouvert une trappe dans le plancher, juste devant l'évier, dévoilant un trou qui servait de réfrigérateur de fortune. Je l'ai vue déplacer un litre de lait et un carton d'œufs avant de mettre la main sur deux canettes de bière. Quand elle m'en a tendu une, j'ai compris que l'heure du thé venait de se terminer.

— Tu m'excuseras, je n'ai pas de verre.

Ça me faisait drôle de boire de la bière avec elle après tout ce qu'elle venait de me raconter. Quel changement dans ses valeurs, dans sa façon de voir la vie! On sentait désormais chez elle une grande tolérance, un goût certain pour la liberté, et toujours cette sérénité. C'étaient là des qualités que j'avais eu le temps de percevoir chez Guy même si notre rencontre avait été brève. Isabelle avait pris de lui le meilleur… et peut-être aussi le pire. Ça restait à voir.

Elle a bu une gorgée avant de reprendre là où la chienne l'avait interrompue.

— Après avoir découpé son rond dans la glace, Antoine a fait descendre un quarante-cinq gallons rempli de roches attaché à un câble. Ça devait lui servir d'ancrage. En descendant, le baril a formé une sorte de tunnel dans la sloche, comme la cheminée d'un puits de mine. Quand il plongeait, Antoine s'attachait une petite corde jaune autour de la taille et la faisait suivre le long du câble avec un mousqueton. Quand il voulait remonter, il avait juste à tirer deux petits coups sur sa corde, pis les autres commençaient à tirer.

Isabelle a bu une autre gorgée, mécaniquement. Sa voix est devenue neutre, presque froide.

— Ce jour-là, il ne s'est pas attaché au câble. Il est descendu juste avec sa petite corde jaune autour de la taille. Probablement que son régulateur a gelé, ou quelque chose comme ça. Quand il a fait signe pour qu'on le remonte, il s'était trop éloigné du baril. Tu sais, ce n'est pas juste de l'eau qu'il y a en dessous de la glace. Cette année-là, il y avait quatre pieds de glace, douze pieds de sloche et douze pieds d'eau. Ça fait que quand les gars ont commencé à tirer pour le remonter, comme il n'était pas directement en dessous d'eux, la corde s'est tendue en diagonale et ils l'ont entraîné dans la sloche. Antoine est resté pris là. Et soudain, sans que personne ne s'y attende, la corde a cassé.

J'imaginais la panique d'Antoine quand il s'est vu entraîné malgré lui dans ce mélange d'eau et de glace qui ne pardonnait pas, et j'ai frémi en pensant à la détresse des hommes quand ils ont remonté leur bout de corde effiloché.

Le regard d'Isabelle était perdu au loin, au-delà de la fenêtre par laquelle entrait encore une maigre lumière.

— Les plongeurs de la GRC ont essayé de le secourir. Il paraît que l'un d'eux est descendu dans le trou et qu'il aurait aperçu une forme qui ressemblait à un corps. Ça faisait déjà un bout qu'Antoine n'avait plus d'air, c'était certain qu'il était déjà mort. Les secours ont quand même brisé la glace à la surface pour essayer de le repêcher. Pis tout à coup, il y a eu un gros coup d'eau, comme ça arrive des fois dans le fleuve. Le tunnel de sloche a disparu en quelques secondes.

J'avais la bouche sèche, malgré la bière. À quel moment Antoine avait-il compris qu'il allait y rester? Combien de temps avait-il attendu la mort, incapable de bouger, conscient de s'être à jamais coupé du monde? J'en avais froid dans le dos, comme sans doute bien des gens à l'époque.

— On n'a jamais retrouvé le corps d'Antoine.

Isabelle a vidé d'un coup ce qui restait dans sa canette.

— Guy avait le même âge que lui. Il l'a mal pris. Il ne venait pas juste de perdre un chum, c'était comme si, en plus, il avait senti la mort lui souffler dans le cou.

J'ai approuvé, incapable de concevoir ce qu'on ressentait dans un moment pareil.

Isabelle s'est tue. Je n'osais plus rien dire, moi non plus. Au bout d'un long silence, je me suis levée et je l'ai remerciée pour ce bel après-midi. Ce serait bientôt l'heure du souper, je devais rentrer m'occuper des animaux de Maureen.

— Tous les vendredis, on est un groupe de francos à se retrouver au Pit de 5 à 7. Tu es la bienvenue si tu veux te joindre à nous. Barnacle Bob y joue du piano. Habituellement, on a ben du fun.

J'ai promis que j'y serais.

Il faisait nuit maintenant. Les cimes pointues des épinettes se dessinaient sur la pleine lune, qui affleurait au sommet du Dôme et jetait sur la région une lumière blanche et crue. J'ai retrouvé facilement le sentier pour redescendre jusqu'au fleuve. Il faisait froid, mais il ne ventait pas. Je me suis arrêtée sur le pont de glace. Là, à une centaine de mètres devant moi, au pied du grand éboulis couvert de neige, Antoine Deschênes avait creusé son trou huit ans plus tôt. Il n'avait pas été le premier et ne serait pas le dernier à chercher fortune au Klondike. Mais sa mort, survenue dans des circonstances extraordinaires, avait fait de lui un personnage de légende aussi célèbre dans les environs que Jack London et Robert Service.

12.

L'eau brûlante lui montait jusqu'au cou et faisait l'effet d'un baume sur son âme affligée. Les pieds appuyés à l'autre bout du bain, Isabelle maintenait son corps immergé. Le plafonnier diffusait une lumière tamisée. C'était beau chez sa mère, avec le plancher en céramique, des rideaux de jacquard pour rendre opaque la mousseline de la fenêtre, une bande de papier peint pour souligner le plafond et donner une impression de hauteur, de la porcelaine blanche, toujours impeccablement propre, et des miroirs partout. C'était confortable aussi avec une grande baignoire, une toilette, un lavabo avec robinetterie en chrome brossé, une douche hexagonale, dans le coin opposé, avec porte vitrée. Le long du mur, une plinthe électrique diffusait une chaleur toujours égale. On entendait du Mozart dans la pièce adjacente.

Isabelle avait beau détailler les avantages qu'offrait la modernité, son esprit demeurait indifférent, incapable d'apprécier ce qui, autrefois, aurait su la combler. Depuis son retour, la vie du Sud lui semblait vide de sens. Tout dans cette salle de bain à la mode avait perdu son intérêt. L'électricité au bout des doigts, le chauffage sans effort, même l'eau chaude dans laquelle elle baignait depuis maintenant une heure. Elle s'efforçait de prolonger ce qui aurait dû être un délice, mais servait tout juste à passer le temps, à fuir les autres, à plonger en elle-même à la recherche d'une explication. Parce que, devant les autres, elle retenait tout, du moindre soupir à la moindre trace d'amertume. Elle en avait trop honte.

Ce nœud dans la poitrine qui lui coupait l'appétit, elle n'arrivait pas à l'oublier, malgré l'excellente nourriture préparée par sa mère. Ce même nœud rendait pénibles les sorties au restaurant et les visites dans la parenté. Isabelle se pliait aux coutumes du temps des fêtes, mais le cœur n'y était pas. Pour apprécier le moment présent, il aurait fallu qu'elle se sente entière. Or elle avait laissé une part d'elle-même sur le bord de la rivière Klondike quand, les clés à la main, elle avait regardé Guy s'en retourner par le sentier. Quelque chose en elle s'était brisé, était tombé sur la glace et avait disparu, emporté par un courant souterrain et mystérieux.

Il lui arrivait souvent de revoir la scène, de repenser à ses paroles. Comme elle les regrettait! Elle aurait donné dix ans de sa vie pour remonter le temps et revenir sur ces mots malheureux, pour avoir encore une occasion de retenir Guy, pour lui demander de la prendre dans ses bras, de lui pardonner cette mauvaise humeur qu'elle ne se connaissait pas. Mais surtout, elle aurait tout donné pour retourner à ce moment précis et le suivre jusqu'à la maison, plutôt que de se voir traverser la rivière à pied, monter dans le pick-up et claquer la porte comme une enragée. Plutôt que d'avoir conduit ce même maudit pick-up jusqu'à l'aéroport, quelques kilomètres plus loin, de l'avoir abandonné, les clés sur le contact, de s'être acheté un billet d'avion et d'avoir quitté cette vie qu'elle découvrait à peine et qui la fascinait. Que lui était-il donc arrivé? Quel démon avait bien pu prendre possession de son esprit pour la conduire au désastre avec autant de précipitation?

L'eau de la baignoire avait tiédi. Du bout du pied, Isabelle tourna le robinet, laissa la chaleur se répandre autour d'elle quelques minutes avant de le refermer. Comme elle avait froid au Québec! Un froid désagréable, qui la saisissait jusqu'aux os dès qu'elle mettait le pied dehors.

En cette veille du jour de l'An, la famille s'apprêtait à réveillonner chez les grands-parents. Il neigeait à plein ciel.

Une belle neige collante. Une neige à bonhomme de neige. Dans le quartier, on avait décoré les maisons et illuminé les arbres et les perrons. L'esprit était à la fête. Tout l'automne, Isabelle s'était languie d'une bonne bordée, des lumières de Noël, des gens, de l'agitation. Elle était maintenant servie, mais plus insatisfaite que jamais.

Dans les jours qui avaient suivi son retour, elle s'était surprise à regarder le soleil, directement, comme on le lui interdisait quand elle était enfant. Elle avait ensuite sorti la chaise longue du garage et l'avait dépliée sur le patio, face au sud. On gelait à cause de l'humidité du fleuve. Cela ne l'avait pas empêchée de s'allonger en plein soleil après avoir enfilé manteau, bottes, tuque et mitaines. Sa mère s'était énervée.

— Ne reste pas dehors comme ça! Tu vas attraper ton coup de mort. Viens donc t'asseoir au bord du foyer.

Isabelle n'avait pas répondu, mais n'avait pas bougé non plus. Les yeux clos, comme en ce moment dans la baignoire, elle avait laissé la lumière la pénétrer, lui réchauffer le visage et l'âme. Au bout de quelques jours, sa mère l'avait réprimandée comme une enfant:

— Ne viens pas te plaindre après ça si tu es malade. Je t'aurai avertie.

Isabelle l'avait ignorée, mais s'était rappelé avec nostalgie le détachement et la tolérance de Guy. Au fil de ces traitements de choc au soleil, son énergie était revenue. Sa bonne humeur aussi. Ce regain de vitalité avait été suivi d'inévitables regrets. Comment en était-elle arrivée à quitter l'homme qu'elle aimait? À s'impatienter contre lui pour des niaiseries? Elle repensait à son comportement et savait exactement là où elle avait erré. La routine lui avait fait oublier la distance nécessaire entre deux personnes. C'était tellement petit, chez Guy! Et il y avait tellement peu de fenêtres pour voir dehors! Parce que c'était là, aussi, que tout s'était joué. Guy avait eu raison, mais elle avait refusé de l'écouter. Si elle avait accepté de s'acheter un gros manteau, elle aurait pu sortir, prendre l'air, profiter d'un peu de la lumière chaque jour. Cela lui aurait sûrement évité de déprimer autant.

Que de remords! Si c'était à refaire, elle agirait autrement. Elle se contrôlerait davantage, parlerait moins et observerait Guy. Parce qu'elle était habituée à ses silences, elle avait oublié de lire le reste, le non-verbal. Son visage exprimait tellement de choses pourtant! Son corps aussi. Plus attentive, elle n'aurait pas eu besoin de mots pour comprendre qu'elle le poussait à bout à force de se plaindre de tout, qu'elle exagérait, qu'elle l'empêchait de vivre. Ne l'avait-il pas prévenue?

Si j'avais voulu que quelqu'un d'autre dirige ma vie, je serais resté au Québec.

Un soupir de tristesse poussé dans une baignoire à des milliers de kilomètres de l'être aimé ne servait à rien, ne réparait rien, n'expliquait rien à personne. Cela n'empêchait pas Isabelle de recommencer tous les soirs, juste pour le plaisir masochiste de se rappeler ce qu'elle avait perdu.

L'eau avait de nouveau refroidi. L'heure était peut-être venue de sortir. Isabelle se redressa, mais, une fois debout, elle sentit des larmes lui piquer les yeux. Elle retira le bouchon, et la baignoire se vida, dissimulant sa peine aux oreilles du monde. Qu'allait-elle faire de sa vie maintenant? Elle n'avait pas d'homme, pas d'argent, pas d'emploi, pas d'appartement, et il était trop tard pour s'inscrire à l'université pour la session d'hiver. En d'autres mots, Isabelle n'avait rien devant elle. Rien qu'un grand vide douloureux et des souvenirs, tout aussi douloureux.

— Isabelle? Te prépares-tu, là? On part dans une demi-heure.

Elle ne répondit pas à son frère qui attendait avec sa femme, ses deux enfants, sa mère et le conjoint de sa mère dans la cuisine. Pour eux, la veillée était déjà commencée.

Les bouteilles de vin avaient été ouvertes et les bouchées, servies.

Isabelle posa un pied sur le tapis. Le grondement de l'eau dans les tuyaux s'arrêta au même moment. Elle se retrouva nue et frigorifiée, seule dans le silence. Même Mozart s'était tu. Elle tourna le bouton du plafonnier. La lumière s'intensifia, dévoilant dans le miroir un visage vieilli. Ses yeux étaient cernés et bouffis, ses cheveux collés par la sueur ne frisaient plus. Elle repéra quelques fils blancs dans la frange. Quelques autres sur les tempes. Elle grimaça, furieuse contre elle-même. Elle n'avait que trente-deux ans ! La vie n'était pas finie, quand même ! Il fallait juste se reprendre en main, retrouver ses aspirations d'avant le Yukon, retourner à l'université, terminer son bac, se chercher un homme avec qui elle fonderait une famille.

Pour se redonner un semblant de dignité, elle brancha le séchoir. Ce geste lui rappela des images de la vie avec Guy. Chez lui, tout était plus intense. Les rayons du soleil de minuit qui contrastait avec la pénombre de novembre, l'eau glacée de la rivière sur le point de se figer, l'adrénaline qui montait quand on la traversait en canot, la chaleur des gens du village, leurs sourires, leur empathie. Ces souvenirs rendaient terne la vie à Québec, malgré le confort et toutes ces commodités dont elle s'était sentie privée un mois plus tôt. Même sa relation avec ses amies avait perdu de son intérêt.

Elle avait revu Julie, Manon et Céline quelques jours après son arrivée. Quelle déception ! Leurs sujets de conversation, leurs préoccupations, leur manière d'envisager l'avenir, tout cela ne correspondait plus à rien pour Isabelle. Un vendredi soir, elle s'était laissée entraîner au Bogart et, voyant entrer des hommes avec leurs manteaux de cuir et leurs chaussures à la mode, elle les avait trouvés chics, bien coiffés, bien rasés, mais superficiels et inintéressants. Le samedi après-midi, au centre commercial, quand sa mère l'emmenait magasiner pour lui changer les idées, Isabelle se sentait étourdie au milieu de tant de gens qui, en plus, ne se saluaient même pas. On s'excitait pour acheter, pour paraître, pour parader. Isabelle se désolait de ne pas retrouver chez ses concitoyens la chaleur des Yukonnais. Elle devrait s'y faire pourtant, maintenant qu'elle était revenue.

Une fois ses cheveux coiffés, elle se maquilla. Elle savait comment effacer les cernes, aviver le regard, accentuer un sourire qui, autrement, aurait eu l'air fatigué. Quand elle se dit que tout le monde serait satisfait du résultat, elle s'enveloppa dans son peignoir et elle monta dans la chambre qu'elle occupait, enfant. Sa mère était allée chercher trois boîtes au local d'entreposage et avait disposé leur contenu sur le lit. Isabelle choisit de beaux sous-vêtements, des bas de nylon, sa petite robe noire et des talons hauts. Ainsi habillée, elle aurait dû se trouver belle, mais, en se regardant dans le miroir, elle constata que l'essentiel n'y était pas, que ce n'était plus elle qu'elle voyait de l'autre côté. C'était l'Isabelle d'autrefois, à qui il ne manquait que les cheveux longs.

L'hiver québécois, avec son lot de sloche, ses bancs de neige sales et son humidité exécrable, se déroula comme à l'habitude, ponctué de tempêtes et de vent. Isabelle s'était fait réembaucher par son ancien employeur. Elle avait repris l'esthétique à son corps défendant, et pour la moitié du salaire qu'elle gagnait comme serveuse au casino de Dawson. Tous les matins, elle se grimait afin de montrer son savoir-faire.

En janvier, et même en février, elle pensait vraiment qu'elle se réhabituerait à la vie en ville, aux voitures, au bruit, à tous ces gens. Elle avait cru que la délicatesse des fruits de mer lui ferait oublier le goût sauvage du caribou. Elle avait imaginé que la compagnie de ses amies comblerait la solitude dont elle avait souffert à l'automne. Elle avait espéré tout cela, mais avait continué d'entretenir sa peine en secret, de ressasser des souvenirs, de se languir d'une liberté à laquelle elle avait goûté.

Dans l'autobus, dans les cafés, les salons et les boutiques, Dido chantait *I want to thank you for giving me the best day of my life*. Chaque fois qu'Isabelle entendait ces mots, elle sentait le nœud se reformer dans sa poitrine. Elle vivait sa vie à distance, comme au-dessus ou à côté. De suffisamment loin pour se regarder agir, penser, souffrir. Celle dont elle croisait le reflet dans une vitrine ne lui ressemblait plus. À preuve, lors d'un arrêt chez un disquaire, cette fille-là aurait dû s'acheter l'album de Dido et non celui de Metallica. À la voix vaporeuse de l'Anglaise, elle avait préféré le cri puissant de James Hetfield. Le soir, tandis qu'elle cherchait le sommeil, les violons de l'Orchestre symphonique de San Francisco emplissaient la chambre. *Nothing Else Matters* évoquait la cabane dans la clairière, la traversée de la rivière Klondike en canot et Dawson, brillante sous le soleil de minuit. Partout, dans chaque note comme dans chaque souvenir, Isabelle percevait la présence de Guy.

Sa mère la houspillait derrière la porte.

— Ben voyons donc, Isabelle! Baisse le son! Tu vas déranger les voisins.

Isabelle obéissait, mais n'éteignait jamais complètement la musique, comme lorsqu'elle était adolescente. À la manière de Steve autrefois, elle n'éprouvait aucune honte d'habiter chez sa mère à trente-deux ans, même si l'harmonie du début, née avec le retour de l'enfant prodigue et perpétuée avec le temps des fêtes, avait fini par se dissiper.

— Je pense qu'au bout de deux mois tu dois avoir eu le temps de retomber sur tes pieds. As-tu commencé à te chercher un appartement?

Cette question, sa mère la lui posait au moins une fois par semaine. Isabelle répondait par l'affirmative juste pour avoir la paix. Elle lui mentait, comme elle mentait lorsqu'elle prétendait s'être inscrite à l'université pour l'automne. Elle disait ce qu'on voulait entendre avec le même détachement qu'elle épilait ses clientes.

Elle avait maintenant un but trop inquiétant pour oser l'avouer à qui que ce soit. Sous une apparente docilité, elle abusait de la crédulité de sa mère, de ses amies et de son patron. Elle avait vendu ses meubles, ce qui lui avait permis de libérer le local d'entreposage. Un à un, elle coupait ses liens. Chaque dollar récupéré ou épargné trouvait le chemin de son compte en banque. Elle ne s'était autorisée qu'une seule grosse dépense, en février, au moment d'une vente de fin de saison. L'achat d'un parka, un vrai, constituait la première étape vers sa nouvelle vie. Elle le gardait caché au fond du placard dans une des boîtes de linge vide. Pour le reste, l'argent continuait de s'accumuler.

Jamais personne ne l'avait entendue parler du Yukon depuis son retour. Chacun se demandait d'ailleurs ce qui l'avait poussée à y aller et à en revenir six mois plus tard, déprimée et blême.

— C'était quoi l'idée? Tu faisais ta crise d'adolescence en retard?

Elle ne répondait pas aux railleries de son frère. Pas davantage à celles de ses amies.

— Il devait avoir quelque chose à se reprocher, ton Yukonnais, pour s'exiler loin de même.

— J'espère qu'il était bon au lit parce que moi, il ne m'aurait pas entraînée à l'autre bout du pays à moins de savoir bien baiser.

— Ou bien il avait de l'argent en masse. Quelle femme l'aurait suivi autrement?

— Est-ce qu'il a fini par se raser?

Isabelle détournait chaque fois la conversation. Comment admettre que non, Guy n'avait pas été un si bon amant au début, que non, il n'avait pas d'argent, que non, sa barbe, ni ses cheveux d'ailleurs, n'avaient plus jamais vu le tranchant d'une lame? Elle savait qu'en répondant elle n'aurait pas été à la hauteur de ce qu'on attendait de la petite fille de Sainte-Foy.

Alors, elle mentait et échafaudait des plans.

Elle avait envie de l'odeur des épinettes, de la pluie fine, de la neige plus fine encore et sèche. Elle cherchait en vain dans la ville le goût frais de l'air qu'elle n'arrivait pas à oublier. Elle s'achetait de la bière en canette ou la buvait au goulot dans les bars juste pour se rappeler comment elle se sentait là-bas, dans le Grand Nord, avec Guy, Serge et les autres.

Guy. Elle lui avait écrit, mais ses courriels étaient demeurés sans réponse. Comment devait-elle interpréter ce silence? Parce qu'elle savait l'accès à internet difficile à Dawson, elle lui avait aussi écrit une vraie lettre, qu'elle avait postée, mais elle n'avait toujours rien reçu en retour. Il était peut-être encore en colère, même si les mois avaient passé. Il lui en voulait peut-être encore de l'avoir quitté en lui faisant une crise digne d'une adolescente hystérique. Dans ses lettres, elle avouait ses torts, s'excusait, disait regretter, promettait de ne plus jamais le juger ni essayer de le changer, mais elle se heurtait chaque jour au même silence. Était-ce le silence du gars blessé qui ne voulait plus rien savoir d'elle ou celui de l'ermite qui ne sortait pas de son refuge d'hiver? Mars achevait. Bientôt, ce serait Pâques.

Dans un mois, elle tirerait les choses au clair. En attendant, elle devait apprendre à vivre avec l'incertitude. Elle ne pensait plus qu'à une chose: aller tenter sa chance au Yukon. Avec ou sans Guy. Elle voulait s'approprier à son tour la liberté yukonnaise. Elle voulait qu'on arrête de lui dire quoi faire et comment le faire. Elle voulait laisser tomber les artifices et fréquenter des gens authentiques. Elle voulait toucher à l'essentiel, chez elle comme chez les autres.

Plus qu'un mois. Demain, elle irait acheter son billet d'avion. Lorraine, qu'elle avait contactée par courriel, lui avait promis d'intervenir pour qu'on lui redonne son emploi de l'été précédent. Pour le reste, Isabelle s'arrangerait.

13.

— *I found my thrill. On Blueberry Hill. On Blueberry Hill. When I found you.*

La voix du pianiste portait jusque dans la rue. De loin – de près aussi d'ailleurs! –, le Pit possédait toutes les caractéristiques du trou miteux où j'aurais jugé dangereux de mettre les pieds au Québec. Un bâtiment vétuste, une clientèle d'apparence douteuse, l'odeur d'une fumée moins licite que celle de la cigarette. Ce n'est donc pas sans appréhension que je me suis approchée du bar de l'hôtel Westminster en ce vendredi soir de la fin janvier. J'ai tout de suite reconnu l'édifice rose de l'affiche que j'avais examinée au Baked Café de Whitehorse quelques semaines plus tôt. À voir les murs qui penchaient vers la droite, on savait que la date, 1898, peinte sur la façade, ne mentait pas.

Pour franchir le seuil, il m'a fallu fendre une foule de fumeurs éméchés qui m'ont tous saluée comme si j'étais une habituée. Je leur ai rendu leurs bonsoirs un à un, amusée.

Si l'extérieur m'avait rebutée, l'intérieur m'a laissée interdite.

Hormis le fait que l'endroit n'était pas enfumé, tout le reste concordait avec la description que m'en avait faite Isabelle. Les panaches d'animaux sur les murs, les peintures rappelant la ruée vers l'or, la clientèle, moitié blanche, moitié amérindienne, et la bière qu'on buvait à la bouteille. Le mobilier n'avait pas été changé depuis un demi-siècle au moins. Un plancher incliné, des lumières de Noël qu'on n'avait pas décrochées depuis des années, un canot suspendu au-dessus du bar et un ventilateur aux palmes immobiles achevaient de donner au Pit son air de saloon.

Je n'ai pas eu de difficulté à trouver ceux que je cherchais. Les francophones parlaient fort et occupaient plusieurs tables. Isabelle m'a fait de grands gestes.

— La v'là!

Après un accueil chaleureux, elle m'a présenté ses amis.

Je n'ai pas retenu leurs noms, mais ce qu'ils faisaient à Dawson, à cause de ce que ça avait d'étonnant, est aujourd'hui encore gravé dans ma mémoire. Il y avait le capitaine du traversier, deux employées du *liquor store*, une agente de développement de la francophonie qui rêvait d'ouvrir une buanderie, un Français qui voulait construire un café, des employés de Parcs Canada, un charpentier, un peintre en bâtiment, un opérateur de machinerie hydraulique, deux prospecteurs, des femmes de ménage, dont l'une possédait un baccalauréat en biologie. Une autre occupait un poste de direction à la Humane Society – l'équivalent de notre SPA –, une autre encore était serveuse dans un restaurant et la dernière, croupière au casino. Ces gens venaient de partout et appartenaient, à l'origine, à toutes les couches sociales. Au Yukon, cependant, ces distinctions étaient abolies.

Rien d'ailleurs ne les distinguait les uns des autres si ce n'était leur sexe et leur âge. Ils portaient le même genre de vêtements défraîchis et, s'ils avaient retiré leur casquette ou leur tuque, étaient aussi décoiffés que je l'étais moi-même. Les bretelles de leurs surpantalons se découpaient sur des chandails de laine, des polars, des chemises à carreaux. Jamais, de ma vie, je n'avais vu des gens aussi indifférents à leur apparence et à celle des autres. Comme Isabelle, leurs valeurs se trouvaient ailleurs, dans la chaleur qu'on ressentait en leur présence, dans l'affection qu'ils témoignaient l'un envers l'autre, dans la sincérité de leurs propos et dans cette liberté qu'ils s'étaient octroyée et qu'ils défendaient farouchement.

Ces gens me fascinaient presque autant qu'Isabelle. Chacun avait une histoire, une raison pour avoir quitté sa ville natale et s'être réfugié aussi loin au nord. Si le bar avait été moins bruyant, je les aurais interrogés l'un après l'autre, mais j'entendais à peine mes voisins de table quand ils me demandaient la raison de ma présence à Dawson en hiver.

Au piano, Barnacle Bob jouait du *honky tonk*, ce qui contribuait à donner au bar son aspect intemporel. On était en 2009, mais on aurait aussi bien pu être en 1909.

À un moment donné, la musique s'est tue, et la voix du pianiste a envahi la salle. Tout le monde s'est mis à battre le rythme en tapant du pied ou en frappant la table du plat de la main ou avec le fond d'une bouteille. Le verre tintait. Le plancher vibrait. Au micro, le pianiste chantait une chanson à boire qui m'était inconnue, mais que les autres reprenaient en chœur quand arrivait le refrain.

Dans cette foule en liesse, j'ai remarqué l'absence de Guy. Celle de Serge, aussi, qu'on n'aurait pas manqué de me présenter s'il avait été là. J'ai attendu que le silence revienne pour m'enquérir à leur sujet.

— Ils sont à Whitehorse. Ils devaient rencontrer des gens du gouvernement pour parler de l'exploitation de leurs concessions.

— Ils ont trouvé de l'or?

Je n'arrivais pas à le croire.

— Certain qu'ils en ont trouvé! Ils sont plus riches que le maire astheure!

Cette remarque a provoqué l'hilarité. J'ai repensé à Guy tel qu'il m'était apparu dans sa camionnette. Rien ne le distinguait des hommes qui m'entouraient ce soir-là. Même vêtements usés, mêmes cheveux longs, même barbe. Malgré l'argent qui entrait désormais à flots, il avait gardé le même genre de vie apparemment.

La soirée s'est poursuivie au Drunken Goat, l'unique restaurant du village ouvert en janvier. J'ai trouvé amusant de voir tout le monde renfiler foulard, tuque et parka pour franchir les cent mètres qui séparaient le bar du restaurant situé dans l'avenue voisine. Comme c'était la coutume à Dawson, nous avons traversé un stationnement désert et longé une ruelle. Nous sommes ensuite passés entre deux maisons – donc sur une propriété privée – pour finir sous une enseigne de bois, au pied de la galerie du Drunken Goat.

Nous étions bien une douzaine, ce qui nous a donné droit à la plus grande table de la place, celle que le patron réservait au cas où un groupe se présenterait. Il s'avéra que le groupe, ce soir-là, c'était nous, une poignée de francophones expatriés un peu ivres qui parlaient fort et riaient à gorge déployée. Pour éviter que je juge ses amis, Isabelle a cru bon de me mettre en garde.

— On est pas mal tous des gens de party, ici. L'hiver est long et, de toute façon, on n'a pas de comptes à rendre à personne, ça fait que…

Elle a laissé sa phrase en suspens. Un sourire en coin, je me suis retenue de lui signaler qu'elle parlait comme Guy l'avait fait à l'époque. Du moins comme elle me l'avait rapporté.

Nous étions assis depuis moins de cinq minutes que, déjà, quelqu'un avait commandé du vin. Beaucoup de vin. On célébrait ce soir-là l'anniversaire de Charlotte, la biologiste femme de ménage.

Je n'ai pas compté combien de fois nous avons levé nos verres à la santé de l'un ou l'autre des convives, mais vers

21 heures, quand Guy a poussé la porte, Isabelle a trouvé que c'était une bonne occasion pour porter un autre toast.

— Aux chercheurs d'or !

J'avais compris depuis longtemps qu'Isabelle et Guy n'étaient plus ensemble, mais j'ai senti entre eux une complicité peu commune, de même qu'un certain malaise. Nous nous sommes tassés un peu, et Guy s'est installé en face d'Isabelle. J'étais à l'autre bout de la table. Je pouvais donc apercevoir les coups d'œil qu'ils s'échangeaient de temps à autre. Des coups d'œil où l'on pouvait lire tour à tour de l'affection, du regret, mais aussi une certaine amertume. Cette dernière émotion est passée dans les yeux de Guy quand un homme est entré, seul, et qu'il est allé s'installer deux tables plus loin. Il a salué Isabelle en anglais. Elle l'a gratifié du sourire qu'une femme réserve habituellement à son amant. J'ai aussitôt été intriguée et, malgré moi, je me suis mise à détailler l'inconnu.

De taille moyenne, il ne portait pas de parka, mais un nombre incalculable de vestes et de chandails tous plus usés les uns que les autres. Il avait franchi la porte du restaurant coiffé d'un chapeau de fourrure dont les pans étaient attachés sur le dessus. En arrivant à sa table, il l'a retiré, dévoilant un crâne un peu trop dégarni pour un homme d'une trentaine d'années, quoique cette calvitie n'était pas sans charme, surtout avec sa barbe de quelques jours. À dire vrai, je lui trouvais quelques ressemblances avec Guy. Non pas dans le physique, mais dans cette assurance tranquille avec laquelle je l'ai vu se commander à manger et à boire, avant de plonger dans la lecture d'un livre comme s'il était chez lui, dans la quiétude de son salon.

Je n'étais pas la seule à l'observer. Isabelle grugeait sa brochette de poulet mine de rien, mais je l'ai surprise à s'attarder un peu trop longtemps sur le nouveau venu. Guy aussi s'en est rendu compte, et s'est rembruni. Par chance, sa mauvaise humeur est passée inaperçue au milieu des discussions qui avaient repris de plus belle. Mes compagnons parlaient des conditions de logement.

— Maintenant que c'est confirmé, ton affaire, Guy, je suppose qu'il va y avoir une nouvelle ruée vers l'or?

Guy a hoché la tête.

— Où est-ce qu'on va les loger, ces gens qui vont venir ici pour travailler?

Ils avaient raison de s'inquiéter. Depuis mon arrivée, j'avais constaté qu'il y avait peu d'appartements libres. Peu de maisons, aussi. Il n'y en avait qu'une seule à vendre au village, et on demandait un prix exorbitant. Restait les cabanes dans ce qu'on appelait les *«subdivisions»*, mot poli pour qualifier les banlieues éloignées où, si on était chanceux, on pouvait se brancher au réseau électrique, mais où, faute d'aqueduc, personne n'avait l'eau courante. J'avais compris que ces piètres conditions de vie étaient en partie causées par le pergélisol qui s'étend sur presque toute la région. C'était également une question de volonté et de ce que j'aurais qualifié «d'étalement urbain». La plupart des Yukonnais, anglophones comme francophones, étant venus jusqu'ici pour avoir la paix, ils refusaient obstinément la présence de voisins. Ce n'était donc pas toujours par dépit si plusieurs d'entre eux vivaient au fond du bois.

Il était bien 23 heures quand, les additions réglées, nous nous sommes rhabillés pour partir. Une fois sur le trottoir, Guy a gagné sa camionnette sans saluer personne. Je n'étais peut-être pas la seule à avoir remarqué cette désertion silencieuse, mais aucun de mes compagnons n'a fait de commentaire. Ils avaient d'ailleurs tous repris la direction du Pit. Je n'arrivais pas à le croire! Personne à part Guy ne pensait à abréger la soirée, ni à cause de l'argent dépensé, ni à cause de l'heure tardive, ni à cause de l'état passablement éméché de plusieurs d'entre nous.

Dès que nous avons passé la porte du Pit, Isabelle s'est commandé une bière – une autre! – et m'a entraînée au fond du bar. Là, au milieu des fêtards qui ne nous prêtaient pas la moindre attention, elle a poursuivi son récit interrompu le dimanche précédent. Je l'écoutais, incrédule, replonger dans ses souvenirs.

« Des gens de party », m'avait-elle lancé plus tôt ce soir-là pour décrire ses amis.

De toute évidence, elle s'incluait dans le lot.

J'ai compris autre chose ce soir-là. Contrairement à la bourgeoise de Québec, Isabelle St-Martin la Yukonnaise n'accordait pas beaucoup d'importance à l'argent. Si ç'avait été le cas, c'est avec Guy le riche prospecteur qu'elle serait repartie quand il lui en avait donné l'occasion, et non avec l'inconnu du Drunken Goat venu nous rejoindre au Pit à 2 heures du matin.

14.

On aurait pu lire aussi facilement qu'en plein jour, mais c'était la nuit. On n'entendait pas un mot, pas même un murmure à la ronde, que les croassements des corbeaux auxquels tout le monde avait fini par s'habituer. De temps en temps, quand la brise redevenait favorable, le grondement lointain des moteurs du traversier parvenait jusque-là, diffus, presque irréel, au milieu d'une nature qu'on aurait jurée encore vierge.

Isabelle regardait le plafond de toile. Comment avait-elle réussi à dormir l'été précédent? Elle ne s'en souvenait plus. Mais il faisait toujours tellement sombre dans la cabane de Guy! Les murs de rondins percés d'une fenêtre dans chaque pièce avaient dû la préserver de la lumière, été comme hiver.

À l'évocation de sa vie avec Guy, Isabelle sentit l'amertume la gagner. Elle se retourna et ferma les yeux, furieuse contre elle-même. Il fallait dormir. Demain, elle travaillait. Quelle heure était-il? Elle mesurait mal le passage du temps à Dawson. Surtout la nuit quand, après un coucher de soleil incandescent, le ciel redevenait d'un gris lumineux.

Quelques gouttelettes frappèrent la toile. Il pleuvait cette pluie fine qui ne durait jamais longtemps. Il y en aurait juste assez pour humidifier les rues de terre battue et plaquer à terre la poussière qui, autrement, se soulevait au passage des voitures. Après, il ferait beau. Beau et frais. Comme tous les jours.

Le vertige approchait. Il ne fallait plus penser à rien. Se contenter de respirer, se laisser envahir par cette sensation de bien-être venue du néant. Il fallait se laisser aller, plonger. Après, quand elle aurait quitté la réalité, elle ne souffrirait plus.

À cette idée, son esprit se rebella, alors il ne se passa plus rien. Aussi éveillée qu'en plein jour, Isabelle rouvrit les yeux, désespérée. Elle reconnaissait ce penchant masochiste qui remontait à la surface. Comme chaque soir, la douleur avait attendu l'instant critique pour se manifester. Ce passage de l'état de veille au sommeil. Comme chaque soir, Isabelle pesta. Elle n'avait plus quinze ans, quand même!

Cette douleur portait un nom: la perte. C'était le nom qu'Isabelle lui avait donné à force de retourner la question dans tous les sens. Elle avait perdu Guy. Il n'y avait aucune autre façon de présenter les choses. Pas de manière de l'adoucir afin de ménager son ego. Elle avait exagéré, abusé et avait perdu Guy. C'était en novembre dernier, mais il lui avait fallu attendre l'été pour en prendre conscience. Elle s'était leurrée tout l'hiver, avait échafaudé des plans, fait des projets. Tout cela pour aboutir à l'humiliation. Quand elle y pensait, comme en ce moment, un nœud se formait dans sa poitrine et lui faisait monter les larmes aux yeux. Ces larmes, nées de l'amertume et de la peine, roulaient, douces et silencieuses, jusque sur son oreiller. Chaque inspiration apportait un cru nouveau. Et l'oreiller, en ami fidèle, absorbait le trop-plein de chagrin.

Dès qu'elle avait remis les pieds à Dawson, Isabelle s'était rendue au casino. Parce qu'après l'étape des remords il y avait eu l'inquiétude. De tout l'hiver, Guy n'avait répondu à aucun de ses courriels. Peut-être avait-il été malade? En la voyant apparaître près des machines à sous, Lorraine l'avait entraînée dans sa loge pour lui raconter la mort d'Antoine. Isabelle en avait été bouleversée. Antoine? Disparu dans le fleuve? En revenant dans la salle, elle s'était rendu compte que tous les employés ne parlaient que de ça, même si aucun d'eux n'avait été témoin de l'accident. Comme d'habitude, personne ne jugeait, mais chacun avait son opinion.

Toujours sous le choc, Isabelle s'était rendue à la cuisine pour offrir ses condoléances à Guy, qu'elle avait trouvé amaigri et fatigué. Il s'était montré froid, replongeant dans son mutisme après avoir prononcé le merci de circonstance. Blessée, Isabelle s'en était retournée. Rien ne se passait comme elle l'avait imaginé. Trop de choses avaient changé depuis l'automne précédent. Antoine était mort, Guy ne l'aimait plus et elle-même n'arrivait pas à retrouver l'exotisme qu'elle avait tant aimé à Dawson. Les gens lui semblaient finalement ordinaires. L'endroit, isolé et poussiéreux. Pourquoi était-elle revenue?

Elle n'avait pas prévu regretter sa décision. Alors, au lieu d'aller voir le gérant du casino pour quêter un emploi, elle était partie sans saluer personne. Elle n'avait plus envie de travailler là. Pas plus qu'elle n'avait envie de rester au village. Elle avait hissé ses deux valises sur le trottoir de bois et pris la direction du fleuve. Les roulettes faisaient un bruit d'enfer qui attirait l'attention des locaux autant que des touristes. Isabelle s'en fichait. Elle n'avait plus de but, plus d'endroit où aller, plus personne à voir.

Arrivée à la 3e Avenue, elle avait tourné à gauche et traversé la rue. Une fois à l'intérieur du Pit, elle avait abandonné ses valises le long du mur, s'était rendue au bar se commander une pinte de bière qu'elle avait avalée en cinq minutes. Il était tôt pour boire, mais elle s'en fichait autant que du bruit des roulettes. Elle commanda un *refill*, puis un autre. Dehors, il faisait toujours aussi beau. Les clients, peu nombreux à son arrivée, se multipliaient. Ça parlait fort et ça parlait anglais. On la reluquait, on la draguait. L'ivresse aidant, elle rendait sourire pour sourire. Elle perdait pied, mais de cela aussi elle se fichait.

Elle s'était réveillée le lendemain matin dans une tente, allongée avec un homme sous un sac de couchage. Sur le coup, elle s'était demandé où étaient ses valises. Puis elle s'était redressée et avait senti une irritation entre ses cuisses. Elle avait parcouru la tente des yeux, paniquée. Demeuré couché, l'inconnu avait paru amusé.

— *Don't worry. It's over there.*

Il avait désigné un tas de mouchoirs souillés parmi lesquels on voyait le rebord d'un condom.

Isabelle s'était habillée et avait été heureuse de retrouver son sac à main. Elle l'avait été pas mal moins en découvrant son porte-monnaie presque vide. Mon doux qu'elle avait bu !

— *What's your name ?*

Il lui avait fallu un moment pour réaliser que c'était à elle que l'inconnu s'adressait. Elle lui avait lancé un « Gertrude » qui frisait le ridicule avant de lui annoncer en anglais, puisque c'était évident qu'il ne parlait pas français, qu'elle avait faim.

Il lui avait préparé du café sur le feu de camp allumé par les voisins. Elle avait croqué dans une pomme, avalé quelques bouchées de pain, et avait senti la nausée l'envahir. Que diable faisait-elle ici ?

— *By the way, I'm Fred.*

Il devait avoir vingt-cinq ans, peut-être moins. C'était difficile à dire avec cette barbe de deux jours qui lui noircissait les joues. Il s'était enfoncé dans une chaise de toile, buvait et mangeait comme si le monde lui appartenait. Il venait de la Colombie-Britannique et travaillait cinq soirs par semaine comme portier au bar de l'hôtel Midnight Sun. Le reste du temps, il faisait la fête. Isabelle était déçue d'elle-même. Comment ne pas l'être ? Elle avait passé la nuit avec un gars d'été !

— *Where are my things ?*

216

Fred avait haussé les épaules, traduisant ainsi son indifférence quant à la perte des valises. Puis, avec nonchalance, il avait croisé les bras derrière la nuque et s'était étiré.

— *I'm ready when you are, Gertrude.*

Isabelle avait levé les yeux au ciel. À partir de ce jour-là, Fred l'avait toujours appelée Gertrude. Elle partageait sa tente, sa vaisselle, son sac de couchage sous lequel ils avaient empilé des couvertures. Elle était à Dawson. Pour le meilleur et pour le pire.

Elle vivait donc sur le terrain de camping avec Fred. Résumée ainsi, la situation aurait pu sembler banale. Mais Isabelle en ressentait une certaine honte, une certaine déception aussi, qui s'étaient toutes deux transformées en fatalisme. Tant qu'à être là! Elle avait commencé à vivre. Simplement. Au jour le jour. Sans penser au lendemain. Il viendrait bien assez vite, celui-là. Surtout au Yukon. Demain, ce serait l'hiver. Mieux valait ne pas s'y attarder et apprécier les heures de fête que chaque soirée pouvait offrir.

Le matin, quand elle se réveillait et que l'odeur de fond de tonneau qui régnait dans la tente lui levait le cœur, elle se répétait que c'était temporaire, qu'elle reprendrait contact avec la réalité très bientôt. C'était temporaire, mais ça durait depuis presque deux mois. L'été s'achevait. Déjà, la nuit, l'ombre gagnait du terrain. Pour qui en avait l'habitude, ça sentait même la neige.

Isabelle travaillait au Pit comme serveuse et, ses soirs de congé, elle les passait au Pit comme cliente. C'était là qu'elle avait retrouvé ses valises le lendemain de son arrivée. Au fil du temps, le Pit était devenu son deuxième chez elle. Après la tente.

Elle avait recommencé à se maquiller comme autrefois, avait coupé le col de ses chandails. Rien qu'à voir la profondeur de ses décolletés, on devinait qu'elle ramassait des pourboires à la pelle.

Malgré ses revenus, elle n'avait pas trouvé à se loger. Il n'y avait aucun appartement libre à Dawson cet été-là, ce qui rendait les chambres d'hôtel hors de prix. Le camping servait donc de refuge à presque tous les travailleurs saisonniers. Isabelle s'était fait des amis parmi eux. Des Canadiens-Anglais pour la plupart, mais aussi quelques Québécois marginaux venus s'enivrer sous le soleil de minuit. En plus de permettre une fête perpétuelle, la lumière grisait, pas autant que l'alcool, mais quand même. On n'avait pas envie de rentrer ni de dormir. La vie était tellement belle à 2 heures du matin !

La terrasse de l'hôtel Triple J avait été aménagée sur une vaste galerie bordée de garde-corps. Le soir, l'été, on y voyait le soleil descendre sur les collines au nord pour plonger dans les eaux du fleuve Yukon. Le jour, on y était à l'ombre et on voyait les voitures arriver par la 5e Avenue ou la rue Queen. Parce qu'on y apercevait également un bout de Front Street, on arrivait à suivre les allées et venues de presque tout le monde au village.

Ce vendredi-là, Isabelle y dînait en compagnie de Lorraine, qui essayait depuis une heure de la convaincre de revenir au casino.

— On est tellement plus belles quand c'est toi qui nous maquilles.

Isabelle hésitait. Elle avait amplement de temps avant le début de son quart de travail au Pit, mais croiser Guy tous les jours lui semblait au-dessus de ses forces.

— Tu pourrais venir juste une petite heure avant le spectacle. De toute façon, tu ne risques pas de voir Guy. Il ne sort jamais de la cuisine.

Comme Lorraine terminait sa phrase, la camionnette de Guy apparut dans la rue Queen. Après l'arrêt, il tourna dans la 5ᵉ Avenue comme s'il s'en retournait chez lui. Une fille était assise, côté passager.

— Guy a demandé congé en fin de semaine. Il emmène Cynthia à Whitehorse.

Isabelle haussa un sourcil interrogateur. Lorraine soupira.

— C'est son ex d'il y a cinq ans.

— Est-ce qu'ils ont repris ensemble?

— Pas encore.

Isabelle se dit que Cynthia allait peut-être obtenir le pardon qu'elle-même s'était vu refuser, et en ressentit une telle jalousie qu'elle ne termina pas son dîner. Elle s'excusa et quitta le Triple J, une boule dans la gorge. Le pick-up avait disparu depuis longtemps, mais Isabelle était capable de suivre mentalement son trajet sur la route du Klondike. Il traverserait le pont de fer, longerait le secteur Calison, dépasserait Dredge Pond, puis Bear Creek, puis l'aéroport, puis Rock Creek. Guy stationnerait sur le bord de la rivière et, avant de mettre le canot à l'eau, il offrirait à Cynthia le gilet de sauvetage qu'elle-même avait enfilé l'été précédent.

Son chien était mort. Il n'y avait pas moyen de dire les choses autrement.

Isabelle avait rencontré Juliet un soir de beuverie. Anglophone de Montréal établie à Dawson depuis sept ans, Juliet avait fait des études en écologie et environnement. Elle avait quitté le Québec avec l'espoir de travailler dans son domaine, mais avait très vite compris que des environnementalistes, au Yukon, on en comptait treize à la douzaine. Elle s'était donc rabattue sur une série d'emplois plus ou moins précaires, qui n'avaient rien à voir avec ses compétences, mais lui laissaient du temps pour apprécier la vie et tout ce qu'elle avait à offrir.

Juliet parlait un français boiteux adorable. Isabelle ayant en anglais un accent à couper au couteau, les deux femmes formaient une paire invraisemblable. Leurs conversations avaient lieu le plus souvent après minuit, quand leurs langues secondes respectives devenaient fluides, avantage insoupçonné d'un état d'ébriété modéré. Le reste du temps, elles parlaient un mélange de français et d'anglais entrecoupé de fous rires qui n'entravaient en rien la communication.

Juliet avait un jour déclaré : « *A winter in the bush with a guy is worth ten years of marriage.* » Ce qu'Isabelle avait traduit approximativement par : « Après un hiver dans le bois avec un gars, on se connaît autant qu'après dix ans de mariage. » Dans le cas d'Isabelle et de Guy, ce « mariage » s'était soldé par un divorce en bonne et due forme. Elle en gardait encore une pointe d'amertume, mais s'était rendue à l'évidence : la planète n'avait pas cessé de tourner. Puisque la vie continuait, il fallait continuer avec elle.

Juliet, elle, n'avait pas besoin d'un homme. Elle vivait seule depuis des années, savait tout faire et avait gagné à plusieurs reprises le tournoi féminin de bras de fer. S'il arrivait qu'elle passe la nuit ailleurs que dans son lit, jamais aucun homme n'avait vu la couleur de ses draps. Sa chambre, comme son intimité, elle la gardait jalousement.

Elle habitait de l'autre côté du fleuve Yukon, tout en haut de la grande côte, à West Dawson. Quand Isabelle lui avait rendu visite la première fois, elle avait découvert que West Dawson n'était pas, à proprement parler, un quartier. Il s'agissait plutôt de lots découpés en bordure d'un chemin forestier qui prenait naissance sur la route Top of the World. Juliet n'avait pas construit sa maison. Elle l'avait mise à sa main, cependant, en lui ajoutant un second étage. Isabelle admirait son talent, sa force de caractère et la persévérance qui lui avait permis de mener à terme pareil chantier sans se décourager.

Août tirait à sa fin. Il faisait sombre maintenant, plusieurs heures par nuit. Les premières étoiles étaient réapparues. On sentait beaucoup moins la chaleur du soleil, et la pluie tombait plus froide.

— Je me cherche une place pour l'hiver.

Isabelle n'avait pas perdu de temps. Sitôt arrivée chez son amie, elle lui avait exposé le but de sa visite. Juliet s'était moquée d'elle.

— Tiens, la *cheechako* qui veut devenir *sourdough*!

On attribuait l'étiquette *sourdough* aux locaux. Le mot datait de l'époque de la ruée vers l'or: les vieux prospecteurs avaient alors l'habitude de faire leur pain avec du levain, ce qu'on appelait *sourdough bread* en anglais. Aujourd'hui, pour mériter ce sobriquet, il fallait avoir vu le *freeze-up*, ces semaines au fil desquelles le fleuve se fige dans la glace – période qui pouvait durer de la mi-octobre à la mi-décembre. Il fallait également avoir affronté le climat subarctique avec ses pointes à -50 °C. Il fallait en plus avoir assisté au *break-up*, c'est-à-dire à la débâcle, ce jour heureux où la glace du fleuve se brisait et laissait arriver l'été. L'événement se produisait quelque part à la fin avril ou au début mai. En d'autres mots, pour mériter le titre de *sourdough*, il fallait avoir vécu tout l'hiver yukonnais dont la durée normale était de huit mois.

Par opposition, le terme *cheechako* s'appliquait à ceux qui, par faiblesse ou par gros bon sens, rentraient dans le Sud l'automne venu. Le terme avait quelque chose de péjoratif, et il n'était pas rare d'entendre un *cheechako* déclarer qu'il vivait à Dawson depuis neuf mois. Même lorsqu'ils avaient mérité le titre de *sourdough*, plusieurs d'entre eux continuaient de compter les mois. Un an et deux mois, deux ans et sept mois. L'importance des mois ne semblait s'atténuer qu'après cinq années. Un peu comme si, rattrapé par la cruelle réalité de la vie dans le Grand Nord, chacun trouvait tout à coup ridicule de valoriser un exploit qui, à bien y penser, relevait un peu de la folie. À ce moment-là, même le terme *sourdough* perdait de son importance. On devenait yukonnais, un point c'est tout.

Étrangement, c'est à ce moment que la vie du Sud retrouvait son attrait. On y passait ses vacances, on rêvait d'y retourner, peut-être pour de bon, si un jour on en trouvait le courage. La plupart se résignaient cependant. Ils étaient yukonnais pour le meilleur et pour le pire. Les plus vieux devenaient cyniques et répétaient qu'il y avait quatre saisons à Dawson : juin, juillet, août et l'hiver. La blague faisait rire les touristes et les travailleurs saisonniers, mais Isabelle n'avait jamais entendu un *sourdough* la remettre en question ou la trouver exagérée.

L'avantage de la vie à Dawson se trouvait ailleurs, dans la simplicité, dans l'authenticité et dans la tolérance de sa population. Pour peu qu'on acceptât de se passer des commodités du monde moderne – électricité et eau courante –, il était possible d'y mener une vie tout à fait acceptable pour presque rien. Comme Guy, bon nombre de personnes vivaient sans devoir rien à personne, sans non plus recevoir de factures par la poste ni payer d'impôt puisque le territoire n'en percevait pas et que le gouvernement fédéral jugeait leurs revenus insuffisants.

Isabelle avait fait, comme bien des nouveaux venus, une analyse de cet ordre. Elle ressentait, pour l'hiver à venir, la même fascination que tous ceux qui avaient un jour décidé de ne pas repartir au début de septembre. Et même si les conditions de vie relevaient parfois du Moyen Âge, même si on devinait que la promiscuité et l'isolement venaient parfois à bout des plus robustes, Isabelle avait choisi de rester.

Elle aimait que personne, ici, ne soit forcé d'entrer dans le moule, que chacun puisse vivre comme il l'entendait. L'idée qu'on n'était pas obligé de suivre la voie tracée, de se conformer, de s'acheter plein de vêtements, de se maquiller et de se coiffer pour plaire lui avait permis d'imaginer des possibilités qui n'étaient pas du tout envisageables à Québec. Pour voir ce que ça faisait de vivre sans artifice, sans luxe, en toute simplicité, il fallait rester.

Elle s'était donc adressée à Juliet parce qu'elle savait que son amie avait ressenti ce même appel des années plus tôt. Juliet fut ravie de lui venir en aide.

— Mon voisin d'en face est en train de construire une autre cabine sur son terrain. Je pense qu'il voudra la louer quand elle sera terminée.

— Ce sera long?

Cette question traduisait une impatience qui fit sourire Juliet.

— Je ne sais pas. Viens, je vais te le présenter. Tu pourras le lui demander toi-même.

La maison de Juliet se trouvant loin du chemin, il leur fallut plusieurs minutes pour rejoindre la route. On se serait cru à l'automne. Le parfum des épinettes se faisait plus prononcé. L'herbe restait mouillée. Une faible brise soufflait sur la montagne, laissant présager le froid des nuits à venir.

Le voisin d'en face s'activait dans ce qui aurait bientôt l'air d'une cabane en bois rond de la grandeur d'une chambre. Pour le moment, c'était un assemblage de billots d'environ cinq pieds de hauteur, sans porte ni fenêtre.

— Chris! Penses-tu pouvoir louer ta cabine cet hiver?

En entendant son prénom, l'homme recula d'un pas pour apparaître, marteau à la main, des clous plein la bouche, une casquette de travers sur la tête. Au début de la vingtaine et de stature frêle, il était doté de bras aussi longs que ceux d'un adolescent en pleine croissance. Dans ses yeux brillaient une intelligence et une sérénité surprenantes chez un homme de son âge. Il portait une barbe de plusieurs semaines, aussi sombre que ses cheveux, et, comme tous les natifs de Dawson, il ne parlait pas un mot de français. Il cracha les clous, accrocha son marteau à sa ceinture et leur serra la main.

— Cet hiver? Ça dépend. C'est pour qui?

Isabelle saisit l'occasion.

— Pour moi. Je vais rester au camping aussi longtemps que possible, mais je n'ai nulle part où aller après.

Chris l'étudia un moment avant de se tourner vers cette cabane qu'il était loin d'avoir terminée. Il réfléchissait en se grattant la barbe, indifférent à la horde de moustiques qui les harcelaient. Puis, comme s'il imaginait la fatigue que lui causerait l'accélération des travaux, il retira sa casquette pour s'essuyer le front. Ce geste dévoila des tempes dégarnies qui lui donnaient dix ans de plus.

— Quand est-ce que tu finis de travailler?

La chose allait de soi. À Dawson, l'hiver, la majorité des habitants tombaient au chômage. C'était le cas d'Isabelle à qui il ne restait qu'une semaine au Pit.

— Si tu viens m'aider, je pense qu'on pourrait s'organiser pour que ce soit habitable dans un mois.

Parce qu'il connaissait le côté imprévisible du climat yukonnais, il ajouta :

— Si tu trouves qu'il fait trop froid au camping, tu peux dormir dans mon salon le temps qu'on termine les travaux.

Le 10 septembre, Chris s'arrêtait devant l'entrée du camping. Isabelle l'y attendait avec ses deux valises. Fred avait démonté la tente ce matin-là et s'en était retourné en Colombie-Britannique en lui lançant un « *See you next year!* » sans arrière-pensée.

Le lendemain, la face du monde changeait. Deux avions percutaient les tours du World Trade Center à New York. Quelques heures plus tard, deux avions coréens, qu'on prétendait aux mains de pirates, étaient déroutés de leur plan de vol par les autorités américaines et dirigés vers de l'aéroport de Whitehorse, semant la panique au Yukon. À West Dawson, on se félicita une fois de plus de vivre aussi loin de la civilisation.

Comparée à la cabane de Guy, la maison de Chris était énorme. Construite sur le haut de la montagne, elle se dressait sur trois niveaux dont chacun ne comptait qu'une pièce. La chambre occupait l'étage, la cuisine, le rez-de-chaussée, et un atelier avait été aménagé dans le sous-sol. Un sofa longeait le mur du fond de la cuisine et faisait office de salon et de chambre pour Isabelle. Une génératrice alimentait en électricité les lumières, l'ordinateur et la chaîne stéréo. Après trois mois de camping, cette installation parut à Isabelle d'un luxe inouï.

Il était peut-être 4 heures du matin. Peut-être plus tard. Allongée sous les couvertures, Isabelle détaillait les murs, les meubles et les autres objets qu'elle devinait à la lueur d'une veilleuse à piles posée sur le comptoir. Tout était tellement en ordre qu'elle avait peine à croire qu'elle se trouvait dans la maison d'un célibataire. Chris s'enorgueillissait de ne jamais rien laisser traîner. De cette manière, disait-il, il retrouvait toujours ses affaires parce qu'elles étaient toujours à leur place. Il était méthodique, organisé, méticuleux. Autant de qualités qui impressionnaient Isabelle et qui rendaient la vie avec lui facile et agréable. S'il y avait eu un endroit à l'écart pour se laver, elle aurait même conclu que la maison de Chris était parfaite. Mais voilà! Se laver à la mitaine au milieu de la cuisine manquait d'intimité. Heureusement, le traversier effectuerait encore pendant quelques semaines le trajet entre Dawson et West Dawson, ce qui lui permettrait de se rendre aux douches publiques et à la buanderie encore cinq ou six fois. Après…

Isabelle se raisonnait. Si Juliet s'était habituée, elle-même s'y habituerait. D'ailleurs, de toute la communauté de West Dawson, personne ne possédait de salle de bain. Se passer de douche pour la durée du *freeze-up* ne relevait pas de l'exploit ici. C'était la norme, tout simplement.

Le *freeze-up*. À West Dawson, l'événement revêtait une signification qu'il n'avait pas à Dawson, ni même chez Guy. Car si la rivière Klondike mettait trois à quatre semaines pour geler et devenir praticable, le fleuve Yukon, à cause de son fort courant et son demi-kilomètre de largeur, mettait au moins deux mois. Parfois plus. Les habitants de la rive ouest devaient donc s'approvisionner en nourriture, en eau et en essence pour trois mois au moins, juste au cas où.

Dans la pénombre, Isabelle frissonna. Comme elle avait froid! Elle ne s'y faisait tout simplement pas. La pluie la gardait transie toute la journée et, le soir venu, puisqu'il n'y avait ni douche ni bain, elle ne trouvait pas le moyen de se réchauffer. Même au bout d'une heure devant le poêle à bois, elle avait toujours les pieds gelés. Avec Guy, quand le problème s'était posé, ils s'étaient tout simplement blottis l'un contre l'autre. C'était facile puisqu'ils dormaient dans un lit étroit. Alors que là… Isabelle enfilait deux paires de bas de laine, portait un pyjama de flanelle et un gros chandail. Quand elle se couchait, elle remontait les couvertures jusque sous son menton. Rien n'y faisait. Elle avait les pieds froids en permanence, ne dormait pas et pouvait constater de visu que les nuits rallongeaient, que le temps fraîchissait, que l'hiver était presque là.

Un matin, comme elle avait l'air plus fatiguée que la veille, Chris l'avait interrogée. En entendant son explication, il l'avait invitée à venir le rejoindre dans son lit à l'étage.

Isabelle avait refusé poliment, mais, depuis, elle sentait entre eux un malaise qui l'irritait.

Quand elle pensait à Chris, elle ressentait une curieuse indifférence. L'homme avait pourtant tout pour plaire. Il était beau, bon de ses mains, ordonné et propre. Il ne manquait de rien même s'il vivait simplement. Il chassait, pêchait, cueillait des champignons et cultivait un potager. Il savait apprêter la viande sauvage pour qu'elle goûte moins fort, cuisinait les champignons comme un chef et possédait des recettes de muffins qui auraient rendu jalouse n'importe quelle mère de famille soucieuse de bien nourrir ses enfants. Mais Chris n'avait pas d'enfants. Pour le moment, il n'avait pas de compagne non plus. Isabelle se disait qu'elle aurait dû se sentir flattée d'être l'objet d'autant d'attention de la part d'un homme de dix ans son cadet. Justement, c'était ça, le problème. Elle trouvait Chris trop jeune et ne ressentait pour lui qu'une affection fraternelle. Elle gardait donc ses distances, se montrant amicale, mais sans plus.

La cabane était presque prête. Ils y avaient travaillé tout le mois de septembre. Si Guy lui avait appris à manier la tronçonneuse et la hache, grâce à Chris, Isabelle savait désormais utiliser les outils et y prenait un plaisir qui l'étonnait elle-même. Elle constatait ses progrès jour après jour et s'enorgueillissait quand, après qu'elle avait installé une pièce de bois, Chris la félicitait de son adresse. Il lui tardait d'emménager, de retrouver son intimité et de ne plus avoir à compter que sur elle-même.

Le gouvernement territorial prévoyait retirer le traversier à la mi-octobre, ce qui marquerait le début du *freeze-up*. À cette idée, Isabelle fut parcourue d'un frisson qui n'avait rien à voir avec le froid. La peur tentait de l'envahir. Bientôt, elle serait totalement coupée du monde pendant deux ou trois mois. Elle se raisonna. Il fallait rester positive. Elle avait fait ses provisions. Elle se sentait prête à affronter l'hiver. Physiquement et psychologiquement.

Le ruisseau qui coulait au fond du terrain étant gelé, et l'eau potable réservée pour la cuisine, il restait la neige dont l'accumulation totale ne dépassait pas quinze centimètres et qui s'avérait souillée ici et là par l'urine des chiens du voisin. Isabelle avait trouvé un endroit propre, avait rempli son chaudron pour ensuite le déposer sur le poêle à bois afin de pouvoir se laver et laver ses vêtements.

Le *freeze-up* était un bon moyen d'apprendre à se connaître soi-même. Isabelle était arrivée à la conclusion qu'elle pouvait se passer de maquillage et de fer plat, mais se laver les cheveux dans un bol relevait du tour de force. Elle avait eu beau les raccourcir, elle n'arrivait jamais à les immerger en entier pour bien les rincer.

Faire sa lessive lui paraissait tout aussi héroïque. Plonger les bras jusqu'aux coudes dans l'eau tiède la dégoûtait. Elle devait d'ailleurs avoir développé une maladie de peau à force de frotter parce qu'elle avait le corps couvert de plaques sèches qui la démangeaient et laissaient de la poussière blanche dans ses vêtements.

Quelle idée, aussi, de porter des T-shirts en coton! Même en les étirant pour les faire sécher, ils restaient toujours froissés. Et pourquoi donc avait-on inventé les chandails de laine? Quand elle en plongeait un dans le bol pour le laver, il absorbait toute l'eau. Il fallait le tordre, le retremper, le tordre encore, pour arriver à lui enlever un peu de cette odeur de sueur dont il était imprégné. En plus, il mettait des heures à sécher. Pour activer la chose, Isabelle l'avait suspendu sur le dossier d'une chaise qu'elle avait approchée du poêle. Une demi-heure plus tard, un côté du chandail sentait le roussi, tandis que l'autre dégoulinait encore sur le plancher. Pire, il avait perdu sa forme carrée et les manches s'étiraient démesurément. Quel gâchis ! Et quel calvaire, surtout ! Isabelle était désormais convaincue que l'inventeur de la machine à laver méritait un prix Nobel.

Elle aurait dû prévoir plus de vêtements. Ou un pincenez. Parce que si elle acceptait de se laver tous les jours dans ce bol, elle n'arrivait pas à porter le même T-shirt toute une semaine. Elle en avait la nausée rien qu'à y penser. Juliet lui avait dit, pourtant, qu'elle devrait s'organiser avec ce qu'elle avait et patienter comme tout le monde. Elle avait pris ces avertissements à la légère. Elle n'avait pas réalisé ce que ça impliquait. Peut-être même en avait-elle volontairement minimisé les inconvénients. Chris et Juliet s'étaient bien habitués, eux. Pourquoi pas elle ?

Ainsi, Isabelle était passée de la théorie à la pratique et avait découvert qu'être coincée de l'autre côté du fleuve se révélait bien pire qu'être coincée de l'autre côté de la rivière Klondike parce que ça durait beaucoup, beaucoup, beaucoup plus longtemps. À preuve, elle avait ses règles pour la deuxième fois depuis le début du *freeze-up*, ce qui n'aidait en rien son humeur, tant à cause des hormones qu'à cause de sa propre odeur qu'elle trouvait insupportable.

Elle contempla encore une fois son chandail, dont la laine avait brûlé à force d'avoir été exposée à la chaleur du poêle. La cabane empestait la sueur, le roussi et l'eau sale. L'humidité se condensait sur la vitre, et son cuir chevelu la démangeait au-delà de ce qui était imaginable. Le bol ne suffisait plus. Il lui fallait une douche. Il lui fallait une laveuse et une sécheuse. Il lui fallait les avantages de la civilisation. Et il fallait qu'elle sorte de cette cabane, qu'elle sorte de West Dawson, qu'elle se soustraie enfin au regard insistant de Chris. Elle devait prendre l'air.

À bout de nerfs, elle enfouit tout ce qu'elle possédait de vêtements dans un sac, enfila parka, bottes, mitaines et tuque, et abandonna son trou puant. On arrivait à la fin novembre. La glace du fleuve serait sûrement assez solide pour soutenir une personne à pied avec son sac de linge sale sur le dos.

Il était 14 heures quand elle arriva à l'endroit où le traversier s'amarrait en été. Aucun bruit ne lui parvenait de la ville. Le soleil brillait, droit au sud, et baignait le fleuve de ses rayons glacés. Aussi loin que portait le regard, l'eau sombre avait disparu pour faire place à un blanc éblouissant. Éblouissant et solide, espérait Isabelle dont le courage ne faiblissait pas. Elle tâta la glace du bout du pied, fit un pas, sautilla et, rassurée, s'avança encore. Le fleuve lui parut aussi dur que la terre ferme. Réjouie à l'idée d'être la première à tenter la traversée, elle fit un autre pas. C'est à ce moment qu'elle aperçut une silhouette qui marchait deux cents mètres plus loin. Il lui fallut plisser les yeux parce que le soleil, à cause de l'angle de ses rayons, l'aveuglait. Un homme s'éloignait, une perche de funambule entre les mains. Il tâtait le sol à chaque pas et progressait si lentement qu'on l'aurait dit immobile.

Isabelle réalisa tout à coup la bêtise qu'elle s'apprêtait à commettre. Si cet homme, sans doute un *sourdough* de West Dawson habitué au *freeze-up*, avait jugé bon de traverser le fleuve ainsi équipé, comment avait-elle pu espérer, elle, rejoindre l'autre rive son baluchon sur le dos ?

Isabelle remarqua tout à coup la brume qui couvrait la glace à certains endroits, preuve que l'eau affleurait toujours. Comment expliquer qu'elle ne l'ait pas vue avant ?

Brutalement consciente du danger, elle abandonna son projet, remonta la côte et, de retour dans sa cabane, elle suspendit son chandail de laine à l'extérieur en espérant que l'air froid en chasserait l'odeur.

Mi-décembre, -25 °C de jour comme de nuit. Un poêle à bois chauffé à bloc n'empêchait pas Isabelle de geler dans son lit. Le soir, elle enfilait une grande partie de ses vêtements, se roulait dans les couvertures, mais rien n'y faisait. On crevait, pourtant, dans la cabane.

Dès que le fleuve fut ouvert aux piétons et aux motoneigistes, Isabelle ne perdit pas un instant. Son baluchon plein de linge sale, elle redescendit la côte et traversa la glace. Elle longeait maintenant la digue d'un pas décidé. Six kilomètres à pied pour faire sa lessive et prendre sa douche. À -25 °C, il fallait être folle ou bien désespérée.

Elle avait été bouleversée d'apprendre l'invasion de l'Afghanistan. Le monde était entré en guerre pendant le *freeze-up*. Malgré l'inquiétude, bien naturelle dans les circonstances, elle se sentait aussi loin de cette guerre que de l'attaque des tours de New York et du faux détournement d'avion sur Whitehorse. Dans le Sud, le monde tournait, et elle le regardait tourner, non pas indifférente, mais détachée. Comme si rien ne pouvait plus l'atteindre, parce qu'elle avait conscience de ne rien pouvoir y changer.

Au confluent du fleuve et de la rivière Klondike, le froid lui sembla si mordant qu'elle se décida à demander du secours. Elle n'avait jamais fait de stop de sa vie, mais puisque les trois derniers kilomètres lui semblaient soudain insurmontables, il fallait trouver une autre solution. Elle tendit le pouce en entendant un moteur s'approcher. Quand elle réalisa que les deux sièges étaient occupés, elle baissa le bras. Le conducteur s'immobilisa quand même sur l'accotement.

— *Where are you going?*
— *Bonanza Gold Motel.*
— *Get in the back!*

Aussi bien en rire. Elle, Isabelle St-Martin, trente-trois ans, grimpa à l'arrière de la camionnette, son baluchon sous le bras. C'était non seulement illégal, mais dangereux. Deux qualificatifs qui laissaient, comme toujours, les Yukonnais indifférents. Surtout que, les touristes partis, il n'y avait plus personne sur la route. Sauf que même s'il avait été précédé par une dizaine de motorisés et suivi d'au moins autant, le chauffeur lui aurait lancé la même invitation. Isabelle en était convaincue. Et elle en était bien contente. Cet homme lui épargnait quarante-cinq minutes de marche au grand froid. Ce n'était pas à négliger.

Recroquevillée dans un coin, elle regarda le village s'éloigner, étrangement sereine. Ses valeurs changeaient, elle s'en rendait compte. Quand le chauffeur avait baissé la vitre pour lui demander où elle allait, Isabelle avait perçu l'odeur de cannabis qui régnait dans l'habitacle. Ça ne l'avait pas dérangée le moins du monde. Elle avait aussi remarqué que le passager ne portait pas sa ceinture de sécurité, que le pare-brise était fendu d'un bout à l'autre. Rien qu'à écouter le grondement du moteur, elle devinait le silencieux percé. Sans doute les clignotants ne fonctionnaient pas non plus. Qui s'en souciait ? Certainement pas Isabelle.

La rivière Klondike était gelée depuis des semaines. Déjà, les motoneigistes en avaient sillonné l'embouchure. Des traîneaux à chiens aussi, à en juger par les traces laissées dans la neige. C'était un fait connu, les Yukonnais préféraient les cours d'eau gelés aux sentiers forestiers. Isabelle les comprenait. En traversant le fleuve, un peu plus tôt, elle avait perçu la sensation de liberté que procurait une telle route. On avait l'impression que, pour un peu, on pouvait remonter jusqu'à Whitehorse ou descendre jusqu'au détroit de Béring. Ce n'était qu'une question de temps et d'équipement. *Larger than life!* La devise du Yukon lui semblait plus appropriée que jamais.

On la déposa saine et sauve dans la cour du motel en lui lançant un « *Have a nice day!* » familier. Il avait commencé à neiger, et les flocons, fins et secs, s'immiscèrent dans son manteau par le col. Isabelle remonta son capuchon. Puis, tête baissée, son sac de linge serré contre sa poitrine, elle contourna l'édifice et s'engouffra dans la buanderie. Elle s'immobilisa aussitôt. Il n'y avait qu'un client à l'intérieur. C'était Guy, qui lisait adossé à la sécheuse. Il leva les yeux par habitude pour accueillir le nouveau venu, mais se raidit en la reconnaissant. Sur son visage, la sollicitude se mua en agacement.

— Salut!

Le ton était tellement dur qu'Isabelle eut envie de rebrousser chemin. Se savoir la source de cette irritation lui brisait le cœur. Elle avait tellement souhaité le revoir, s'expliquer. Voilà que ce désir, loin d'être réciproque, lui portait encore malheur.

— Bon, ben… Moi, j'ai fini.

Il ouvrit la sécheuse et en retira des vêtements encore humides qu'il fourra dans un sac de plastique.

— Attends! S'il te plaît.

Isabelle ne pouvait se résoudre à le laisser partir aussi vite. Pas tout de suite. Pas de cette manière.

— J'ai terminé, alors je te laisse la place.

La voix d'Isabelle se brisa.

— Va-t'en pas.

Guy ne cessait de s'activer. Quand il referma la sécheuse, Isabelle s'entendit le supplier et en ressentit un vif dégoût d'elle-même.

— Arrête! Je m'excuse pour toutes mes niaiseries de l'année passée. Qu'est-ce que je peux te dire d'autre pour que tu restes?

Il venait d'enfiler son manteau. Elle laissa tomber son sac et se plaça en travers de son chemin.

— Arrête de bouder!

— Tasse-toi donc!

Elle ne bougea pas. S'il voulait vraiment sortir, il devrait la bousculer. Ce qu'il ne fit pas.

— Qu'est-ce que tu veux?

— Juste te parler.

— Ben parle! Je n'ai pas toute la journée.

Le ton impatient de Guy la blessa tellement qu'elle ne trouva rien à dire. Les yeux pleins d'eau, les lèvres tremblantes, elle s'écarta pour lui laisser la voie libre et l'entendit pousser la porte derrière elle.

Une fraction de seconde plus tard, elle s'effondrait sur le plancher, seule et tout à coup épuisée. On aurait dit que la fatigue accumulée pendant les derniers mois venait de remonter à la surface. On aurait dit que l'absence de lumière venait de la terrasser. Oubliant tous les arguments qu'elle s'était déjà servis pour se convaincre qu'elle n'était pas à Dawson pour Guy, elle se mit à pleurer et à lui en vouloir. Pourquoi la faisait-il souffrir à ce point? Ne s'était-il pas vengé cent fois depuis qu'elle était partie? Puis elle retourna ses récriminations contre elle-même. Pourquoi était-elle revenue au Yukon? Pourquoi n'avait-elle pas repris sa vie à Québec? Pourquoi avait-elle décidé de rester si c'était pour se torturer de la sorte?

Elle pleurait encore quand la porte s'ouvrit de nouveau. Entre ses paupières à demi-closes, elle vit des bottes usées apparaître. Elle sentit un corps solide s'affaisser à côté d'elle. Un bras l'attira pour qu'elle vienne se blottir. Elle sut tout de suite que c'était Guy et pleura de plus belle.

— J'ai été *rude*. Excuse-moi.

La voix ne soufflait pas très loin de ses oreilles. Des lèvres lui effleuraient le front. Des doigts lui caressaient les cheveux. Les sanglots, pourtant, ne se tarissaient pas.

— Je sais que je n'ai pas été correct avec toi.

Il parlait à voix tellement basse qu'Isabelle se demandait si elle rêvait.

— Je ne pensais jamais que tu reviendrais.

Elle déglutit, suspendue à ses lèvres.

— Quand tu es venue me voir au casino, j'ai voulu te montrer que tu m'avais fait de la peine. Je ne voulais pas que tu penses que j'étais un gars facile. Mais je n'avais pas prévu que tu irais vivre dans une tente avec un autre. Viarge! Un gars d'été en plus!

Elle réprima ses sanglots le temps de se justifier.

— J'avais nulle part où aller.

— Je le sais bien. Mais sur le coup, je n'avais pas compris ce bout'-là. Je pensais que tu avais fait ça pour me faire enrager.

Il la serra contre lui.

— Pis comme tu avais tellement haï ça vivre sans eau courante, je n'avais pas imaginé non plus que tu emménagerais de l'autre bord pour passer l'hiver. Ostie! Le *freeze-up* est deux fois plus long là-bas que chez nous.

Il rit d'un rire amer, lui caressa un moment le dos avant de la serrer encore plus fort. Isabelle étouffait, mais pour rien au monde elle n'aurait voulu le repousser, quitte à manquer d'air.

— Isabelle...

Elle marmonna un « oui » interrogatif, le nez collé à l'intérieur du manteau de Guy, humant de tout son soûl l'odeur de ses vêtements.

— Tu n'étais pas la première à me laisser, mais ça m'a fait tellement mal quand tu es partie que, sur le coup, je me suis juré de ne plus jamais vivre ça. J'aimais mieux faire le reste de ma vie tout seul que de repasser par là une autre fois.

Elle frémit d'entendre autant de naïveté dans la bouche d'un homme de trente-cinq ans. Ne savait-il pas qu'on survivait à une peine d'amour? Emportée par un élan de tendresse et de pitié, elle lui promit que jamais plus elle ne le ferait souffrir.

Il avait installé des lampes DEL dans la cuisine et dans la chambre. Branchées sur la batterie d'auto, elles diffusaient une lumière blanche et crue, presque bleue. On y voyait bien mieux qu'avec une bougie ou un fanal. C'était toute une amélioration.

Nue, allongée dans le lit, la tête appuyée contre l'épaule de Guy, Isabelle laissait ses doigts courir sur sa poitrine puis remonter dans la barbe pour ensuite dessiner le contour de ses lèvres. Ils avaient fait l'amour comme un couple d'adolescents se découvrant pour la première fois. Quelle différence avec l'année précédente! À l'évocation de ce souvenir, Isabelle ne put s'empêcher de sourire.

— À quoi tu penses pour rire de même?

— Je ne ris pas.

Au lieu d'insister, il l'attira plus près et elle se retrouva allongée sur lui, la joue collée contre sa poitrine.

— Tu t'es encore coupé les cheveux?

Il avait glissé ses doigts entre les mèches qu'il étirait maintenant vers le haut.

Isabelle émit un grognement positif.

— Ça te fait bien.

Elle étira le cou, déposa un baiser sur ses lèvres avant de reprendre sa position et d'écouter le cœur qui battait sous son oreille. Guy lui caressa le dos.

— Tu as donc bien la peau sèche! Tu n'as jamais mis de crème?

Elle secoua la tête, gênée. Ce n'était donc pas une maladie de peau.

— Allez, couche-toi là! Il faut t'en mettre tous les soirs. C'est de même pour tout le monde icitte. L'air est trop sec, surtout l'hiver avec le chauffage.

Isabelle enfouit sa tête dans l'oreiller. Quand elle sentit le froid de la crème sous les doigts de Guy, un frisson la secoua des pieds à la tête.

— Ça fait du bien?

Si ça faisait du bien? Comment décrire les démangeaisons qui la torturaient depuis des semaines et qu'elle sentait s'évanouir tout à coup? On aurait dit un orgasme. Un orgasme épidermique. Elle ronronna de plaisir. Les gestes de Guy se transformèrent en massage.

— J'aimerais ça que tu reviennes.

Il avait lancé ces mots comme une confession, d'une voix un peu saccadée. Dans le silence qui suivit, Isabelle perçut la tension propre à l'attente.

— Et Cynthia?

Elle aussi avait parlé avec émotion, mais ce changement de ton passa inaperçu.

— Qu'est-ce qu'elle a, Cynthia?

— Elle est où?

— Dans sa nouvelle maison, je pense. Pourquoi?

— Ce n'est pas ta blonde?

Cette fois, les mains s'immobilisèrent dans son dos.

— Pourquoi tu penses ça?

— Quelqu'un m'a dit que tu étais allé avec elle à Whitehorse.

— Ostie de mémérage! C'est bien Dawson, ça.

Il sacra en bon Québécois qu'il était toujours, malgré ses onze années d'exil, puis vint s'allonger près d'elle.

— Cynthia, c'est mon ex. Elle m'a payé pour que je l'aide à déménager parce que j'ai un pick-up, pis que son chum a juste un char ordinaire.

— Hum.

— Hum, quoi?

— Ça veut dire que personne d'autre n'a dormi à ma place depuis un an?

Guy soupira et feignit un air coupable.

— Il y a Serge, quand sa cabane a été inondée au printemps, mais je te jure que je ne l'ai pas touché.

Isabelle éclata de rire, ferma les yeux et se dit que la vie n'était pas si moche après tout.

Cinq jours plus tard, quand on autorisa les voitures sur le pont de glace, la camionnette de Guy franchit le fleuve et s'élança dans la grande côte. À son bord, un couple enlacé qui reprenait sa lune de miel là où elle avait été interrompue l'automne précédent. Guy se gara devant la petite cabane nouvellement achevée et patienta pendant qu'Isabelle récupérait ses affaires sous le regard déçu et ahuri de Chris. Les deux valises dûment remplies furent balancées dans la camionnette, et le couple reprit la route, convaincu que le bonheur était enfin à portée de la main.

Isabelle avait découvert qu'il y avait deux types de gens à Dawson. Ceux qui buvaient et ceux qui ne buvaient pas. Ces derniers, pas toujours, mais souvent, faisaient autrefois partie de la première catégorie. Comme bien des convertis, ils se montraient sévères avec les buveurs et ne mettaient plus jamais les pieds dans un bar.

Juliet en était rendue là. Après des années de fêtes et beuveries, elle avait décidé que 2002 était une bonne année pour se prendre en main. Elle s'était assagie d'un coup et, pour éviter de flancher, s'était trouvé un nouveau passe-temps, la photographie. Elle avait du talent, tant pour saisir les clichés que pour les retravailler. Elle montait ses photos sur des cartons, y ajoutait des détails au crayon et les présentait avec une enveloppe, sous la forme de cartes de souhaits artistiques qu'une boutique du village avait accepté de vendre moyennant commission. Restait maintenant à constituer un stock suffisant avant l'été et l'arrivée des touristes qui, espérait-elle, ne manqueraient pas de s'intéresser à la nature sauvage qu'elle couchait sur papier.

En mars, quand le soleil commença à réchauffer pour la peine et que sa lumière, bien qu'oblique, commença à donner des éclairages intéressants, Juliet décida qu'il était temps qu'Isabelle reçoive son baptême de l'Arctique. Elle frappa à la porte de la cabane de Guy par un matin ensoleillé. Isabelle l'attendait, vêtue de ses vêtements les plus chauds.

— On se rend jusqu'à Chapman Lake.

Juliet lui avait annoncé leur destination comme un marin s'élançant sur la mer avec un voilier. Si le ton avait inquiété Isabelle, Guy, pour sa part, avait simplement hoché la tête.

— Tu prévois revenir à quelle heure?

— Si on n'est pas rentrées à 7 heures, viens nous chercher.

Isabelle s'étonna du sérieux avec lequel Juliet et Guy prenaient ces précautions.

Dire où on s'en va. Dire à quelle heure on prévoit revenir. Inspecter la camionnette. Parce que c'était l'étape suivante. Par chance, il ne faisait pas froid. À la demande de Juliet, Guy était revenu avec elles jusqu'à la route et avait de nouveau vérifié les niveaux du moteur et la pression des pneus, histoire de ne pas prendre de risques inutiles. Isabelle repéra les couvertures et la nourriture entreposées derrière les sièges. Il y avait aussi deux thermos sur la console et des bûches fendues en quatre attachées à l'arrière. Juliet lui avait expliqué qu'il fallait toujours avoir de quoi faire un feu quand on empruntait la Dempster parce qu'on n'y trouvait pas de combustible. Ni en été, ni en hiver.

Située à une quarantaine de kilomètres à l'est de Dawson, la route Dempster offrait des points de vue spectaculaires. C'est du moins ce qu'avait dit Juliet pour justifier cette balade en plein hiver sur une route quasi déserte que seuls les employés de la voirie osaient parcourir d'un bout à l'autre. On ne savait jamais à quoi s'attendre quand on s'y engageait. Le soleil pouvait briller à Dawson, il n'était en rien garant de beau temps quelques centaines de kilomètres plus loin. Chaque citoyen avait son histoire de blizzard sans fin, de vent terrible et d'accident de voiture qui aurait pu mal tourner. Et si, en été, les touristes aimaient bien la parcourir pour visiter la ville d'Inuvik, dans l'Arctique, si les pêcheurs du coin se plaisaient à en sillonner les rivières, en hiver, la Dempster devenait suspecte. Elle n'en était que plus intéressante aux yeux de Juliet. Les animaux, c'est bien connu, se montrent moins farouches sur une route peu fréquentée. Juliet avait espoir d'en capturer quelques-uns sur pellicule.

Elles roulaient donc vers le nord. Après avoir traversé des pans entiers de forêt boréale et contourné des montagnes, elles franchirent le col North Fork. Le paysage s'ouvrit tout d'un coup, et Isabelle comprit pourquoi tout le monde au village parlait avec admiration de la toundra arctique.

La route se déroulait à perte de vue dans une vallée profonde et couverte de neige. De chaque côté, des montagnes bordaient l'horizon, le plus souvent aussi dénuées de végétation que la vallée elle-même. Seuls quelques maigres buissons vibraient sous le vent. Parce qu'il ventait! Les deux mains crispées sur le volant, Juliet n'arrêtait pas de le répéter.

Isabelle ne savait où poser les yeux. Tout était tellement beau! La neige qui brillait au soleil. Les sommets sculptés par l'eau, le vent et l'érosion datant de l'ère glaciaire. Le ciel était d'un bleu tellement foncé qu'Isabelle aurait cru, plus tard, les photos retouchées si elle n'avait pu le constater de visu. Et que dire de la faune! Jamais elle n'avait vu autant de renards. Ils traversaient la route une centaine de mètres à peine devant la camionnette. Dans les buissons, ce qu'on aurait pu prendre pour des mottes de neige était en réalité une sorte de perdrix que tout le monde au Yukon appelait *ptarmigan*. Tachetée de brun en été, elle était blanche en hiver et se fondait dans le paysage.

Juliet s'arrêtait souvent pour les photographier. Elle possédait un zoom immense et lourd qu'elle posait sur le capot. Clic, clic, clic, clic. Le bruit que produisait la rafale de clichés n'effrayait pas les oiseaux, ce qui permettait à Juliet d'en prendre tant qu'elle n'était pas certaine de tenir ce qu'elle cherchait.

Isabelle s'émerveillait de voir son amie aussi concentrée et déterminée. Juliet ne laissait rien lui barrer la route. Le vent rendait pourtant le froid intenable. Il traversait toutes les couches de vêtements en trois ou quatre secondes. Isabelle s'était risquée à quelques reprises hors de la camionnette, pour finalement décider qu'elle voyait aussi bien de l'intérieur. De l'avis de Juliet, cependant, le vent constituait un obstacle négligeable dont elle ne sentait même plus la morsure tant la passion l'habitait.

Elles se rendirent comme prévu jusqu'au lac Chapman, étendue d'eau minuscule qui servait surtout de repère géographique. Là, Juliet fit demi-tour. Le soleil avait commencé à descendre vers l'ouest et jetait sur la toundra une lumière magnifique.

Elles venaient tout juste de rebrousser chemin quand Juliet poussa une exclamation de surprise en apercevant sur sa gauche les eaux libres d'une rivière.

— On penserait qu'à ce temps-ci de l'année tout serait gelé.

Elle s'immobilisa sur l'accotement, ramassa son appareil et sortit. Incrédule, Isabelle la regarda descendre dans le fossé pour s'approcher du cours d'eau. Juliet avançait en tâtant le terrain du bout du pied parce qu'il était impossible d'évaluer à l'œil la profondeur de la neige. Impossible également de repérer où se terminait la terre ferme à cause de la dentelle de glace qui bordait les rives.

— Ne va pas trop loin, surtout !

Isabelle avait baissé la vitre pour crier, mais la remonta aussitôt. On gelait ! Elle s'inquiéta d'autant plus de voir Juliet braver le danger. Le risque était réel, ne le voyait-elle pas ? Elle imaginait déjà la glace céder, et Juliet plonger dans l'eau. À -30 °C, sous ce vent, les engelures seraient immédiates et terribles. Elle se voyait déjà conduire la camionnette jusqu'à la clinique, en admettant qu'elle trouve les clés. Parce que Juliet les avait glissées dans la poche de son manteau et n'avait pas refermé la fermeture éclair. Si elle tombait à l'eau, rien ne garantissait que les clés y seraient toujours une fois qu'Isabelle l'aurait repêchée.

Quand elle vit son amie se coucher pour prendre une photo de la rivière au ras du sol, Isabelle poussa un juron. La glace sur laquelle elle venait de s'allonger n'avait pas deux centimètres d'épaisseur. Isabelle remonta son foulard, cala sa tuque et, après avoir attaché son manteau jusqu'au cou, elle sortit la sermonner.

— Es-tu malade ? Ça va défoncer. Enlève-toi de là !

— Dans une minute.

Isabelle jura de plus belle. Rien ne garantissait que, dans une minute, la glace serait toujours là. Déjà, il lui semblait entendre le craquement annonciateur du désastre. Elle se prépara à descendre si la situation devenait critique. Sur la glace, Juliet ne bougeait pas, aucun mouvement hormis son index sur l'obturateur et l'angle de sa caméra qu'elle ajustait.

— Bon, tu en as pris assez, là. Viens-t'en avant qu'il arrive quelque chose.

— Dans une minute.

Isabelle serra les poings. Même les meilleures photos du monde ne valaient pas qu'on risque sa vie de la sorte.

— N'attends pas que ça défonce !

— Ça ne défoncera pas. Je l'ai déjà fait cent fois.

Rien qu'à voir l'agilité avec laquelle elle était descendue au bord de l'eau, Isabelle n'en doutait pas un instant. N'importe qui l'aurait trouvée brave. Aux yeux d'Isabelle, cependant, il s'agissait de témérité, voire de folie. Elle anticipait les gestes qu'il faudrait poser quand Juliet tomberait à l'eau. D'abord, la repêcher sans tomber soi-même. La remonter jusqu'à la camionnette. Chercher les clés, mettre le chauffage au maximum, l'aider à se dévêtir, l'envelopper dans la couverture et rouler sans s'arrêter jusqu'à la clinique en espérant ne pas manquer d'essence. Guy avait insisté pour qu'elles apportent un *jerrycan* supplémentaire, mais Isabelle espérait ne pas avoir à remplir le réservoir par ce vent.

Comme Juliet demeurait sourde à ses appels, Isabelle remonta dans la camionnette, furieuse. Elle n'aimait pas attendre ni se sentir responsable d'une imbécile qui s'amusait à risquer sa vie. Juliet comptait évidemment sur elle pour lui porter secours s'il se produisait un accident. Que d'insouciance!

Quand Juliet revint, saine et sauve et fière de ses nouveaux clichés, Isabelle explosa:

— Ne me fais plus jamais ça!

— Te faire quoi?

Sa surprise était sincère. Juliet ne voyait vraiment pas pourquoi Isabelle s'énervait.

— Tu as failli te tuer.

— Ben voyons donc! Je t'ai dit que je l'ai fait au moins cent fois.

Isabelle la croyait, mais n'en démordait pas.

— C'était dangereux. Si tu étais passée au travers de la glace, c'est moi qui aurais dû aller te chercher.

— Si j'avais voulu que ma mère surveille mes moindres gestes et me fasse des sermons chaque fois que je dépasse ses limites, je serais restée à Montréal.

Isabelle était sans voix. Juliet venait de lui servir, à quelques variantes près, le même argument que Guy un an plus tôt. Elle hésita un moment, puis décida que la situation était trop grave pour passer outre.

— S'il t'était arrivé quelque chose, il aurait fallu que je m'occupe de toi.

— Il ne m'est rien arrivé.

— Mais ça aurait pu.

Juliet perdit patience.

— Je ne t'ai pas forcée à venir avec moi. La prochaine fois, tu resteras dans la cabane de Guy à regarder les quatre murs, si c'est pour ça que tu es venue au Yukon.

Isabelle serra les dents, consciente que la situation lui échappait et qu'elle se ridiculisait. Elle tenta de rectifier le tir.

— Ce n'est pas ce que je veux dire. Tu aurais pu être plus prudente.

— Prudente ? Je ne vais pas m'empêcher de vivre parce que tu as peur.

Incapable de répliquer, Isabelle se mura dans le silence. Elles avaient repris la route. Un peu avant Rock Creek, Juliet ralentit et vint se garer à côté de la camionnette de Guy. Isabelle descendit, toujours sans un mot, et s'engagea sur la rivière gelée. Exaspérée, Juliet baissa sa vitre et s'écria, assez fort pour être entendue jusqu'à l'autre rive :

— Ta peur t'appartient, Isabelle. Tu ne peux pas demander aux autres de vivre leur vie de manière à t'éviter de l'affronter. On n'est pas plus responsables de toi que tu l'es de nous.

Isabelle ne répondit pas. Quand elle franchit la porte de la cabane, il était 18 h 45.

Le Klondike Kate's était un restaurant saisonnier très populaire auprès des francophones. Établi dans un bâtiment datant de 1904, l'endroit était tenu par deux Québécois expatriés, et on y parlait autant français qu'anglais, peu importe l'heure du jour. Fait à noter, on n'y trouvait pas de bar. Comme elle était sobre désormais, Juliet s'y sentait à l'aise et y donnait rendez-vous à Isabelle une fois par semaine pour discuter de tout et de rien, mais surtout pour maintenir le contact.

Les deux femmes s'étaient réconciliées après le différend qui les avait opposées en mars sur la route Dempster. Il n'avait pas fallu longtemps à Isabelle pour reconnaître ses torts. Elle n'aurait d'ailleurs pas trouvé un allié dans tout le Yukon si elle avait voulu défendre sa cause. Ici, chacun vivait comme il l'entendait. N'était-ce pas justement la raison pour laquelle elle-même était restée? Elle avait donc offert ses excuses à son amie et avait repris avec elle ses expéditions de photographie, histoire de se désensibiliser.

Depuis le 1er juillet, une nouvelle réglementation en vigueur à Dawson interdisait de fumer dans les endroits pouvant accueillir des personnes de moins de dix-neuf ans. On devine qu'il s'agissait d'une contrainte difficile à faire appliquer dans un village de rebelles comme Dawson. Faute de police municipale, on avait donc exigé des restaurateurs qu'ils fassent respecter le règlement sous peine de perdre leur licence. Or il ne se passait pas un jour sans qu'une personne ne sorte son briquet dans une salle à manger remplie d'adultes et prenne la clientèle à témoin. Le propriétaire devait alors répéter que fumer dans un restaurant était interdit, que des enfants soient présents ou non.

Cette situation, loin de faire l'unanimité, avait créé son lot d'incidents plus ou moins cocasses, comme celui qui se produisit en ce samedi de la fin juillet. Isabelle et Juliet déjeunaient tranquillement au Klondike Kate's quand un homme, debout devant la porte, avait décidé de citer le nouveau règlement.

— Il est interdit de fumer la cigarette, le cigare, la pipe et les produits du tabac en général. Ben, ça m'a tout l'air que la seule chose que je peux fumer ici, c'est du pot.

La blague provoqua l'hilarité parce qu'elle rappelait les débats au conseil municipal le mois précédent. Le maire, qui connaissait bien le tempérament rétif de ses citoyens, avait demandé à ce que le cannabis soit ajouté à la liste des substances qu'on ne pouvait fumer dans un restaurant. Il avait fallu l'intervention de plusieurs conseillers municipaux pour lui rappeler que, le cannabis étant une substance illégale, on n'avait pas besoin de préciser qu'il était interdit d'en fumer.

Qu'à cela ne tienne, le rigolo avait sorti son papier et s'apprêtait à se rouler un joint sur le coin d'une table. Sous les cris de colère de la propriétaire, il dut ranger l'herbe et le papier, et quitter les lieux. Il s'éloignait maintenant en pestant contre la municipalité qui adoptait des règlements injustes. Dans le restaurant, les clients le suivaient des yeux, hilares. Le calme revint au bout de quelques minutes, et Juliet en profita pour se commander un autre café. Elle avait attendu le bon moment depuis le début du repas. Il était maintenant 11 heures. Elle se jeta à l'eau.

— Parcs Canada affichera bientôt un autre poste permanent à combler. Pourquoi tu n'appliquerais pas? Avec ton *background*, tu aurais des chances d'être embauchée. Et ce serait bien mieux que de travailler comme serveuse au Pit ou au casino.

Isabelle leva un sourcil, intriguée. Lors d'une de leurs soirées bien arrosées, l'été précédent, elle avait confié à Juliet qu'elle regrettait ne jamais avoir terminé son baccalauréat en histoire. Elle en ressentait à cette époque un sentiment d'échec. Mais c'était du passé, tout ça. Depuis qu'elle habitait de nouveau avec Guy, elle était heureuse et satisfaite. Ils s'étaient choisis et menaient une vie qui leur convenait à tous les deux. Occuper un poste à temps plein au village reviendrait à rompre ce nouvel équilibre. Isabelle ne pouvait s'y résigner. Plutôt que d'expliquer ses raisons, elle préféra rester vague, histoire de ne pas froisser Juliet qu'elle devinait plus sensible qu'à l'habitude.

— J'aime bien travailler au Pit. C'est payant.

Quelle ne fut pas sa surprise d'entendre Juliet insister!

— Voyons! À Parcs Canada, tu n'aurais plus à endurer les mains des clients sur tes fesses. Tu n'aurais plus besoin de te maquiller autant. Tu aurais un horaire décent.

C'était la première fois, depuis qu'elles se connaissaient, que Juliet essayait d'intervenir dans sa vie. Cela lui déplut tellement qu'elle eut envie de l'envoyer paître. Puis elle remarqua ses mains qui s'agitaient dans tous les sens et devina sa détresse. Juliet n'avait pas touché à un verre depuis le 1er janvier. Maintenant que l'été et son esprit de fête permanent étaient revenus, elle avait besoin d'être confortée dans sa décision. Le fait qu'Isabelle travaillait dans les bars créait une barrière physique entre elles deux. Isabelle s'en était aperçue, mais n'avait pas réalisé à quel point cette distance blessait son amie. Elle en eut pitié.

— Je vais y penser pour l'été prochain.

Juliet se contenta de cette promesse qui n'en était pas vraiment une.

15.

2009

Dawson se déployait devant mes yeux, minuscule hameau ceint sur deux côtés par les versants du Dôme, et sur les deux autres par la rivière Klondike et le fleuve Yukon. Telle une étrange apparition géométrique, le quadrillage de ses rues détonnait au milieu des collines qui rebondissaient à perte de vue. Au sud, phénomène rare, on voyait le soleil.

La veille, ses rayons avaient touché le fond de la vallée pour la première fois depuis mon arrivée. J'avais vu les gens sortir dans la rue, affamés de lumière, le sourire fendu jusqu'aux oreilles. Ils avaient attendu ce moment depuis le début décembre. Deux longs mois sans jamais devoir plisser les yeux à cause d'un rayon de soleil, ça créait un manque, un manque que je ressentais moi-même après seulement trois semaines et demie.

Ces derniers jours, je ruminais. Il y avait eu tout d'abord cette invitation à dîner que j'avais lancée à Guy. Je voulais qu'il me parle de sa vie avec Isabelle, qu'il me décrive comment il la voyait. À force d'insister, j'avais fini par le convaincre d'accepter, mais je l'avais attendu une heure dans le bar de l'hôtel Downtown. Il ne s'était jamais présenté. Il y avait eu ensuite ce rendez-vous avec Isabelle pour visiter un des édifices historiques de Parcs Canada. Elle était arrivée avec quarante minutes de retard en m'expliquant qu'elle ne pouvait rester plus d'un quart d'heure parce qu'il faisait beau et qu'elle voulait sortir avec les chiens. Enfin, le jeudi, je m'étais rendue à la projection d'un film à l'Institut d'art et de culture du Klondike. La présentation avait commencé avec trente minutes de retard.

Ce manque d'organisation et de ponctualité des Yukonnais m'irritait. Chaque fois que je le leur reprochais, ils me lançaient un « *Yukon Time!* » bien senti comme si, au Yukon, le temps s'écoulait différemment et n'avait pas la même valeur que dans le Sud.

Mais il n'y avait pas que leur notion du temps qui me tapait sur les nerfs. La négligence des propriétaires de chiens qui refusaient de garder leurs bêtes en laisse m'irritait tout autant. Deux jours plus tôt, des chiens «errants» avaient renversé la poubelle que j'avais mise au bord du chemin pour qu'elle soit vidée par les éboueurs. Sautant sur l'occasion, les corbeaux avaient éventré les sacs et répandu les déchets sur plusieurs mètres carrés. Dans cette neige immaculée, le spectacle avait de quoi dégoûter, et j'avais passé une heure à ramasser.

Pour ajouter à ces malheurs, la voiture ne démarrait toujours pas, ce qui me confinait au village et à ses quelques rues que je connaissais désormais par cœur. Et comme si ce n'était pas suffisant, je me sentais opprimée par toutes ces montagnes qui me bloquaient la vue. J'avais décrit cette sensation à Isabelle qui, reconnaissant le mal dont je souffrais, n'avait pas perdu de temps pour emprunter le VUS d'une amie. Nous nous trouvions maintenant au sommet du Dôme pour contempler le soleil à son zénith, c'est-à-dire au sud, à un angle de 20° au-dessus de l'horizon bien qu'il fût 14 heures.

Debout, baignée de lumière, j'avais l'impression de retrouver ma vitalité et ma bonne humeur. Je voyais enfin au-delà des montagnes, même si, loin de me rassurer, ce paysage accentuait mon angoisse en me confirmant que nous étions seuls. De fait, il n'y avait rien à des centaines, sinon des milliers de kilomètres à la ronde, chose tout bonnement impossible à imaginer pour qui venait d'une région où les routes se multipliaient et traversaient un à un les villages. Ici, hormis pour retourner à Whitehorse, on ne pouvait aller nulle part. Dawson, c'était le bout de la route. Littéralement. Je pouvais comprendre la situation avec ma tête, mais l'accepter avec mes tripes, c'était une autre histoire. D'après Isabelle, les gens qui s'installaient dans le coin étaient souvent allés aussi au bout d'eux-mêmes.

— Dawson, c'est un village de *tough*. Seuls les plus forts restent. Les autres s'en retournent quand qu'ils n'en peuvent plus. Des fois après un an. Des fois après un mois. Habituellement, si tu fais plus qu'un an, tu es capable d'entrevoir ton avenir ici.

Isabelle et moi étions installées sur un banc de bois orienté au sud. On l'avait de toute évidence placé là à l'intention des citoyens en manque de lumière. Nous avions le village à nos pieds avec, en arrière-plan, le soleil qui semblait suivre le tracé des collines. Je trouvais difficile de le quitter des yeux. Isabelle continuait de parler. Je l'écoutais sans la regarder.

— On découvre qui on est vraiment quand on passe un hiver ici. Moi, par exemple, quand j'ai arrêté de vouloir plaire, j'ai réalisé que j'avais un sale caractère.

Elle a ri, et je n'ai pu m'empêcher de sourire. C'était vrai qu'on devinait chez elle une femme de tempérament très éloignée de l'esthéticienne que j'avais connue. Je n'en revenais toujours pas de cette transformation, même si je savais que je n'avais entendu que la moitié de son histoire.

Elle m'expliquait maintenant, et avec une fierté enfantine, ce que j'avais sous les yeux.

Vers l'est, la route traversait le pont de fer, dépassait le motel Bonanza et le ruisseau du même nom où, cent ans plus tôt, avait commencé la ruée vers l'or. Elle continuait ensuite dans la vallée de la rivière Klondike, entre deux rangées de collines. Dans cette direction, à une vingtaine de kilomètres, se trouvait le domaine de Guy, invisible de la route. C'était là, dans ce qui me semblait le milieu de nulle part, que je l'avais déposée trois semaines plus tôt.

Au nord-est apparaissaient les sommets des monts Ogilvie que traversait la route Dempster. Se tournant face au nord, Isabelle a suivi du doigt le parcours sinueux du fleuve Yukon qui disparaissait entre les montagnes. À l'ouest, elle m'a décrit la route Top of the World qui se frayait un chemin dans la forêt et se poursuivait en frôlant les sommets jusqu'en Alaska.

— Je me souviens quand Guy m'a emmenée à la frontière pour le fun un automne, juste avant que la route ferme pour l'hiver. Il n'y avait pas un arbre, et on voyait l'horizon à trois cent soixante degrés. Mieux qu'ici, même! Des montagnes à perte de vue, rouges au début puis, plus loin, des pics enneigés. Sûrement le plus beau paysage que j'ai vu de ma vie.

Comme si l'évocation de cette balade avait ravivé un souvenir douloureux, Isabelle a changé de sujet.

— Vois-tu la grotte en face du village, juste de l'autre côté du fleuve?

Je ne voyais pas de grotte, mais j'apercevais ce qui ressemblait à un campement rudimentaire. Un canot renversé, une motoneige, des raquettes.

— C'est vrai qu'on ne la voit pas avec tous les arbres qu'il y a en avant, mais c'est là qu'habite Caveman Bill.

Elle a éclaté de rire devant mon scepticisme.

— Pas de farce! Il vit là pour vrai. Depuis treize ans. Tu l'as certainement croisé en ville. La barbe longue, les cheveux longs, du linge usé.

J'ai retenu un fou rire. Cette description correspondait à la moitié des habitants de Dawson, l'autre moitié étant constituée de femmes qui, pour la plupart, avaient coupé leurs cheveux.

251

— Tu n'as jamais eu envie de revenir vivre au Québec?

Je lui avais posé cette question parce que moi, je ne m'imaginais pas m'installer ici, à l'autre bout du monde dans un climat aussi extrême. Loin d'être de cet avis, Isabelle s'est rembrunie et a sorti les clés de la voiture.

— Je ne partirai jamais de Dawson.

Quelques secondes plus tard, le moteur démarrait.

16.

— J'ai une bonne et une mauvaise nouvelle, maman. Laquelle tu veux en premier ?

Isabelle n'avait pas trouvé d'autre manière pour annoncer la chose à sa mère. Elle attendait sa réaction, les mains moites, le front appuyé contre le téléphone public de l'hôtel Downtown.

— Commence donc par la mauvaise.

Isabelle soupira, soulagée. La mauvaise, c'était la plus facile.

— Je ne reviendrai pas à Québec pour les fêtes.

Il s'agissait d'une décision irrévocable. Sauf en cas d'extrême nécessité, Guy n'allait pas au Québec plus d'une fois tous les cinq ans. Sa vie était ici, maintenant. Sa famille l'avait compris et ne l'attendait plus, même si personne n'était encore venu lui rendre visite. À son habitude, il laissait Isabelle libre de ses actes. Lui resterait au Yukon à étudier ses cartes et à faire de l'échantillonnage de sol. Depuis le début de l'automne, il avait repris la prospection minière et se félicitait des résultats. Les choses auguraient bien.

Isabelle n'avait même pas hésité. Depuis qu'elle et Guy formaient un couple, elle n'avait plus envie de le quitter, ne serait-ce qu'une semaine. Surtout qu'avec les derniers événements…

Au bout du fil, la voix de sa mère tonnait.

— Tu sauras que ça ne se fait pas, ma fille. Déjà que tu n'es pas venue l'année passée.

Ma fille. Quand sa mère lui rappelait ainsi leur filiation, c'était toujours pour lui imposer ses vues. Une manière de faire ressurgir une autorité depuis longtemps « passée date ».

— Tu ne peux pas tout le temps manquer les fêtes en famille. On n'est tellement pas nombreux depuis que ton père est mort.

Isabelle se mordit la lèvre. Sa mère lui avait donné le même argument l'année précédente. Ne s'était-elle pas rendu compte de son erreur ? N'avait-elle pas compris qu'en évoquant le décès de son mari pour arriver à ses fins elle donnait l'impression à sa fille d'être un pion sur un jeu d'échecs ? Isabelle se buta. Pas question de céder à ce chantage affectif. Elle s'apprêta à lui répéter sa décision quand sa mère sortit une carte inattendue.

— Si c'est l'argent qui te manque, je vais t'en déposer. Combien il coûte, ton billet d'avion ?

Isabelle en resta bouche bée, incapable d'interpréter cette générosité soudaine. Puis il lui vint à l'esprit que le prix du billet serait en lui-même prohibitif. Elle répondit donc à la question et sourit quand sa mère s'étrangla.

— Es-tu en Chine ou quoi ?

— Ça coûte cher, voyager dans le Nord.

— Ce n'est pas cher, ça. C'est exorbitant. Mais ça ne fait rien. Je vais aller te déposer ça demain.

Voyant que sa mère contournait le problème, Isabelle se ravisa.

— Écoute, maman, ce n'est pas une question d'argent. Tu sais que je ne suis pas seule.

— Tu ne vas quand même pas me demander de payer pour ton Yukonnais ?

Cette réplique ayant tout de l'attaque, Isabelle n'eut d'autre choix que de se rebeller.

— Je ne te demande rien. Je t'ai appelée pour dire que je passais les fêtes ici.

La ligne devint silencieuse. Ça ne dura que quelques secondes, mais Isabelle eut le temps de se demander si la communication n'avait pas été coupée.

— Pis l'autre nouvelle?

Voilà. C'était maintenant l'heure de la grande annonce. Isabelle s'essuya les mains sur ses jeans. Elle aurait peut-être dû prendre plus de temps pour assimiler la chose. C'était déjà difficile à accepter. Comment avait-elle pu s'imaginer en parler avec aisance?

— Je suis enceinte.

Cette fois, elle eut droit non pas au silence, mais à un cri d'effroi. L'instant d'après, Isabelle tressaillait en entendant la voix glaciale de sa mère.

— J'espère que ce n'est pas ton Yukonnais le père?

Ces mots lui firent l'effet d'un coup de poignard dans le cœur. Isabelle chercha un endroit où s'asseoir. N'en trouvant pas, elle s'appuya contre le mur.

— C'est mon chum, maman.

— Le fumeux de pot qui boit au volant?

Comme elle regrettait ce maudit soir d'ivresse de l'été 2001 où, toute à sa colère, elle avait écrit une lettre à sa mère! Elle rentrait du Triple J et venait d'apercevoir Cynthia dans la camionnette de Guy. Elle était furieuse, elle voulait en finir avec cet amour qui la torturait. Voilà maintenant que sa mère lui reservait les arguments qu'elle-même avait mis par écrit pour se convaincre de renoncer à Guy.

— Il n'est pas si pire que ça.

Elle ne trouvait rien d'autre pour se justifier. Ce soir-là, elle avait exagéré les faits, avait réagi trop violemment. Mais, puisque maintenant elle portait l'enfant de Guy, elle avait décidé qu'elle n'en aurait plus honte. Jamais. Au bout du fil, sa mère n'en démordait pas.

— Dans ta lettre, tu disais que c'était un irresponsable.

— J'avais trop bu.

— Je commence à penser que le Yukon a une bien mauvaise influence sur toi. D'abord, tu sors avec un barbu qui ne se lave pas, qui boit en conduisant, pis qui fume du pot. Pis là tu m'annonces que tu bois, toi aussi.

— Dit de même, c'est vrai que ça regarde mal. Mais ce n'est pas si pire que ça. Pis je ne t'ai jamais écrit qu'il ne se lavait pas. Tu en inventes, là.

Parce qu'elle avait conscience d'avoir dépassé les bornes, sa mère changea de tactique.

— Il doit bien y avoir des cliniques d'avortement au Yukon.

Nous y voilà! Isabelle prit son ton le plus ferme.

— Il y en a peut-être, mais ça ne change rien. Je vais le garder.

— Ben voyons! Penses-y un peu, Isabelle. Tu ne peux pas mettre au monde un enfant au milieu de nulle part.

— C'est pas le milieu de nulle part.

— Il n'y a même pas d'hôpital dans ton village, c'est toi qui l'as dit.

— On nous envoie à Whitehorse pour l'accouchement.

— C'est encore pire! Tu ne peux pas te taper une journée de route à la fin d'une grossesse, c'est dangereux pour les phlébites.

— Je m'arrêterai plusieurs fois en chemin.

— Est-ce que c'est lui qui va conduire?

Isabelle ne répondit pas. La vérité, c'était qu'elle n'en avait pas encore parlé à Guy. La veille, elle avait fait un test de grossesse avant de prendre sa douche. C'était juste pour se rassurer parce que ses règles avaient trois jours de retard. Trois jours, ça ne signifiait rien. Les fesses sur le siège glacé, elle avait regardé le + apparaître, l'esprit à mi-chemin entre l'horreur et l'incrédulité. Dix minutes plus tard, pourtant, elle avait déjà pris sa décision. Elle avait trente-quatre ans. C'était le temps d'avoir un enfant.

— Ce bébé-là, je vais le garder, avec ou sans le père. Bon, il faut que je te laisse. Je n'ai presque plus de minutes sur ma carte. Passez de belles fêtes, toute la famille.

Elle raccrocha sans laisser à sa mère le temps de protester. Restait maintenant à en informer Guy.

Avec sa neige immaculée, ses lumières multicolores et ses guirlandes entortillées, Dawson avait des allures de petit village de Noël, dans le genre de ceux que l'on installait depuis quelques années sous les sapins au Québec. À l'approche du 25, une partie des habitants étaient retournés dans le Sud pour les fêtes de famille. Seuls restaient ceux qui n'en avaient pas les moyens ou le désir. Les rues étaient à ce point désertes qu'Isabelle ne croisait plus personne au bureau de poste. Elle poussait son panier dans une épicerie silencieuse, n'attendait plus jamais son tour à la caisse de la quincaillerie. Les températures se maintenaient autour de -20 °C. Le Yukon paraissait confortable, somme toute. Confortable et serein.

Mais il ne l'était qu'en apparence. Depuis le 16 décembre, une rébellion couvait à Dawson et dans les environs. Ce jour-là, le gouvernement fédéral avait annoncé son intention de modifier les normes d'exploitation des mines aurifères. Cette déclaration avait plongé tout le Klondike dans l'incertitude, ce qui avait alimenté les rumeurs, semé un vent de panique, gâché la fête de Noël, et gâcherait sans doute de la même manière le réveillon du jour de l'An. On prédisait partout la mort du village, la fin du Klondike, et avec lui c'était tout un mode de vie qui disparaîtrait.

Le 30 décembre en après-midi, dans un Pit enfumé, quelques dizaines de mineurs et de prospecteurs s'étaient donné rendez-vous. Réunion improvisée s'il en était, car personne ne savait rien au sujet des nouvelles normes. Chacun, cependant, avait son opinion. La grogne se lisait sur les visages.

Assise au bar, un verre de *ginger ale* à la main, Isabelle écoutait les discussions d'une oreille distraite, repliée sur elle-même, en proie à une solitude qu'elle n'avait encore jamais ressentie. Elle aurait eu besoin d'une compagne ce soir, d'une amie à qui confier son tourment. Juliet était partie à Montréal, et, même s'il y avait bien quelques femmes parmi les clients, elles ne lui prêtaient pas attention. Toutes partageaient les inquiétudes des hommes et participaient avec la même vigueur aux échanges.

Comme d'habitude quand on tenait ce genre de réunion au Yukon, on s'exprimait en anglais parce que c'était la langue de communication que tous maniaient avec plus ou moins d'habileté. Cela n'empêchait pas, ici et là, quelques phrases en français ou en allemand, et même quelques jurons québécois.

— Ce n'est pas vrai que la réglementation est partout la même au Canada. On a juste à descendre au B.C., à Atlin, pour s'apercevoir que là-bas, c'est pas mal moins sévère qu'ici. Pis le B.C., c'est encore au Canada, que je sache.

La serveuse leur avait apporté de la bière dix minutes plus tôt, mais déjà les bouteilles étaient vides.

— Si le gouvernement fédéral veut mettre fin à la prospection, il a juste à racheter nos *claims*.

S'éleva un mélange de « *Yeah!* » tantôt fougueux tantôt résignés. Une femme protesta :

— Ça coûterait bien trop cher, voyons ! Ils sont bien mieux de nous regarder crever à petit feu. Parce que c'est ça qui va arriver, je vous dis. On va tous faire faillite. Je n'en connais pas un qui a assez d'argent pour se rééquiper. Surtout que notre machinerie ne vaudra plus rien quand ils vont changer les normes. Va falloir repartir à zéro.

Quelqu'un avait rappelé la serveuse qui revenait avec un plateau chargé. Le Pit était rarement aussi plein un jour de semaine, surtout l'hiver. Le propriétaire faisait des affaires en or avec cette histoire. Comme quoi, le malheur des uns…

— On ne sait même pas de quoi elles vont avoir l'air, ces nouvelles normes.

— On sait en tout cas que la limite en sédiment va être plus basse que celle de la Yukon Placer Authorization. C'est assez pour se décourager.

Les clients s'interpellaient d'une table à l'autre. Isabelle surveillait Guy qui, installé le long du mur, chialait et buvait et chialait encore. Son rêve venait de partir en fumée.

En annonçant son intention de durcir la réglementation, Pêches et Océans Canada avait précisé qu'on agissait de la sorte pour protéger les poissons et leurs habitats. Si la cause était louable, les moyens l'étaient moins. On voulait forcer chaque prospecteur à récupérer cent pour cent des sédiments qu'il rejetait dans l'eau utilisée pour laver la terre extraite du sol. Or, on ne parlait pas ici de s'attaquer à une industrie prospère et bien établie, mais à une soixantaine de petites exploitations quasi artisanales qui tiraient déjà le diable par la queue pour survivre parce que l'or ne valait toujours pas le coût de son extraction. De l'avis général, le gouvernement fédéral cherchait à les exterminer.

— Ils sont complètement fous, à Ottawa. C'est à cause des environnementalistes du Sud, tout ça. On rejette vingt-cinq milligrammes de sédiments par litre. À ce taux-là, l'eau est aussi claire que celle qui coule du robinet.

— On voit qu'ils ne sont jamais venus sur place constater ce que la White River déverse chaque année dans le fleuve Yukon. S'ils venaient, ils verraient bien qu'on dérange pas mal moins que l'érosion naturelle qui elle, dure depuis des millions d'années sans que personne ne s'excite le poil des jambes avec ça.

Isabelle connaissait les études par cœur à force d'entendre Guy les répéter. C'était douze mille milligrammes de cendre volcanique par litre d'eau que la rivière White rejetait dans le fleuve Yukon. Des sédiments en suspension visibles à l'œil nu tout l'été. Tout le monde savait bien que la cause du litige n'avait rien à voir avec les sédiments, qu'ils soient de source naturelle ou générés par l'activité humaine. La vérité était ailleurs.

Les écologistes avaient sonné l'alarme : les stocks de saumons avaient baissé ces dernières années. Tout le monde s'en était aperçu, mais quelqu'un avait prévenu Ottawa. Puisqu'il fallait un coupable, Pêches et Océans Canada en avait trouvé un : les petits prospecteurs yukonnais. Ils constituaient une cible de choix. Ils étaient pour la plupart assez pauvres, donc incapables financièrement de s'opposer à une loi fédérale. Ils vivaient isolés, loin des réseaux de communication, la majorité d'entre eux s'activant autour de Dawson City, donc à cinq cents kilomètres de la capitale territoriale et à six mille kilomètres de la capitale nationale. De plus, la majorité d'entre eux étaient peu scolarisés, donc naturellement défavorisés quand il fallait défendre leurs droits contre le gouvernement. Des victimes faciles et une cible bien commode pour faire taire les environnementalistes de Vancouver, de Toronto et d'Ottawa.

— Du poisson, il y en a toujours eu, même après que les *dredges* soient passées dans la région. Même que, selon les Indiens, il y avait davantage de poissons après qu'avant parce que les étangs creusés par les *dredges* étaient des habitats de meilleure qualité que les petites criques de mère Nature.

— Je vais vous le dire, moi, ce qui cause la diminution des stocks de saumons. C'est la surpêche.

— Pis le *Yukon Queen II* qui amène les touristes sur le fleuve !

La rumeur circulait depuis un moment que la prise d'eau du *Yukon Queen II* avalait les petits poissons. On prétendait aussi que ses vagues brouillaient la route de migration des plus gros.

— Il est fait pour la mer, ce bateau-là. Pas pour notre fleuve. C'est ça, mes amis, qui affecte les stocks de saumons.

— Tu oublies que le *Yukon Queen II* appartient à des Américains. *That's big money, my friend!* Qu'est-ce qu'on vaut, nous autres à côté? Absolument rien!

— C'est vrai, ça!

— On n'est juste pas assez riches ni assez puissants pour aller faire du lobbying à Ottawa.

Après s'être échauffés, les esprits plongèrent tout à coup dans la déprime. Chacun alluma une cigarette.

— Moi, je vous le dis, les gars. Si on me force à me ré-équiper, je m'en vais. J'ai investi tout ce que j'ai dans ma compagnie. Je sais que je vais tout perdre, mais je ne suis juste pas capable de supporter un autre emprunt. Surtout que la machinerie actuelle ne vaudra plus une cenne une fois que les nouvelles normes seront en place. Aussi bien plier bagage, pis aller tenter ma chance ailleurs.

— Si tout le monde commence à partir, il n'y a plus personne qui va vouloir venir ici. Nos maisons ne vaudront plus rien. Le village va faire faillite.

Guy se leva et fit signe à Isabelle de le suivre. Il s'en allait, incapable d'en entendre davantage. Une fois dans la camionnette, il garda le silence, les deux mains serrées tellement fort sur le volant qu'il en avait les jointures rougies. Ce n'est qu'une fois passé le pont de fer qu'il laissa libre cours à sa colère.

— Tout mon argent est passé là-dedans. Chaque dollar, chaque cenne. L'équipement, les *claims* pis les autres frais parce que, tu sais bien, il y a toujours d'autres frais. Dans le temps, j'ai même renoncé à une bonne job dans le Sud pour venir ici. Dix-sept ans de ma vie gaspillée. Pour rien.

C'était tellement rare que Guy exprime des regrets de ce genre qu'il fallut quelques minutes à Isabelle pour absorber l'information. Un détail lui sauta aux yeux.

— Comment ça, dix-sept ans? Quand on s'est rencontrés, tu m'as dit que ça faisait dix ans que tu vivais au Yukon.

Guy lui répondit sans quitter la route des yeux, toujours furieux.

— Avant de venir icitte, j'ai fait mon bac en géologie. Je te dis qu'à soir je suis content de ne pas avoir fait ma maîtrise. Tu parles d'une perte de temps!

Isabelle aurait dû être stupéfaite d'apprendre que Guy possédait un diplôme universitaire, mais plus rien ne la surprenait venant de lui. Elle s'attarda plutôt sur cette déception qu'elle arrivait difficilement à mesurer. Après tout, elle vivait avec un cuisinier et avait peu connu le prospecteur qui trépignait d'impatience à l'idée de trouver de l'or. Puis elle se demanda comment il fallait s'y prendre, maintenant, pour lui annoncer sa grande nouvelle.

Guy venait de refermer le poêle après y avoir placé deux grosses bûches. À cause du temps qu'ils avaient passé en ville, la cabane s'était refroidie. Isabelle avait attendu qu'ils soient de retour et que Guy s'ouvre une bière. Elle aurait voulu qu'il s'assoie sur sa chaise, qu'il se détende et lui décrive comment se déroulait le party du jour de l'An à Dawson. Il aurait tout aussi bien pu lui raconter sa partie de chasse de l'automne avec Serge. Il aurait pu s'occuper à n'importe quoi, elle n'en avait cure, du moment qu'il se calme et qu'elle puisse lui parler. Mais voilà qu'il regardait ses cartes en répétant qu'il devrait les brûler. De tout l'automne, il ne s'était pas écoulé un jour sans qu'il lui parle d'échantillonnage de sol et de géographie du terrain. Avec l'annonce du gouvernement fédéral, il venait de perdre sa raison de vivre.

Isabelle, qui avait attendu pendant deux semaines qu'arrive le bon moment, imaginait maintenant le pire. Guy pliant bagage. Guy vendant ses biens à perte et s'en allant ailleurs, là où il pourrait prospecter à sa guise. En Nouvelle-Zélande, peut-être? Au Pit, ce soir, un des hommes avait lancé cette idée. Isabelle en avait frémi. Qu'adviendrait-il d'elle et de l'enfant si Guy émigrait dans un autre pays?

Elle décida qu'elle ne pouvait pas le laisser prendre une décision aussi drastique. Il devait au moins connaître la vérité. Quitte à piquer une colère sans bon sens.

— On va avoir un bébé.

Guy venait juste de s'immobiliser, un coin de carte froissé dans la main, tendu comme s'il s'apprêtait à ouvrir le poêle pour la jeter aux flammes. Il tourna la tête dans sa direction, les sourcils arqués. Impossible de dire s'il était heureux ou non. Il relâcha la carte, attrapa une chaise et s'assit. Elle le vit plonger dans ses pensées. Il se demandait sans doute, comme elle se l'était demandé d'ailleurs, lequel des accidents de condom était la cause de cette surprise. Au bout d'un moment, il se gratta la barbe.

— As-tu reçu ta carte d'assurance maladie du Yukon?

Même si toute trace de colère avait disparu, Isabelle en resta bouche bée. Elle ne s'attendait pas à une question aussi pragmatique.

— Tu ne veux pas savoir ce que j'en pense?

Guy haussa les épaules. Il avait miraculeusement retrouvé son flegme, comme si les événements des derniers jours avaient tout à coup perdu de leur importance.

— Tu auras besoin de ta carte que tu le gardes ou pas.

Impossible de s'opposer à un tel raisonnement. Où diable puisait-il ce calme alors qu'elle-même transpirait d'angoisse?

— Est-ce que tu veux le garder?

C'était la question qu'elle attendait. Elle hocha la tête.

— D'accord. Au début, on va lui faire un petit coin à côté de notre lit. Cet hiver, je vais demander à Serge de venir m'aider à couper du bois. Plus tard, quand on aura besoin de place, je bâtirai une autre chambre.

— Ça veut dire que tu le veux, toi aussi?

— Évidemment! Tu pensais quoi? Que je te mettrais à la porte?

Il avait l'air irrité qu'elle ait pu imaginer un instant qu'il la rejetterait.

— Tu sais, je peux m'en occuper toute seule. À l'âge que j'ai...

— Je ne vois pas pourquoi tu t'occuperais toute seule de mon p'tit.

Le ton avait changé. Consciente de l'avoir insulté, Isabelle se radoucit.

— Je me disais juste que ça va changer des choses dans ta vie. Un enfant, c'est des dépenses. Pis avec les nouvelles normes, tu n'auras pas trop d'argent.

— Je m'arrangerai ben.

Pour lui, tout était dit. Il retourna à sa carte, comme s'il hésitait encore entre la brûler et la ranger. Isabelle eut l'impression qu'elle allait manquer d'air.

— Tu n'as rien à ajouter?

Peut-être aurait-il mieux valu prendre le « oui » pour ce qu'il représentait, ne pas chercher plus loin, mais elle voulait savoir ce qu'il en pensait vraiment, ce qu'il ressentait à l'idée d'être père.

— Qu'est-ce que tu veux que je dise d'autre?

— Que tu es content. Ce serait un début.

— Je suis content.

Il avait lancé cette phrase avec une telle indifférence qu'Isabelle s'impatienta.

— J'aimerais savoir si ça te fait plaisir d'avoir un enfant.

— Je te mentirais si je te disais que c'était dans mes projets. Mais ça ne veut pas dire que je n'en veux pas. Je n'y avais juste jamais pensé.

Elle était debout, au bord des larmes. Guy devina sa détresse. Il s'approcha et ouvrit les bras juste à temps pour qu'elle s'y réfugie avant d'éclater en sanglots.

— Ben voyons, ne pleure pas. Tu viens de me faire une surprise. Je n'y avais jamais pensé pour vrai. Laisse-moi le temps de m'habituer à l'idée que je vais être papa. Tu sais bien qu'un gars indépendant comme moi, ça lui prend du temps pour réaliser qu'il va y avoir un *kid* qui va le suivre partout pendant les dix-huit prochaines années.

Isabelle éclata de rire. Elle imaginait Guy faire de l'échantillonnage de sol, un bambin sur les talons.

— Bon, c'est mieux, ça. Maintenant, il faut que tu me promettes que, demain, tu vas vérifier si ta carte d'assurance maladie est dans la *mail*.

Elle promit, rassurée. Les nouvelles réglementations, les nouveaux coûts, les menaces de faillite, tout cela avait disparu. Ne restait qu'eux deux et cet enfant qu'ils élèveraient au Yukon.

L'hiver yukonnais, pour froid qu'il était, n'apaisa en rien l'esprit surchauffé des mineurs et des prospecteurs. Il y eut des manifestations. On mobilisa la population. Il y avait les pour et il y avait les contre. Les lettres envoyées aux journaux se comptaient par centaines chaque semaine, les deux clans se répondant au moyen du courrier des lecteurs, chacun exposant les arguments en sa faveur. On associait les environnementalistes à ces gens du Sud qui viennent dans le Nord et se prennent pour des missionnaires. On affichait pour eux davantage de mépris qu'on en réservait aux plus arrogants des *cheechakos*. L'Association des mineurs du Klondike envoya sa représentante à Ottawa. Même le maire de Dawson se déplaça pour aller défendre les intérêts de sa communauté. Finalement, au mois de mai, le gouvernement revint sur sa décision et accepta de consulter les mineurs du Klondike avant d'établir ses nouvelles normes dans le dossier de la prospection aurifère.

Une poignée de Yukonnais, qu'on avait crus désorganisés, avaient réussi à s'imposer. Même s'ils n'avaient pas gagné la guerre, ils avaient obtenu le droit de parole. Cette victoire ajouta à la légende entourant les chercheurs d'or, glorifiant leur ténacité et leur courage. On perçut tout de suite un effet positif sur l'économie. Et comme si tout le Canada avait suivi le débat, on sentit cet été-là un regain du tourisme.

À l'abri de cette effervescence, dans le calme du domaine de Guy, Isabelle vivait sa grossesse sans problème. Au début août, Juliet organisa un *shower* de bébé qui conforta Isabelle dans l'opinion qu'elle s'était faite de ses concitoyens. Grâce aux cadeaux apportés pour l'occasion, elle possédait de quoi vêtir le nouveau-né jusqu'à l'âge de deux ans. Guy mit la main sur une couchette, Serge sur un couffin. Si bien que lorsque, deux semaines avant la date prévue pour l'accouchement, Guy conduisit Isabelle à Whitehorse, tout était prêt pour l'arrivée du bébé.

Jonathan naquit au début septembre, le lendemain de l'anniversaire d'Isabelle qui déclara, quand on lui tendit son enfant, que c'était le plus beau jour de sa vie. On était en 2003. Elle venait d'avoir trente-cinq ans.

La nature suivant un cours immuable, l'hiver revint dès le mois d'octobre, aussi rude et sec que les années passées. Comme Isabelle n'avait pu travailler pendant l'été, Guy avait dû se trouver un emploi plus payant et plus fiable. Il s'était fait embaucher comme géologue par une des compagnies de prospection aurifère qui s'intéressaient tout à coup au

Klondike. Depuis l'invasion de l'Irak par les États-Unis, au mois de mars, le cours de l'or remontait, ce qui attirait dans la région de nouveaux joueurs et donnait une importance nouvelle aux talents des mineurs et des prospecteurs établis depuis longtemps.

Jonathan était un nourrisson joufflu, toujours de bonne humeur. Isabelle lui chantait la *Toune d'automne* des Cowboys fringants en le berçant dans la nouvelle chaise que Guy avait rapportée de Whitehorse.

Entre la cuisine, l'entretien du poêle à bois et les soins du bébé, elle se trouva tellement occupée qu'elle ne vît pas l'hiver passer. Changer les couches sans eau courante exigeait temps et imagination. Si bien qu'au mois de mai, quand la glace de la rivière Klondike se brisa, Isabelle commença à parler de déménager.

— On pourrait se trouver un petit appartement en ville. Ce serait pas mal moins d'ouvrage pour moi.

Elle avait commencé à parler comme Guy quand il s'agissait de Dawson. Elle savait que ce n'était qu'un village, mais, à part pour leur virée hebdomadaire au motel Bonanza Gold, elle y allait tellement peu souvent qu'à chaque visite elle avait l'impression d'y croiser une foule.

— Oublie ça! De toute façon, ce serait trop cher.

Guy ne voulait pas entendre parler de déménagement. Il aimait sa vie, son domaine, et considérait son nouvel emploi comme quelque chose de temporaire. Bientôt, très bientôt, espérait-il, il reprendrait la prospection à son compte. Isabelle insista:

— Si on vivait au village, on pourrait envoyer Jonathan à la garderie et je pourrais travailler. On aurait deux salaires et…

— … et on devrait payer un gros loyer parce que tous les appartements, du plus grand au plus petit, coûtent une fortune ici. On recevrait un *bill* de chauffage, un *bill* d'électricité, un *bill* de téléphone. Bien vite, le p'tit voudrait la

T.V… On deviendrait dépendants de la technologie. Nos paies au complet y passeraient. Pis je n'aurais plus jamais les moyens de chercher de l'or quand ça m'adonne.

— Peut-être, mais Jonathan aurait des amis.

— Jonathan aura des amis quand il ira à l'école. Ça viendra bien assez vite, fais-toi-z'en pas. En attendant, il s'intéresse juste à sa mère, et c'est très bien comme ça.

C'était vrai. Même si Isabelle avait cessé de l'allaiter, Jonathan n'avait d'yeux que pour elle. Qu'il soit dans sa chaise haute ou par terre à quatre pattes, il la suivait du regard et tentait de la rejoindre dès que l'occasion se présentait. Isabelle s'émerveillait de cet amour inconditionnel. Son fils l'adorait et, à neuf mois, il lui rendait caresse pour caresse, se blottissait contre elle comme s'il ne devait jamais la quitter. Il aimait sans doute son père aussi, mais, comme Guy passait le plus clair de son temps dans le bois à travailler, c'était avec sa mère que Jonathan fusionnait. Avec sa mère et avec personne d'autre.

Les soins du bébé requéraient tellement d'eau qu'Isabelle s'approvisionnait à la douche vingt fois par jour. À ce rythme-là, il était à prévoir que la pompe ne résisterait pas longtemps. Quand elle se brisa, au milieu du mois de juin, Guy venait de partir à bord de l'hélicoptère de son employeur. Isabelle se résigna donc à puiser l'eau directement dans la rivière, dont la crue inondait les berges depuis deux semaines.

Elle marchait vers la cabane, un gallon bien plein dans chaque main, quand retentit un bruit de casseroles et de vaisselle. Sur le coup, elle s'inquiéta. Guy ne devait pas revenir avant trois jours. Puis elle pensa à Serge qui, comme tous les étés, faisait la cueillette de morilles. Il devait se trouver sur la route Dempster, là où la forêt avait brûlé à l'été 2003. Mais c'était bien dans ses cordes de rentrer inopinément quand il en avait ras-le-bol de ses compagnons de travail. Et quand il sortait du bois, c'est directement dans la cuisine d'Isabelle que Serge venait fouiller à la recherche de nourriture.

Convaincue qu'il s'agissait de leur ami, elle se détendit et poursuivit sa route bien tranquillement. Ce n'est que lorsque le plancher de la cabane craqua si fort qu'on aurait dit qu'une planche avait été défoncée qu'Isabelle se ravisa. Il se passait quelque chose d'anormal. Abandonnant les gallons dans le sentier, elle s'approcha. Elle vit tout de suite l'ours par la porte entrebâillée. Son regard se posa sur la bombonne de poivre de Cayenne qui se trouvait sur la galerie. C'était une mauvaise idée d'affronter l'ours de cette manière parce que Jonathan dormait dans la pièce du fond. Il fallait absolument qu'elle le sorte de là avant qu'il se réveille.

Contournant la maison, elle gagna la fenêtre de la chambre qu'elle ouvrit doucement. Le bois grinça, mais le bruit passa inaperçu au milieu du tapage provenant de la cuisine. Isabelle se hissa à l'intérieur, attrapa le fusil que Guy gardait sous le lit et le plaça à portée de la main. Elle enroula Jonathan dans une couverture avec laquelle elle le fit descendre par la fenêtre jusque dans l'herbe. Après avoir appuyé l'arme sur le mur extérieur, elle sortit comme elle était entrée.

Il importait d'abord de mettre Jonathan à l'abri. Puisqu'il dormait toujours, elle le déposa dans la serre et en referma la porte. Elle revint ensuite vers le fusil qu'elle savait chargé. C'était un gros calibre, ce que Guy utilisait pour chasser l'orignal. Elle n'hésita pas un instant, mais, au lieu d'entrer dans la cuisine et d'abattre l'ours, elle tira en l'air. Un silence tendu suivit le coup de feu. Un silence qui ne dura pas longtemps. Paniqué, l'ours fit encore plus de vacarme, brisant tout sur son passage. Isabelle tira de nouveau. Elle vit enfin l'animal sortir en courant et s'enfuir dans la forêt où il disparut.

C'est alors seulement qu'elle ressentit la douleur qui lui broyait l'épaule. Elle avait fait feu à deux reprises sans même penser au recul. Une fois le danger écarté, la réalité venait de la rattraper. Elle lâcha l'arme pour se masser et gémit. Le bleu serait énorme. Il faudrait des semaines avant que Jonathan puisse y appuyer la tête. Elle grimaça à cette idée et retourna à la serre chercher son fils.

Quand Serge arriva, une quinzaine de minutes plus tard, il la trouva assise sur la galerie en train de bercer l'enfant. Si le sommeil de Jonathan n'avait pas été troublé par les événements, il n'en allait pas de même pour la quiétude de Serge. Il fumait son joint dans sa cabane quand les détonations avaient retenti. Comme Isabelle l'avait imaginé, il était rentré le matin même et avait effectivement prévu une razzia dans leurs provisions cet après-midi-là. Lorsqu'il lui demanda pourquoi elle n'avait pas tout simplement abattu l'ours dans la cuisine – ce qui, selon lui, aurait été la chose à faire –, elle lui répondit avec un flegme s'apparentant à celui de Guy :

— Il y aurait eu du sang partout sur les murs et sur le plancher. Juste à l'idée de nettoyer le dégât sans eau courante…

Guy eut beau la sermonner quand il rentra quelques jours plus tard, elle ne regrettait pas son geste.

— Oublie le ménage! C'est ta vie qui était en jeu. Pis celle de Jonathan aussi. Il peut revenir n'importe quand, cet ours-là.

— Ben s'il revient quand tu es là, tu tireras dessus si tu veux. Ça ne me dérange pas. Pourvu que tu laves le plancher après.

Heureusement pour eux, l'ours ne revint pas.

Dès qu'il sut marcher, ce qui se produisit au milieu du mois d'août, Jonathan devint un enfant terrible. Il ne supportait plus de rester à l'intérieur ni de graviter autour de sa mère. Il exigeait de découvrir par lui-même ce qui se trouvait au-delà et profitait de la moindre occasion pour se sauver dans le bois, au grand dam d'Isabelle.

Il n'était pas rare qu'un renard longe le fond du terrain. Il y avait également des loups dans la région. Et des ours, évidemment. Sans parler des carcajous. Tous ces animaux constituaient des dangers potentiels contre lesquels Isabelle essayait de protéger son fils. Or, ce fils refusait systématiquement les entraves. En plus de son caractère aventurier, Jonathan était trop intelligent pour le bien de ses parents. Comme si cela ne suffisait pas, il possédait un sens aigu de l'observation. Aucun nœud ne lui résistait. C'est ce qu'Isabelle avait découvert quand, à bout de nerfs, elle l'avait attaché par la taille avec une corde afin qu'il ne s'éloigne pas pendant qu'elle travaillait dans le potager. Elle ne l'avait pas quitté des yeux trente secondes que, déjà, il grattait avec ses petits doigts, donnant du lest là où il le fallait. Cinq minutes plus tard, il se sauvait à vive allure malgré ses petites jambes. Isabelle pestait. Elle avait beau le punir, Jonathan recommençait son manège, incorrigible. Jour après jour, elle devait courir derrière lui pour lui éviter de se blesser ou de s'enfoncer plus avant dans la forêt.

Chaque fois que Jonathan prenait la poudre d'escampette, son visage s'illuminait. Il lui arrivait même d'éclater de rire, fier d'avoir réussi à déjouer les plans de sa mère. Il n'était pas rare non plus de le voir se débattre et se mettre en colère quand on le rattrapait.

C'est donc d'un œil heureux qu'Isabelle vit le retour de l'hiver. Même si Jonathan n'était pas de tout repos dans la maison, une fois chaussé de bottes et habillé de son gros habit de neige, il était beaucoup plus facile à contrôler. Les soirs les moins froids, elle s'allongeait avec lui dans la neige pour regarder les aurores boréales. Jonathan s'émerveillait, agitant le bras, comme le ferait un chef d'orchestre, afin de suivre les ondulations de la lumière. Dans ces moments, les préférés d'Isabelle, elle lui pardonnait son mauvais comportement et trouvait presque drôle de reconnaître chez le fils le même amour du bois que chez le père.

En décembre, Guy et Isabelle réussirent à l'asseoir dans un traîneau pour l'emmener jusqu'à la camionnette. Cette technique devint caduque dès le mois de janvier quand Jonathan commença à protester en zézayant :

— Moi, je marche !

Dès lors, il fallut ralentir la cadence. Se rendre à Dawson prenait maintenant la journée. Jonathan avait un an et demi, mais on devinait qu'il serait plus tard aussi indépendant, tenace et indifférent à la critique que son père.

Isabelle comprit pour la première fois en 2005 ce que le solstice d'été avait d'éprouvant. En tant que parent, elle ne pouvait accepter que son enfant dorme seulement deux ou trois heures par nuit. C'était pourtant le cas. Elle et Guy tombaient de fatigue que Jonathan gambadait encore. Il se montrait rebelle sur tout, sauf pour la nourriture qu'il avalait comme si chaque repas était le dernier.

L'agrandissement de la maison était terminé, et la pièce supplémentaire avait été aménagée de sorte que Jonathan devait d'abord passer par la chambre de ses parents pour sortir de la maison. Isabelle avait demandé à Guy d'installer une porte entre leur chambre et la cuisine, mais Guy s'y était opposé.

— L'air chaud ne circulera pas si on ferme la pièce.

Ils s'étaient donc entendus pour une demi-porte. Quand on voulait l'ouvrir, il fallait se pencher par-dessus et dégager le crochet que Guy avait fixé au plancher du côté de la cuisine.

Un matin, à son réveil, Isabelle trouva Jonathan endormi devant cette demi-porte, la tête appuyée sur des couvertures empilées pour former un marchepied. Elle soupira, découragée par l'ingéniosité que son fils avait déployée pour orchestrer son évasion.

La liste des courses à faire était longue. Il fallait se rendre à l'épicerie, au bureau de poste, à la quincaillerie, mais pas au Liquor Store. Depuis la naissance de Jonathan, Guy ne buvait presque plus, se contentant d'une bière avec Serge de temps en temps. Il faut dire que son employeur n'aurait pas toléré cet abus, et Guy tenait à son poste depuis qu'il avait deux personnes à sa charge.

En mai, Isabelle avait espéré se trouver un emploi au moins pour l'été. C'était sans compter avec le tempérament de Jonathan qui avait fait de son passage à la garderie une épreuve digne des Olympiques. La responsable, une dame fort aimable, avait expliqué aux parents qu'elle avait d'autres enfants à surveiller. En clair, Jonathan demandait trop d'attention. La première fois, il avait réussi à escalader la clôture. La deuxième, il s'était faufilé par la porte sans que personne s'en aperçoive. Un passant l'avait ramené par la main une heure après sa fugue.

Il fut donc décidé qu'Isabelle resterait à la maison pendant que Guy irait gagner de l'argent pour les nourrir et les vêtir tous les trois. Tout bien pesé, leur train de vie ne nécessitait pas vraiment un deuxième salaire.

Ils s'en allaient donc au village faire des courses. Comme chaque fois que Jonathan montait dans le canot, il se débattit. Il détestait devoir rester assis pendant la traversée. Il voulait une pagaie. Il voulait marcher. Il voulait jouer et courir partout.

Guy avait pris l'habitude de le tenir entre ses jambes. Assis à l'arrière, il installait son fils devant lui et attachait son gilet de sauvetage au sien. C'était la seule manière de l'empêcher de bouger. Guy devait cependant user d'autorité pour qu'il ne mette pas la main dans l'eau, car, lorsqu'il se penchait sur le rebord, Jonathan riait, s'excitait, ce qui rendait l'embarcation instable.

La petite famille avait entrepris la traversée de la rivière ce matin-là. Immobilisé entre les jambes de Guy, Jonathan se rebellait. Assise à l'avant, Isabelle tournait la tête de temps en temps et jetait à son fils des regards furieux. La menace s'avérait chaque fois inefficace, Jonathan continuait de s'agiter. À mi-chemin entre la rive et l'île, le canot tangua soudain. La voix de Guy se fit plus dure.

— Jon, reste assis !

Le canot vacilla au moment où une vague le heurtait de front. Isabelle entendit quelque chose tomber à l'eau et se retourna juste à temps pour voir Guy se jeter dans la rivière. Plus loin, Jonathan était emporté par le courant sans son gilet de sauvetage. Isabelle sentit l'adrénaline monter en elle. Avec une précision inhabituelle et un calme qu'elle ne se connaissait pas, elle se redressa, utilisa la pagaie pour se maintenir en équilibre et vint s'asseoir à l'arrière du canot. À force de vivre en bordure de la Klondike, elle avait fini par apprendre à diriger l'embarcation. Guy lui reconnaissait même une certaine habileté. Elle en fit preuve ce jour-là en se dirigeant vers Guy qui, lui, nageait avec force vers son fils. Il avait dépassé Rock Creek et descendait toujours. Isabelle le suivait, à une centaine de mètres. Elle l'entendit soudain crier. Il s'était agrippé à la branche d'un arbre qui surplombait la rivière. Dans ses mains gisait un petit corps inerte dont la vue arracha à Isabelle un cri de désespoir.

C'était un accident. Après avoir détaché une des sangles de son gilet de sauvetage, Jonathan s'était glissé dessous tellement vite que son père n'avait pas eu le temps d'intervenir. Il s'était mis debout dans le canot au moment où la vague les frappait de plein fouet. Il avait basculé dans les flots et avait été aussitôt emporté par le courant. La seconde d'après, Guy se jetait à l'eau.

Isabelle ne pouvait qu'imaginer la scène telle que Guy la raconta aux ambulanciers, aux infirmières puis aux policiers. Paralysée par le chagrin, elle ne cessait de pleurer, la poitrine broyée par la douleur.

Sur la rive, Jonathan n'avait pas réagi quand son père lui avait prodigué la respiration artificielle. Au bout de plusieurs minutes, constatant l'inefficacité de la manœuvre, Guy s'était arrêté et avait fondu en larmes. Isabelle l'avait bousculé, avait pris son fils dans ses bras et l'avait bercé. Elle pleurait toujours, mais se répétait : « Il est juste endormi. Il est juste endormi. » Les ambulanciers avaient dû lui arracher l'enfant des bras pour essayer, eux aussi, de le ranimer.

D'abord assise sur la rive, puis sur une chaise dans la salle d'attente de la clinique, puis au poste de la GRC, elle repensait à l'enchaînement des événements, incapable d'y croire, convaincue qu'on lui ramènerait bientôt son bébé, qu'on le réanimerait enfin parce que les infirmières de la clinique savaient mieux s'y prendre.

Durant tout ce temps, elle n'avait rien dit. Ni aux ambulanciers, ni aux infirmières ni à la police, car elle n'avait rien vu. Elle ne voulait rien croire non plus. Un moment, Jonathan était là, assis dans le canot. L'instant d'après, il se noyait dans les eaux de la Klondike. Entre les deux, il ne s'était écoulé qu'une minute. Peut-être même une seconde. Entre ce petit corps plein de vie et le cadavre glacé repêché par Guy, il y avait toute l'horreur d'un événement impossible à concevoir, même des heures plus tard. Même après l'avoir entendu raconter à répétition. Il s'agissait d'une mort contre nature. Celle d'un bambin qui n'avait pas encore deux ans.

Isabelle sanglotait jour et nuit. Forcée d'admettre qu'elle avait perdu son bébé, elle demeurait inconsolable. Elle se culpabilisait. En s'assoyant à l'avant du canot, elle avait tourné le dos à son enfant, et il en était mort. Au bout d'une semaine, constatant que Guy ne pleurait plus, elle était arrivée à la conclusion qu'il ne ressentait pas autant de chagrin qu'il aurait dû. Avec une cruauté que personne ne lui connaissait, elle le blâma.

— Tu étais censé le surveiller. Je te faisais confiance.

Guy protesta, lui rappela qu'il s'agissait d'un accident. Isabelle, dont la douleur frisait la folie, n'en démordit pas.

— Si tu m'avais écoutée l'année passée et qu'on était allés vivre en ville comme je voulais, ça ne serait jamais arrivé.

Incapable de se défendre devant un tel argument, Guy ne dit plus rien. On trouvait de nouveau de la bière dans leur cabane, et l'odeur du cannabis effaçait souvent celle de la fumée des feux de forêt allumés par la foudre dans les environs de Dawson.

À la fin du mois d'août, après avoir pleuré toutes les larmes de son corps, Isabelle posa sa candidature comme chargée de projets à Parcs Canada. Quand elle obtint le poste, elle loua une petite maison qui venait de se libérer au village et y emménagea aussitôt, incapable de pardon.

17.

2009

Isabelle me racontait cette partie de son histoire, la voix nouée par les sanglots. Je pleurais avec elle en imaginant le chagrin d'une mère qui perd un enfant aussi jeune dans des circonstances aussi tragiques.

— Lui en veux-tu toujours?

Je n'avais pu m'empêcher de lui poser la question. J'avais perçu entre elle et Guy trop de tendresse pour les croire toujours en froid. Isabelle sécha ses larmes.

— À l'époque, je lui en ai tellement voulu que je ne pensais jamais arriver à lui pardonner.

— Et maintenant?

— Maintenant, je me dis qu'on ne méritait pas ça ni l'un ni l'autre.

J'ai approuvé, même si je réalisais qu'elle ne répondait pas à ma question. Je me suis rappelé Guy tel que je l'avais vu la première fois dans sa camionnette. Un homme sensible, indépendant et discret. Il était riche, désormais, même si ça ne paraissait pas. Mais tout l'or du monde ne pouvait lui redonner Jonathan. Ni Isabelle.

Nous étions dehors devant la maison de Maureen. C'était un bel après-midi. De la galerie, on voyait le soleil se coucher. Le ciel avait pris des teintes de rose, de mauve et d'orangé, exactement comme Maureen l'avait décrit dans son annonce sur internet.

Isabelle était venue me rendre visite quelques heures plus tôt. Nous avions bu du thé dans la cuisine. Elle avait terminé son histoire en se roulant une cigarette. Ses gestes étaient mesurés, comme si, pour elle, fumer relevait plus d'un rituel que d'une mauvaise habitude. Quand elle s'était levée pour sortir, je l'avais suivie à l'extérieur, intriguée.

— Maureen ne veut pas qu'on fume dans sa maison ?

J'avais remarqué que beaucoup de gens fumaient à Dawson. Beaucoup plus que dans le Sud, toutes proportions gardées. Et je n'avais jamais vu personne se gêner pour fumer à l'intérieur. Sauf dans les endroits publics, évidemment.

— Je ne sais pas ce qu'en penserait Maureen, mais je ne prendrai pas de chances. Elle fait partie de la bourgeoisie de Dawson, alors ça ne me surprendrait pas qu'elle soit contre la cigarette.

Du menton, elle a désigné les maisons voisines qui, j'en convenais, comptaient parmi les plus belles du village.

— Elle vit dans l'*upper town*, notre amie. Il ne faut pas oublier ça.

De fait, la 8ᵉ Avenue avait été tracée un peu au-dessus des autres, d'où la vue splendide qu'on avait, debout sur la galerie.

Isabelle a glissé la cigarette entre ses lèvres, a allumé son briquet et, comme au Baked Café, je l'ai vue étirer le cou au lieu d'approcher la flamme. Le geste était à ce point curieux que j'ai souri malgré moi. Elle s'en est aperçue, a souri à son tour avant de se redresser pour expirer sa fumée par le nez. J'étais intriguée, mais je n'ai pas osé lui demander d'où lui venait cette raideur au bras. Après tout, si elle avait voulu m'en parler, elle l'aurait déjà fait.

— Maureen et moi siégeons ensemble depuis quatre ans sur le comité de la bibliothèque. Même si je la connais bien, je n'étais jamais venue chez elle avant aujourd'hui. On tient assez à notre intimité à Dawson.

Ça, je m'en étais déjà aperçue. Les gens du coin, à cause des piètres conditions de logement, avaient l'habitude de se donner rendez-vous dans les bars.

— Je pensais que vous étiez des amies ?

— On peut dire ça. Disons qu'on a un parcours semblable.

Elle a tiré sur sa cigarette et a retenu la fumée quelques instants. En expirant, elle m'a lancé, de nouveau sérieuse :

— Maureen a perdu son fils dans un accident de la route il y a trois ans.

J'étais sans voix. J'avais bien remarqué la photo d'un jeune homme d'une vingtaine d'années, au sourire ravageur, qu'on trouvait à plusieurs endroits dans la maison. Je n'avais jamais pensé qu'il était décédé. Je me suis rappelé tout à coup la photo du bambin aperçue dans la cabane d'Isabelle. Jonathan...

Adossée au mur, Isabelle retenait de nouveaux sanglots. Des larmes perlaient au coin de ses yeux. J'ai serré sa main dans la mienne. Je ne savais pas quoi lui dire. Nous n'étions pas encore des amies, même si j'éprouvais pour elle beaucoup d'affection. Elle persistait à maintenir entre nous une certaine distance, comme si, sachant mon départ imminent, elle refusait de tisser un lien qui risquait de la faire souffrir plus tard.

Elle a continué de fumer en silence. Le soleil avait presque disparu, laissant derrière lui un ciel bleu marine où pointaient déjà les premières étoiles. Sa cigarette consumée, Isabelle a craché sur le mégot avant de le fourrer dans une poche. La tension avait disparu.

— Si ça ne te dérange pas, je vais profiter des toilettes chaudes avant de partir.

J'ai souri malgré moi et lui ai dit de faire comme chez elle. Des toilettes chaudes ! C'était bien la première fois de ma vie que j'entendais quelqu'un attribuer le qualificatif «chaudes» à des toilettes. Il est vrai, cependant, qu'une salle de bain intérieure constituait un luxe pour plusieurs Yukonnais. Cette situation expliquait peut-être la grande propreté que j'avais remarquée dans les toilettes des restaurants et des bars. Non seulement les gens d'ici avaient l'habitude de faire attention – la styromousse isolante rose n'ayant pas la réputation d'être une surface lavable –, mais personne ne tenait jamais ces commodités pour acquises.

Quand Isabelle est revenue sur le balcon, il faisait nuit.

— On nous prévoit du temps doux pour le reste de la semaine. As-tu envie d'un petit voyage en traîneau à chiens?

En tant que responsable de deux animaux de compagnie et d'un poêle à bois, je ne voyais pas comment je pouvais m'absenter longtemps, même en doublant la ration de nourriture dans les bols des animaux. Parce que le plus gros problème, à Dawson en hiver, c'était le froid qui risquait de causer des dégâts à la tuyauterie. Isabelle n'a pas attendu que j'émette mes objections pour me faire part de sa solution.

— Un de mes amis passe l'hiver dans une tente. Je suis certaine qu'il se porterait volontaire pour te remplacer et passer une nuit au chaud.

Je n'ai rien trouvé pour m'y opposer.

18.

Cet automne-là, pour engourdir la douleur, Isabelle se jeta à corps perdu dans son nouveau travail. Parce que ça ne l'occupait pas suffisamment à son goût, elle plongea aussi dans le bénévolat. Vivre en plein cœur du village avait levé le voile sur de nombreux organismes sans but lucratif qui contribuaient à la cohésion sociale à Dawson. Elle en fréquentait les membres au quotidien, entendait parler des défis, des objectifs, des décisions. Isabelle devint secrétaire du Centre de la francophonie à Dawson, vice-présidente du comité de la bibliothèque, trésorière au conseil d'administration du journal *The Klondike Sun*. On ne la voyait jamais dans les bars, mais on la voyait partout ailleurs. Même derrière un bureau de scrutin, le 23 janvier, jour où le Parti conservateur du Canada remportait ses premières élections en douze ans.

Le soir, Isabelle suivait la route qui montait jusqu'au cimetière, s'allongeait dans la neige à côté de la tombe de Jonathan et pleurait en contemplant les aurores boréales, comme elle l'avait fait avec lui l'hiver précédent. Les larmes roulaient sur ses tempes et se figeaient en cristaux, créant sur son visage un masque de givre. Au retour, elle plongeait dans la vieille baignoire sur pieds et laissait Enya lui étreindre l'âme de sa voix diaphane. Une part d'elle-même était morte en même temps que son fils, et il lui semblait qu'elle serait à jamais inconsolable.

Partagée entre les nuits de grande peine et la frénésie dont elle meublait ses journées, Isabelle ne vit pas passer l'hiver. Le soleil revint de plus en plus longtemps, étirant son parcours jusqu'au nord, repoussant l'obscurité dans ses derniers retranchements. En mai, la glace du fleuve se brisa. Les mineurs effectuèrent leurs razzias habituelles dans les épiceries, et les touristes envahirent Front Street. Après des mois d'hibernation, le village revint à la vie et, contre toute attente, Isabelle en ressentit une étrange lassitude. Les événements touristiques se succédaient, animant le village à tour de rôle : Commissioner's Tea, Aboriginal Day, Yukon River Quest, Music Festival, Film Festival, Art Festival. Entre deux activités, les bars comblaient le vide, crachant leur musique jusqu'à 2 heures du matin, troublant le sommeil d'Isabelle au point de lui faire regretter la quiétude du domaine de Guy.

Si Juliet avait encore été dans la région, Isabelle aurait trouvé refuge chez elle. Mais voilà, Juliet était partie. L'automne précédent, elle avait fréquenté en secret le mari d'une amie d'une amie. Quand la chose s'était sue, le scandale avait éclaté. C'est ainsi qu'Isabelle avait découvert un des côtés obscurs de Dawson. Ce village, qu'on aimait voir comme l'un des plus ouverts en Amérique du Nord, celui où on se permettait tous les excès, toutes les libertés et tous les vices, tolérait mal la convoitise. Dawson était trop petit et trop peu peuplé, l'information y circulait trop vite. Juliet avait préféré partir plutôt que de soutenir les regards accusateurs. Elle avait loué sa maison et trouvé refuge à Whitehorse au début juin.

Ce départ avait été un coup dur pour Isabelle. Les comités faisant relâche pendant l'été, elle disposait désormais de trop de temps. Trop de temps pour penser, pour s'ennuyer, pour pleurer. Il lui aurait fallu quelqu'un, mais elle découvrait qu'elle était seule, encore une fois.

Il faisait chaud en cette nuit de juillet. Isabelle ne dormait pas même s'il était passé minuit. Allongée sur son lit, elle luttait pour ne pas penser à Jonathan, à Juliet, pour ne pas ressasser encore sa colère contre Guy. Malgré ses efforts, la rancœur l'étranglait, le désespoir aussi.

La musique des bars qui entrait par les fenêtres ouvertes lui fit soudain l'effet du chant des sirènes. Elle s'habilla et sortit dans la rue encore baignée de lumière. Il était 1 heure du matin.

Elle marchait dans la 3ᵉ Avenue avec l'impression de rêver éveillée. Les édifices semblaient flous, les conversations, diffuses. Isabelle prit la direction du Pit comme un automate. Il y avait des années qu'elle n'y avait pas remis les pieds. En poussant la porte, elle fut accueillie par le traditionnel nuage de fumée bleue sans lequel un bar n'était pas un bar, surtout au Yukon. Rien n'avait changé. Ni la décoration, ni le mobilier, ni les serveuses. Les touristes étaient nombreux, les travailleurs saisonniers aussi. Un homme jouait du piano. La voix rauque, usée par la cigarette et l'alcool, il chantait une vieille pièce de Fats Domino.

— *I found my thrill on Blueberry Hill.*

La foule chantait avec lui, ce qui donnait à l'endroit un air de party de famille. Isabelle balaya la salle du regard, salua Serge qui buvait appuyé sur le comptoir et, reconnaissant Chris, alla s'asseoir à sa table.

— *Long time, no see!*

Effectivement, il y avait longtemps qu'ils s'étaient vus. La dernière fois remontait à l'automne précédent, avant la chasse. Ils s'étaient croisés à l'épicerie. Isabelle venait d'emménager. Affligée par le deuil, elle l'avait à peine salué.

Ce soir, elle était tellement heureuse de trouver un visage familier au milieu de tant d'étrangers qu'elle en oublia sa peine et même la tension qui avait déjà existé entre Chris et elle. Il lui présenta ses amis, Elza et Hans, un couple d'Allemands. Isabelle connaissait le troisième, Kurt, un Néo-Brunswickois sur le point de rentrer chez lui.

Il s'avérait que les deux Allemands louaient la maison de Juliet.

— Au début, on voulait se bâtir un camp en rondins, mais quand on est arrivé il n'y avait pas de terrain disponible.

Kurt exprima sa surprise.

— J'ai un terrain à vendre, moi. Vous auriez dû venir me voir.

Les Allemands avaient l'air déçus.

— On ne le savait pas. Il est trop tard maintenant. On possède une option d'achat sur la maison de Juliet et on compte bien l'exercer. On aime la place. Il faudra juste construire une autre pièce pour la chambre des enfants.

— Vous avez des enfants?

Kurt réalisa sa gaffe trop tard. Une ombre était passée sur le visage d'Isabelle. Elle essaya de cacher sa peine en se commandant à boire. De l'autre côté de la table, les Allemands, qui n'avaient rien vu, poursuivaient leurs explications. Pour se racheter, Kurt interrogea Isabelle.

— Où est-ce que tu habites ces jours-ci?

Tout le village était au courant de sa séparation. Isabelle lui décrivit la petite maison qu'elle louait dans la 3ᵉ Avenue.

— Ça doit être bruyant.

Elle acquiesça. Si ça ne l'avait pas été, elle aurait été au lit à l'heure qu'il était.

— Tu n'as pas envie de te bâtir quelque chose?

— Moi?

La question de Kurt lui avait causé une telle surprise que les Allemands éclatèrent de rire. Chris renchérit:

— C'est vrai ça. Pourquoi tu…

La cloche retentit dans le Pit, ce qui le força à s'interrompre. Tous les regards se tournèrent vers Serge qui agitait la corde, un large sourire aux lèvres. Sonner la cloche, à Dawson, signifiait qu'on offrait une tournée générale. La serveuse renouvela donc les consommations au milieu des applaudissements. Isabelle, comme tout le monde, porta un toast à la santé du généreux bienfaiteur. Elle se demandait cependant où Serge, simple cueilleur de champignons, avait trouvé l'argent pour payer la traite à tant de monde.

Au bout d'un moment, les conversations reprirent là où la cloche les avait interrompues.

— Pourquoi tu ne l'achèterais pas, son terrain? demanda Chris.

— Ça te ferait une place tranquille, renchérit Kurt.

Isabelle posa sur eux un regard sévère. Où diable allaient-ils chercher des idées pareilles? Peut-être parce qu'il avait plus d'une fois subi la froideur d'Isabelle, Chris ne se laissa pas démonter.

— Tu sais déjà comment te servir de la plupart des outils. Tu n'aurais pas de difficulté à te bâtir. Et puis je pourrais t'aider. À cause des feux de forêt des dernières années, il y a plein de bois sec dans la région.

Isabelle allait protester qu'elle n'avait pas le temps avec son emploi à Parcs Canada et tous ses comités quand la cloche retentit de nouveau. Une bouteille vide dans chaque main, Serge poussait de grands éclats de rire, plus ivre qu'on ne l'avait jamais vu.

Un mois plus tard, Isabelle était l'heureuse propriétaire d'un terrain en bordure d'un chemin auquel on n'avait accès en voiture que l'été. Un terrain auquel aucune adresse n'avait été assignée. De toute façon, qui avait besoin d'une adresse quand on disposait déjà d'une case postale au bureau de poste? À quoi d'ailleurs aurait servi un numéro sur une porte puisque tout le monde au village savait où tout le monde habitait? Le drapeau rouge planté en bordure du chemin suffisait pour distinguer son entrée de celles des autres, surtout que les entrées en question avaient toutes l'apparence de chemins forestiers plus ou moins entretenus.

Qu'est-ce qui l'avait fait changer d'avis? L'idée de s'enraciner là où reposait son petit Jonathan? Le besoin de s'occuper l'esprit au-delà du raisonnable? Ou bien s'agissait-il de cette motivation secrète qui finissait souvent par gagner les femmes de Dawson? Vivre sans dépendre d'un homme, manier la tronçonneuse, fendre le bois, construire une maison, charrier l'eau, utiliser une génératrice et une batterie d'auto. Ce mode de vie, que partageaient les *mushers*, s'étendait aussi à tout un groupe de marginaux parmi lesquels on comptait plusieurs femmes. Des femmes qui, jusque-là, avaient mené une vie normale, avec l'électricité et l'eau courante, et un homme pour s'occuper des tâches les plus difficiles.

La graine avait été semée dans l'esprit d'Isabelle il y avait si longtemps qu'elle n'arrivait pas à se souvenir quand. Elle n'en aurait même jamais pris conscience si Chris n'avait soulevé la question.

Elle s'était alors rappelé avoir été fascinée par l'ancienne bibliothécaire. Après son accident de la route, cette femme avait reçu le soutien de la communauté, sans jugement et sans mépris. Sa maison était terminée depuis longtemps maintenant. Isabelle ne lui avait jamais rendu visite, mais elle savait que ses aventures avaient donné l'idée à plusieurs de s'y mettre.

Quelle que fût sa motivation, Isabelle changea de poste à Parcs Canada et devint guide touristique. Elle se retrouva au chômage à la deuxième semaine de septembre et, dès la troisième, elle coupait des arbres morts dans un secteur ravagé par un feu de forêt l'année précédente.

Chris et Isabelle travaillèrent tout l'automne à sortir les rondins. L'hiver installé, ils les remorquèrent en motoneige jusqu'au lot nouvellement acquis. Kurt, qui avait déjà eu le projet de se bâtir, avait patiemment défriché l'endroit avant que de nouveaux projets, dont une femme dans le Sud, l'eurent convaincu d'y renoncer.

La relation entre Chris et Isabelle s'était modifiée. Du moins en apparence. Isabelle ne percevait plus chez lui les regards insistants qui l'irritaient autrefois. Elle ne décelait même plus les sous-entendus dans leurs conversations. Chris, sans doute lassé de ses esquives, semblait avoir renoncé à la courtiser. Existait maintenant entre eux une franche camaraderie qui, si elle n'était pas dénuée de tendresse, se limitait au chantier, aux soupers partagés et à la bière qu'ils ouvraient ensemble à la fin de la journée.

Le temps des travaux, Isabelle avait réintégré la cabane qu'elle et Chris avaient construite quelques années plus tôt. Au lieu de pester contre les vêtements qui ne séchaient pas, elle avait tout simplement renoncé à faire la lessive pendant le *freeze-up*. Quant à ses cheveux, elle avait résolu le problème en passant chez la coiffeuse à la fin du mois d'octobre. Laver des mèches de dix centimètres dans un bol ne posait pas de problème. Ou si peu. Ne restait que les pieds gelés à la nuit tombée. Isabelle continuait de chercher une solution. Le fait que c'était sa seule difficulté dédramatisait la chose. De toute façon, elle dormait mieux les soirs où, après avoir soupé chez Chris, elle acceptait le whisky qu'il lui servait pendant qu'ils veillaient ensemble au bord du poêle.

En février, le cœur de Dawson battit au rythme de la course de traîneaux à chiens *Yukon Quest*. Le temps d'un arrêt à mi-parcours, les *mushers* envahirent les lieux avec leurs équipages de chiens, de *handlers* et de *fans*. Les hôtels étaient pleins, les restaurants bondés, les rues agitées.

Après leur départ, Dawson retrouva son calme habituel. On savait que, plus tard, en mars, les Américains traverseraient les Rocheuses avec leurs rutilantes motoneiges pour participer à la célèbre randonnée *Trek over the Top*. Pour eux, le village reprendrait vie. Mais en attendant, chacun était retombé dans sa routine. Ceux qui avaient un emploi permanent travaillaient. Les autres s'occupaient comme ils le faisaient chaque hiver. Les chasseurs chassaient le loup. Les *mushers* se promenaient en traîneau à chiens. Les motoneigistes parcouraient la toundra de la route Dempster. Les peintres peignaient. Les musiciens donnaient des concerts. Les autres buvaient et fumaient le plus calmement du monde.

La cabane d'Isabelle commençait à prendre forme. Elle et Chris s'activaient au chantier tous les jours, ne s'arrêtant que lorsque le mercure descendait sous -35 °C, ce qui, heureusement, ne se produisit pas trop souvent cet hiver-là. Quand, à la fin février, la température grimpa à -15 °C, ils tombèrent d'accord pour profiter de ce beau temps. Il faut dire que c'était un jour exceptionnellement doux parce que le soleil, même s'il ne montait pas très haut, dégageait une chaleur surprenante pour la saison.

À 10 heures, ils s'élançaient sur la motoneige de Chris en direction de la route Top of the World. En bons Yukonnais, ils ne restèrent pas longtemps sur la piste damée. Après tout, un des plaisirs de la vie dans le Nord consistait à sortir des sentiers battus, dans tous les sens du terme. Dès qu'une ouverture apparut, ils piquèrent à travers les bois. Il n'y avait pas de danger de se perdre parce qu'il neigeait peu, même à cette saison. Il suffisait pour rentrer de suivre sa propre piste en direction inverse. Ils foncèrent donc, accélérant dans les clairières, ralentissant dans les détours, accélérant de nouveau après chaque virage. Constamment déséquilibrée, Isabelle s'agrippait. Chris posait une main sur les siennes de temps en temps pour s'assurer qu'elle était toujours là.

La neige volait derrière eux, aussi fine que de la poussière. Les arbres tout givrés semblaient sortis d'un conte de fées. Le soleil brillait fort, et le couvert de neige étincelait comme un tapis de diamants. Isabelle fermait les yeux dès que la motoneige piquait vers le sud, éblouie par les rayons du soleil qui arrivaient presque à l'horizontale. Le reste du temps, elle admirait le paysage. Elle avait l'impression de parcourir une forêt encore vierge, un endroit inexploré, un paradis perdu. La nature les enveloppait comme un cocon moelleux. Ils étaient seuls au monde, et Isabelle se dit que la situation aurait eu quelque chose de romantique si elle avait été avec un autre homme que Chris.

Ils venaient d'effectuer un virage et s'élançaient de nouveau plein sud. Les yeux clos, Isabelle ne réalisa pas tout de suite que la motoneige avait quitté le sol. Elle sentit la chute cependant. Une chute dans le vide qui sembla durer une éternité. Le monde venait de basculer. Il entraînait avec lui la motoneige et ses occupants.

Allongée sur le sol, Isabelle regardait le bleu du ciel. Depuis combien de temps était-elle là? Le soleil brillait toujours, mais elle ne le voyait pas. À une dizaine de mètres au-dessus de sa tête, les arbres couverts de frimas baignaient dans la lumière. Le reste de la clairière était plongé dans l'ombre.

À part les buissons écrasés et les branches cassées, rien ne laissait deviner qu'il s'était produit un accident dans ce ravin. Isabelle ne voyait aucune trace de la motoneige. Aucune trace de Chris non plus. Elle tenta de se lever pour partir à sa recherche, mais une douleur lui broya les tempes dès qu'elle bougea la tête. Elle se laissa retomber, inquiète. Il ne lui était pas venu à l'esprit qu'elle était blessée. Jusqu'ici, elle n'avait rien ressenti.

Elle se rappelait avoir ouvert les yeux au moment où le sol se dérobait. Le ravin se déployait sous eux, avec ses rochers, ses buissons et ses arbres pointus. La motoneige avait basculé, projetant Isabelle vers l'arrière. Ses mains avaient lâché le torse de Chris malgré ses efforts pour y rester accrochée. Elle avait plongé puis roulé dans la neige, entre les buissons et les roches. Elle avait entendu un premier craquement, puis un second. Sa tête avait heurté quelque chose de dur, des branches lui avaient fouetté le visage.

Elle gisait maintenant sur le dos, un bout de bois ou une roche lui broyait les reins. Un liquide chaud lui coulait dans le cou. Ce n'était pas des larmes, parce qu'elle ne pleurait pas. Elle ne souffrait pas non plus. Elle était juste fatiguée.

Elle dut s'assoupir parce qu'il lui sembla revenir à elle comme si elle s'éveillait. La montagne au-dessus de sa tête brillait toujours autant. Elle avait sans doute dormi deux minutes. La seule chose qui avait changé, c'était cette demi-douzaine de corbeaux qui l'observaient, perchés sur les branches des épinettes les plus proches.

Elle entendit son nom et reconnut la voix de Chris. Il la cherchait, plus loin dans la forêt. Elle cria à son tour, mais ses mots se perdirent dans un hurlement. D'instinct, elle avait essayé de se redresser, et la douleur l'avait encore une fois clouée au sol. Chris l'appela de nouveau. Sa voix semblait plus forte, comme s'il se rapprochait. Elle sut qu'il était là quand les corbeaux, après quelques battements d'ailes, allèrent se percher sur un arbre plus éloigné. Chris tomba à genoux dans la neige à côté d'elle. Des larmes brillaient dans ses yeux. Isabelle s'inquiéta.

— Qu'est-ce qu'il y a?

— Il n'y a rien. Peux-tu bouger?

Elle lui dit que non, qu'elle avait essayé et que ça faisait trop mal.

— D'accord.

Il avait l'air soucieux. Quand il se pencha pour lui déposer un baiser sur le front, son geste trahit une telle détresse qu'elle en fut alarmée.

— Qu'est-ce qu'il y a? Dis-le-moi!

Il lui décrivit le sang dans la neige autour de sa tête et la position tordue dans laquelle elle se trouvait. Il pensait qu'elle avait un bras cassé. Une jambe aussi.

— Ne t'inquiète pas, tout va bien aller.

Il essayait de la rassurer, mais ces lèvres pincées, ce visage tendu et ce regard fuyant trahissaient son angoisse. Il se calma d'un coup, comme s'il venait de réaliser que la vie d'Isabelle dépendait de lui. Ses yeux étudièrent le terrain puis le ravin dans lequel ils avaient plongé.

— Je ne peux pas te porter jusqu'en haut, c'est trop loin et trop à pic. Il va falloir que je parte chercher de l'aide.

— Laisse-moi pas!

La supplique se mua en cri de désespoir quand elle tenta de l'agripper pour l'empêcher de partir. Il lui mit une main sur l'épaule.

— Je n'ai pas le choix, Isabelle. Personne ne viendra jamais par ici. Il faut que j'aille chercher du secours. On doit être à sept ou huit kilomètres de la Top of the World. À vingt kilomètres maximum des premières maisons. Ne t'en fais pas. Je vais faire vite. Je ne suis pas blessé.

De fait, il n'avait qu'une éraflure sur la joue.

— Chris, tu ne peux pas me laisser comme ça. Je ne peux pas bouger. Les loups...

— Fais du bruit. Parle. Ils vont rester loin.

— Ils vont bien voir que je suis blessée!

— Ils vont rester loin.

— Laisse-moi pas!

Chris secoua la tête.

— Je n'ai pas le choix. Je vais revenir. Je te le promets.

Il essuya avec ses doigts les larmes qui coulaient sur les tempes d'Isabelle.

— Si moi, je te promets de revenir bientôt, toi, me promets-tu de m'attendre?

Il avait lancé cette boutade pour la faire rire, mais il avait plutôt mis en évidence le temps qui s'écoulerait avant son retour. Il lui faudrait des heures pour arriver à West Dawson. Des heures pendant lesquelles la nuit tomberait. Les corbeaux s'approcheraient. Peut-être aussi les loups.

— Ne t'endors pas surtout. Et n'oublie pas de parler.

Il l'embrassa sur le front avant de se redresser. En le voyant s'en aller, Isabelle pleura de plus belle. La peur lui broyait les tripes. Elle était seule maintenant. Seule au milieu de la forêt avec, pour compagnons, des charognards qui n'attendaient que le silence pour fondre sur elle. Elle commença par ordonner aux corbeaux de rester à distance. Elle gardait les yeux fixés sur eux, dissimulant sa terreur sous un masque d'agressivité.

Quand Chris réapparut, une quinzaine de minutes plus tard, elle poussa un cri de joie.

— Tu as déjà trouvé de l'aide?

C'était un faux espoir. Elle s'en rendit compte quand elle le vit secouer la tête. Il enleva son manteau et le posa sur elle. Puis, sans rien ajouter, il pivota pour reprendre l'ascension du ravin.

Les heures passèrent. Isabelle vit la lumière virer au rose, le ciel s'assombrir. La première étoile apparut, suivie des autres.

Immobile, le corps de plus en plus froid, Isabelle houspillait les corbeaux et leur lançait des insultes. N'importe quoi pour ne pas avoir l'air de la proie facile qu'elle était. Elle sentait la fatigue la gagner, mais se rappelait les paroles de Chris. Surtout, ne pas dormir. La peur d'être dévorée vivante suffit à la garder alerte.

Elle invectivait les corbeaux depuis deux heures au moins quand elle réalisa qu'elle n'avait pas besoin de s'adresser à eux pour les tenir à distance. Le seul autre interlocuteur qui lui vint à l'esprit fut Jonathan. Penser à son fils la calma. Elle lui parlait tellement souvent dans sa tête qu'il suffit d'un petit effort pour qu'elle s'adresse à lui à voix haute. Son ton s'adoucit.

Elle commença par lui décrire ce qu'aurait été leur vie s'il n'était pas mort ce jour-là. Elle lui parla de l'homme fort qu'il serait sans aucun doute devenu dans vingt ans. Elle lui parla du fils aimant qu'elle imaginait, celui qui aurait réussi dans la vie, qui aurait eu des enfants qui eux aussi auraient eu des enfants. Elle pleurait en évoquant cet avenir qui n'existerait plus jamais. Les larmes se figeaient sur son visage et dans son cou. Comme elle avait froid! Dormir aurait été tellement plus facile.

Pour refuser l'engourdissement qui grandissait dans sa tête et dans son corps, elle se mit à raconter comment elle avait fait la connaissance de Guy. Elle commença avec la ruse par laquelle il l'avait fait venir jusqu'au Yukon. Elle raconta ensuite leur vie au bord de la rivière Klondike, leur amour, leurs querelles. Elle insista pour dire à quel point il avait été un homme généreux, comment il l'avait accueillie quand ils s'étaient finalement réconciliés. Elle énuméra ses qualités, ses talents, ses bons coups, et tous les sacrifices qu'il avait faits pour eux. Elle parla de ses travers et de ses défauts aussi, et constata, émue, que Guy n'avait jamais été le super héros qu'elle avait voulu qu'il soit. Il n'était qu'un homme, avec ses forces et ses faiblesses. Tout comme elle n'était qu'une femme. Et là, le corps tordu dans la neige, consciente de souffrir d'hypothermie et convaincue qu'elle allait mourir bientôt, elle trouva enfin la bonté de lui pardonner ce qui, au fond, n'avait même pas été de sa faute.

Longtemps après que la nuit fut tombée, longtemps après qu'Isabelle eut pardonné à Guy, qu'elle eut décrit, pour son fils comme pour elle-même, la manière dont elle entendait mener le reste de sa vie, qu'elle eut fait des projets, imaginer l'avenir, le bruit d'un hélicoptère retentit.

— *I don't know what to say.*

Non, elle ne savait pas quoi dire. Elle venait de rentrer de Whitehorse où elle avait passé deux mois, dont l'un entier à l'hôpital où on l'avait soignée pour une fracture à un bras, une du fémur, quelques côtes cassées en plus d'une commotion cérébrale. Il y avait aussi ces points de suture à la tête, à l'endroit où elle avait heurté un rocher en déboulant dans le ravin. Certes, l'accident l'avait laissée mal en point. Mais tout juste remise, voilà qu'elle venait de subir un autre coup.

Elle se tenait devant sa maison. «Sa» maison. Celle qu'elle avait voulu bâtir elle-même et que Chris avait terminée avec l'aide de Guy. Mais Guy n'avait pas jugé bon d'être sur place le jour de son retour. Il la connaissait peut-être mieux qu'elle ne le pensait. Chris, cependant, tout à l'urgence de se faire pardonner l'accident, n'avait pas compris la fierté qu'Isabelle avait ressentie à poser elle-même les rondins. Ni le bonheur qu'elle avait éprouvé à manier les outils, à voir se réaliser dans la réalité le plan qu'elle avait conçu dans sa tête. Jamais il ne lui était venu à l'esprit qu'elle serait déçue de voir son projet achevé pendant son absence.

Pourtant, elle était bien là, cette cabane de bois rond construite sur le lot qu'elle avait acheté à Kurt. Elle se dressait à l'endroit où Isabelle avait laissé une plateforme bordée d'à peine dix rondins pour aller faire un tour de motoneige. Elle se dressait avec ses quatre murs, dont deux percés de fenêtres, son toit pentu, sa galerie sans garde-fou. Avec sa cheminée qui fumait parce que Chris, voulant bien faire, avait allumé un feu dans le poêle à bois. Ce poêle à bois qu'il avait choisi et payé de sa poche. Pour la même raison que le reste.

Isabelle considérait l'ensemble, debout à l'entrée du terrain, la bouche ouverte, incapable de trouver les mots qu'il aurait fallu pour remercier Chris. Elle s'y efforçait pourtant, travaillant très fort à dissimuler la déception qu'elle ressentait de voir l'ouvrage terminé. Que ferait-elle maintenant qu'il n'y avait plus un clou à enfoncer, plus une vis à poser ?

Chris attendait toujours, quelques pas derrière elle. Il se méprit sur les causes de son silence.

— Tu n'as pas besoin de me remercier. Ça m'a fait plaisir. Je ne voulais pas que tu reviennes et que tu trouves le chantier comme on l'avait laissé avant l'accident. Ça t'aurait découragée.

Elle secoua la tête sans oser se retourner. Que de candeur il y avait chez cet homme! Pour ne pas le décevoir, elle s'avança, grimpa sur la galerie et poussa la porte. Même les meubles étaient là! Une table, deux chaises, un lit construit avec des deux-par-quatre, érigé à plus d'un mètre de hauteur et sous lequel se trouvait une étagère pour ranger les vêtements. Ne restait qu'à déménager ses quelques biens, se procurer de la vaisselle, fabriquer des rideaux si elle le jugeait nécessaire. Pour le reste, tout était là. Désespoir!

— J'ai construit ta bécosse de l'autre côté de la maison. Comme ça, ta visite ne la verra pas.

— Merci.

Il l'avait suivie à l'intérieur. Davantage pour s'occuper que parce que c'était nécessaire, Isabelle ouvrit la porte du poêle et y ajouta une bûche.

— J'ai trouvé la cuisinière au propane quand je suis allé au dépotoir. Deux des brûleurs étaient brisés. Je les ai réparés. Elle fonctionne comme une neuve.

— Merci.

— Il te reste juste à te trouver un réservoir et à le faire remplir au village. Si tu veux, on ira en chercher un avec mon pick-up.

— Merci.

Elle n'avait que ce mot à la bouche, mais il sonnait tellement faux que Chris s'en aperçut enfin.

— Tu es déçue ?

— Non, non.

Il se gratta le menton, secoua la tête. Il venait juste de réaliser son erreur.

— Tu voulais la bâtir toi-même, et je t'ai empêché de le faire, c'est ça ?

Elle ne répondit pas. Pourquoi l'aurait-elle corrigé puisqu'il disait la vérité ? Il la regarda avec intensité, et Isabelle comprit qu'il était encore plus déçu qu'elle. Il avait voulu se racheter. Il avait voulu lui faire plaisir, la rendre heureuse. Comme il s'était trompé !

— Je m'en retourne chez moi. Si tu as besoin de quelque chose, tu sais où me trouver.

Il sortit sans qu'Isabelle ne fasse un geste pour le retenir. Elle l'entendit traverser la galerie. Elle entendit les cailloux grincer sous ses pieds, la portière de la camionnette s'ouvrir et se refermer. Le moteur démarra. Les pneus crissèrent sur le gravier. Puis le bruit s'estompa.

Restée debout au centre de sa cabane, Isabelle étudia les lieux, toujours incrédule. Dire qu'elle avait consacré tout le temps passé à l'hôpital à s'imaginer, les outils à la main, en train de poser tel morceau, telle fenêtre, tel tuyau pour le propane, telle tablette du comptoir. Tout ce temps, elle rêvait pour rien ! Sa maison avait vu le jour sans elle. Quel gâchis !

Elle sentit tout à coup remonter en elle l'amertume, le ressentiment et une pointe de colère qu'elle n'était jamais arrivée à effacer. Quel emmerdeur, ce Chris ! Toujours le nez fourré là où il ne fallait pas. Toujours à aider là où on ne voulait pas de lui. Pourquoi fallait-il qu'il l'aime autant? Faudrait-il un jour qu'elle soit cruelle avec lui pour qu'il la laisse tranquille? Elle s'achèterait une voiture, tiens! Comme ça, elle ne dépendrait plus de lui l'été. Elle irait elle-même chercher son eau. Et son propane. Et Chris devrait se mêler de ses affaires, qu'il le veuille ou non.

Elle se calma en remarquant avec quelle précision il avait travaillé. Chaque détail était parfait. Les fentes entre les rondins avaient été bourrées de laine avec rigueur. On ne voyait pas le jour entre la fenêtre et les montants. Les gonds de la porte avaient été huilés. L'évier avait été ajusté et mis de niveau sur un comptoir impeccablement lisse. Tout était propre aussi, comme si Chris avait nettoyé avant de venir la chercher à l'aéroport. Parce qu'elle était revenue en avion, évidemment! Avec ses côtes fracturées, il était hors de question de parcourir cinq cents kilomètres en voiture. Déjà que les deux heures et demie qu'elle avait passées dans les airs l'avaient torturée!

Décidément, ce printemps avait été celui des déceptions. D'abord l'accident, puis la visite de sa mère, et maintenant ça. Une maison habitable trop tôt à son goût.

À l'évocation de sa mère, Isabelle grimaça. Qu'aurait dit sa mère si elle avait pu voir la maison? Elle se serait sans doute plainte de la chaleur qui régnait à l'intérieur. On était au début du mois de mai. Il n'était absolument pas nécessaire de chauffer le poêle en plein jour. Isabelle n'aurait pas dû ajouter une bûche en entrant. Il faisait trop chaud maintenant. Elle attrapa une bière dans son sac de provisions, s'empara d'une chaise et sortit sur la galerie. Là, assise à l'ombre, elle contempla son terrain.

La neige avait fondu. L'herbe avait poussé. Des oiseaux piaillaient dans les arbres tout au fond. Dans un coin, Chris avait empilé les résidus de construction qu'elle pourrait brûler pour chauffer la maison, la nuit, si le temps fraîchissait.

Qu'aurait donc pensé sa mère de ce mode de vie qu'elle avait sciemment choisi? Pff! Elle l'aurait désapprouvé et aurait été déçue comme elle avait été déçue de son apparence. À ce souvenir, Isabelle esquissa un sourire malicieux.

Elle était en convalescence chez Juliet quand sa mère avait débarqué avec ses valises. En découvrant l'état de l'appartement, elle avait tourné les talons et choisi un hôtel.

— Grand bien lui fasse! s'était exclamé Juliet après que la visiteuse se fut offusquée du désordre qui régnait dans son quatre et demie.

Entre son travail, les courses à l'épicerie et à la pharmacie, Juliet faisait de son mieux pour s'occuper de son amie et entretenir l'appartement, mais elle manquait de temps. Il ne serait jamais venu à l'idée d'Isabelle de se plaindre. C'est pourquoi elle avait été gênée de l'intransigeance de sa mère. Pas autant, cependant, qu'elle avait été blessée de l'entendre critiquer sa nouvelle coupe de cheveux.

— C'est quoi, ça? On dirait un garçon manqué! Ça ne te fait pas bien pantoute.

Sa mère avait poursuivi en lui demandant ce qu'elle faisait en motoneige dans le fond des bois. Après avoir écouté son explication, elle s'était exclamée:

— Tu n'avais pas de casque?

Pour toute réponse, Isabelle avait affiché une moue contrite. Non, elle ne portait pas de casque. Chris non plus d'ailleurs. À Dawson, comme partout au Yukon, on sillonnait les cours d'eau gelés. Puisqu'un casque n'offrait pas de protection si on défonçait la glace, personne n'en voyait l'utilité. Quant aux balades en forêt, elles ne comportaient pas un grand risque non plus. À moins de tomber dans un ravin.

— C'est de l'inconscience! J'aurais pu te le dire d'avance qu'un accident comme celui-là allait se produire un jour. Qui conduisait? Ton Yukonnais? Il devait être soûl ou bien gelé, encore une fois. Comment ça se fait que tu te promènes encore avec lui?

Isabelle avait eu envie de l'étrangler. Elle avait reconnu la technique de sa mère. Déprécier les choix de sa fille pour la convaincre qu'elle s'était trompée, orienter son jugement de manière à ce qu'elle prenne une décision en accord avec l'opinion maternelle.

Elle avait d'ailleurs déjà prévu rapatrier sa fille au Québec.

— Tout le monde sait que les médecins ne veulent pas aller travailler en région. Ici, ce n'est pas seulement la région, c'est le bout du monde.

Isabelle possédait un argument de taille contre ce projet.

— Whitehorse n'est pas le bout du monde. C'est une capitale avec un hôpital. Et puis je suis yukonnaise, maintenant, maman. Je n'ai donc plus droit à l'assurance maladie du Québec. Je suis obligée de rester au Yukon si je veux me faire soigner.

Forcée de lui donner raison, sa mère n'en avait pas moins continué de critiquer les lieux, même si elle venait juste d'arriver. Elle désapprouvait la lenteur des voitures sur les routes et les distances qu'il fallait parcourir à chaque déplacement. Sur ce point, Isabelle était d'accord. Juliet louait un jumelé dans Porter Creek, une banlieue éloignée du centre-ville et des hôtels. Les quatre pièces et demie réparties sur deux étages lui coûtaient une fortune, mais se loger coûtait cher partout à Whitehorse, peu importait le quartier. Porter Creek possédait l'avantage de ressembler un peu à West Dawson. De grands terrains, des maisons entourées d'arbres. Eau courante et électricité en plus.

— Tu es certaine que Whitehorse est une capitale? À mon avis, c'est la capitale des bars, un point c'est tout! C'est un trou, avec des soûlons qui attendent sur les trottoirs le matin, d'autres qui veillent tard et font du bruit en pleine nuit. Pis tout le monde est habillé comme la chienne à Jacques. Veux-tu bien me dire pourquoi ils portent du Gore-Tex pour faire l'épicerie? À la banque, le caissier avait encore sa tuque. Ils pourraient se forcer un peu.

Si sa mère trouvait que les gens de Whitehorse avaient peu de goût en matière de vêtements, qu'aurait-elle pensé des habitants de Dawson pour qui c'était le dernier des soucis? Isabelle s'était juré de ne jamais la laisser y mettre les pieds. Jamais. Elle aurait trouvé insupportable d'entendre ce genre de critiques à propos de sa communauté.

Sa mère n'avait pas dit son dernier mot. Tout y passa d'ailleurs. De la barbe des hommes à la taille et au nombre des camionnettes sur la route, en passant par les odeurs perçues dans la rue.

— Il y a des gens qui sentent le p'tit canard à la patte cassée.

— Veux-tu dire que tout le monde sent bon au Québec?

Sa mère n'avait pas répondu, préférant répéter qu'elle ne comprenait pas l'intérêt de sa fille pour le Yukon. À son avis, elle y perdait son temps.

— Tu peux repartir quand tu veux, maman. Je ne suis pas à l'article de la mort.

Sa mère avait repris l'avion le surlendemain, non sans avoir souligné qu'elle avait remarqué des cheveux blancs parmi les courtes mèches d'Isabelle.

— Si tu tardes trop, il n'y aura plus un homme pour te trouver de son goût au Québec.

Isabelle n'avait pas relevé la provocation, s'estimant heureuse que sa mère n'ait pas, en plus, mis la mort de Jonathan sur le compte du Yukon. Elle pouvait passer par-dessus ses critiques, mais jamais elle ne se serait remise d'une attaque aussi vicieuse. Depuis qu'elle avait pardonné à Guy de ne pas avoir réussi à sauver leur fils, une petite voix qu'elle n'arrivait jamais à faire taire lui répétait que, en réalité, c'était elle-même la grande responsable. Si elle avait été une bonne mère, elle aurait cherché à protéger son enfant par tous les moyens. Elle avait toujours su que la rivière représentait un danger. Elle n'aurait jamais dû accepter que Jonathan y soit exposé. Comme l'avait dit sa mère, un accident comme celui-là était à prévoir.

Assise sur la galerie de sa nouvelle maison, une bière à la main, Isabelle se rappela avec une acuité surprenante comment elle s'était sentie au fond du ravin, quand elle parlait à Jonathan pour tenir les corbeaux à distance. C'est là, seulement à ce moment-là, qu'elle avait compris combien elle avait été cruelle. Non seulement elle avait accusé Guy alors qu'il vivait un deuil aussi douloureux que le sien, mais elle l'avait abandonné après lui avoir promis de ne plus jamais le faire souffrir. Aujourd'hui, elle s'avérait incapable de déterminer lequel de ces deux remords était le plus cuisant.

L'été était arrivé, et Isabelle avait retrouvé son emploi à Parcs Canada. À cause de l'accident, on l'assigna à un poste assis au bureau d'information touristique, mais on lui imposa quand même un costume d'époque. À part une certaine raideur au bras, qu'elle ne ressentait qu'en enfilant la blouse de dentelle, il ne restait pas trop de séquelles de l'accident. Elle avait mal aux côtes quand elle riait. Elle perdait parfois l'équilibre le soir, quand elle rentrait à pied. Mais sa blessure à la tête s'était cicatrisée. Les cheveux avaient recommencé à pousser autour de la plaie, là où on l'avait rasée avant de lui faire des points de suture. Avec un bonnet et un costume bien ajusté, rien ne la distinguait des autres guides touristiques si ce n'était le petit banc où elle s'assoyait de temps en temps.

À la fin du mois de juin, parce que la raideur au bras persistait, Isabelle s'était rendue à la clinique médicale de

Dawson où l'infirmière, perplexe, lui avait suggéré de prendre un rendez-vous à l'hôpital de Whitehorse.

— Il faudrait des radiographies et des examens approfondis.

C'était une journée grise. Il était presque midi. Isabelle avait quitté la clinique, à pied comme d'habitude, réjouie à l'idée d'aller passer quelques jours chez Juliet. Comme elles ne s'étaient pas revues depuis l'accident, elles auraient des tas de choses à se raconter. Toute à ses pensées, elle ne vit pas la camionnette qui la dépassa en ralentissant. Elle sursauta en entendant son nom. Guy s'était garé le long du trottoir, avait laissé la portière ouverte et se dirigeait vers elle.

— Comment ça va?

Il avait taillé sa barbe, s'était fait couper les cheveux et portait un chandail et des chaussures neuves. Isabelle écarquilla les yeux. Guy toussa, comme pour s'excuser.

— J'ai été veiller à Whitehorse en fin de semaine.

À voir sa mine déconfite, Isabelle jugea inutile de lui demander s'il avait eu du succès.

— Je m'en vais dîner au Klondike Kate's. Viens-tu avec moi?

Isabelle accepta sans hésiter. Elle aimait cet aspect de l'été, quand le Klondike Kate's rouvrait ses portes. On y mangeait mieux que n'importe où en ville et on se faisait servir en français. Mais même si on y trouvait la plus belle terrasse de Dawson, il faisait trop frais ce jour-là pour manger dehors. Guy choisit une table à l'intérieur, dans le coin le plus tranquille. Isabelle percevait entre eux un malaise qui allait en grandissant. Depuis la mort de Jonathan, et la séparation qui avait suivi, ils s'étaient vus rarement et parlé encore moins souvent.

Quand la serveuse s'éloigna après avoir pris leur commande, Isabelle se dit qu'il fallait briser la glace.

— Merci d'avoir aidé Chris à finir ma cabane.

Au lieu d'accepter les remerciements, Guy éclata de rire.

— Je savais que tu serais fâchée.

Comme il la connaissait bien! Ils avaient vécu presque isolés pendant si longtemps et avaient traversé tellement de choses ensemble que les mots étaient devenus superflus entre eux. Isabelle s'en réjouit. Guy lui rendit son sourire.

— J'ai quelques meubles de trop. Pis de la vaisselle aussi. Si ça te tente, je pourrais passer demain te porter ça.

Isabelle prit la balle au bond.

— Si tu arrivais vers 5 heures, je pourrais te garder à souper.

Il comprit que l'invitation n'avait rien d'anodin. En lui offrant de partager son repas, Isabelle venait de lui annoncer qu'elle lui avait pardonné. Il hocha la tête, aussi ravi qu'elle. Ils venaient d'enterrer la hache de guerre.

Isabelle lui demanda des nouvelles de Serge qu'on ne voyait plus au village.

— Il est reparti à Montréal. Mais il va revenir, je le connais. La grande ville, ce n'est pas plus pour lui que pour moi.

Guy n'avait pas l'air trop chagriné. Peut-être avait-il l'habitude de perdre ses amis? À Dawson, les gens venaient et s'en retournaient. Certains restaient plus longtemps. D'autres pour toujours. Guy faisait partie de ceux-là. Isabelle se dit qu'elle aussi, sans doute. À cause de Jonathan, mais aussi parce qu'elle aimait cette manière de vivre lentement, de voir le temps s'écouler au rythme de saisons tellement marquées. Elle aimait trouver en elle le courage d'oser, de se dépasser, de faire les choses à sa manière, de prendre des risques, même s'il fallait en assumer les conséquences, qui, elles, n'étaient pas toujours heureuses.

Pendant le reste du dîner, Guy parla de ses projets de prospection minière, Isabelle lui fit part de la galerie entourée de moustiquaires qu'elle entendait construire. Elle lui demanda aussi son avis au sujet de l'auto qu'elle pensait s'acheter.

— Un de mes chums vient de mettre son char à vendre. Je peux t'arranger ça. C'est un diesel par contre. Faudrait le brancher si tu veux t'en servir l'hiver. Étant donné la place où tu restes, ce n'est peut-être pas...

— Juste pour l'été, ce serait bien correct.

Guy approuva.

Il profita du passage d'Isabelle aux toilettes pour payer l'addition et l'attendit sur le seuil.

— Je te ramène?

Ils repartaient sur de nouvelles bases. Enfin!

Whitehorse possédait bien des avantages sur Dawson. À commencer par le fait que la ville se trouvait en amont de la rivière White et de ses sédiments volcaniques. Les eaux du Yukon y avaient encore leur couleur d'origine, un turquoise si limpide qu'on voyait le fond même au milieu du fleuve. Isabelle et Juliet marchaient le long de la promenade qui menait au camping municipal. Sur leur gauche, la rive était bordée de gros rochers sur lesquels des enfants pêchaient même s'il était passé 22 heures. On se serait cru en pleine nature alors qu'on n'était pas à un kilomètre du centre-ville, de ses restaurants et de ses bars.

Les cris des goélands leur parvenaient depuis les îles, portés par le vent. Parce qu'il ventait. C'était là une autre des différences entre les deux plus grosses communautés du Yukon. Dawson étant construit dans une cuvette, on y était à l'abri des vents dominants, sauf au mois de mars. White-horse ne bénéficiait pas d'une telle protection. Ses rues essuyaient les bourrasques douze mois par année.

Isabelle s'était rendue à l'hôpital en fin d'après-midi. Elle était ressortie du bureau du médecin avec une feuille d'exercices et d'étirements, et avait retrouvé Juliet dans un restaurant où elles avaient mangé en jasant de tout et de rien. Isabelle avait bien remarqué chez son amie une nervosité inhabituelle, mais ne s'en faisait pas outre mesure. Chacun avait droit à ses secrets. Juliet lui parlerait quand elle en aurait envie.

Après le souper, elles avaient pris le sentier du bord de l'eau et y marchaient depuis une bonne quinzaine de minutes quand Juliet trouva le courage de lui annoncer qu'elle attendait un enfant. Isabelle ne cacha ni sa surprise ni ses inquiétudes.

— Tu n'es pas un peu vieille?

À quarante-deux ans, Juliet ne se trouvait pas vieille du tout. Elle avoua cependant que c'était sa dernière occasion d'être mère. Parce qu'elle ne parlait pas du père, Isabelle conclut que sa liaison avec l'homme marié n'était pas terminée.

— Je suis capable de l'élever toute seule.

Isabelle crut s'entendre lancer ce même cri d'indépendance à la face de Guy quelques années plus tôt. Elle prit la main de son amie et l'entraîna sur les rochers où elles s'assirent pour regarder les enfants pêcher.

— Ça veut dire que tu vas rester à Porter Creek?

Juliet acquiesça en silence. Isabelle aussi aimait bien Porter Creek. Toutes ces maisons dépareillées construites en plein bois avaient quelque chose de pittoresque. Une sorte de compromis entre le charme yukonnais des cabanes isolées et la grande ville. Juliet lui décrivit la garderie du quartier et l'école primaire. Isabelle avait l'impression de revivre sa propre grossesse à travers celle de son amie. C'est le cœur gros qu'elle l'entendit donner des détails sur la décoration de la chambre du bébé. Le ciel s'assombrissait. Il était temps de rentrer.

Des heures plus tard, tandis qu'elle cherchait le sommeil dans une pièce baignée de lumière, Isabelle réalisa qu'elle n'avait pas pleuré quand Juliet lui avait parlé de l'enfant à venir. Elle avait de la peine, certes, mais cette sensation avait été sans commune mesure avec celle qui l'avait habitée depuis la mort de Jonathan. Sur le coup, elle se sentit coupable de voir son deuil s'adoucir. Au matin, cependant, quand elle ouvrit les yeux, elle se rendit compte qu'une page venait de se tourner. Non seulement elle n'en voulait plus à Guy, mais elle ne s'en voulait plus à elle-même. Rien ne ramènerait Jonathan. Ni les pleurs, ni le deuil, ni les remords. La vie continuait. À preuve, cet enfant dans le ventre de sa meilleure amie.

Au déjeuner, Juliet lui annonça une autre nouvelle.

— Si c'est une fille, je vais l'appeler Isabella.

Isabelle sentit des larmes de bonheur lui monter aux yeux. Cet enfant, que ce soit un garçon ou une fille, elle l'aimerait comme s'il était le sien. Grâce à lui, elle commençait à revivre.

19.

Une nuit profonde embrassait le Yukon. Au thermomètre, le mercure indiquait -20 °C. Aux dires d'Isabelle, il faisait chaud pour la saison.

J'avais conscience de vivre un des moments forts de ma rencontre avec elle. Il y en avait eu d'autres, certes, mais celui-là me bouleversait davantage parce que je savais que c'était un des derniers.

Nous campions en plein cœur de l'hiver subarctique. La tente avait été dressée au pied d'une colline. Les chiens dormaient, tassés l'un contre l'autre, roulés en boule. Hormis le feu qu'Isabelle avait allumé, on ne voyait pas la moindre lumière à l'horizon. Pas la moindre trace de civilisation non plus. Nous étions sans eau courante, sans électricité, sans téléphone cellulaire, sans ordinateur, sans télévision, sans voiture. Et une noirceur pénétrante amplifiait la sensation de solitude.

Sur la neige reposait notre cafetière, presque vide. J'avais enroulé mes mains autour de ma tasse. Le liquide brûlant diffusait sa chaleur et, l'alcool aidant, je commençais à me détendre. La soupe apportée par Isabelle m'avait rassasiée. Le sac de biscuits au chocolat que nous partagions me rappelait mon enfance. À la lueur des flammes, j'ai vu la langue d'Isabelle courir sur ses lèvres pour récupérer chaque miette.

— Quand je vivais à Québec, je n'aurais jamais osé en manger. J'aurais eu bien trop peur d'engraisser.

J'allais répliquer quand une étoile filante a traversé mon champ de vision. J'ai levé les yeux, mais il ne restait plus que ce croissant de lune aussi mince que le cerne d'un verre sur le comptoir d'un bar. Isabelle a suivi mon regard.

— Je me sens toute petite comparée aux étoiles.

Elle venait de se rouler une cigarette. J'ai regardé les volutes blanches s'échapper de sa bouche comme un long soupir d'aise. Un soupir qu'Isabelle St-Martin poussait en plein hiver, en pleine nuit, au beau milieu de nulle part. Et, sur le coup, je lui ai envié son courage, sa vie, ses choix et ses drames.

— Le monde est tellement vaste.

Elle expira une nouvelle bouffée.

— Avec internet, on a l'impression que la planète est plus petite, mais c'est une illusion. Quand j'ai besoin de me le rappeler, j'ai juste à partir avec les chiens.

Mes yeux ont balayé les collines qu'on devinait tout autour. Je lui ai donné raison. Je me sentais minuscule.

— Ici, on est sur le toit du monde. Il peut y avoir la guerre ailleurs, ça ne nous rejoint pas. Pourtant, je n'ai jamais connu des gens aussi conscients de l'environnement que les habitants de Dawson. C'est bizarre, n'est-ce pas? Des fois, je me dis qu'on essaie juste de préserver ce qui reste encore de nature sauvage sur la Terre, comme un petit coin du paradis perdu.

Elle a ri, et son rire a résonné un peu plus longtemps que d'habitude. Depuis que je la connaissais, tout me semblait déformé, étiré, plus puissant et plus intense. J'avais l'impression que même le bois qui brûlait devant nous crépitait plus fort.

— Il ne te manque rien, finalement?

C'était davantage un constat qu'une question, mais j'ai été contente de voir qu'elle prenait le temps d'y réfléchir.

— Je ne sais pas s'il me manque quelque chose. Je me contente de tellement peu. Une cabane, un lit, un poêle à bois, assez à manger, le silence. La compagnie des chiens, aussi.

— Et celle des hommes?

Mon audace m'a fait rougir, mais je ne regrettais pas cette question. Je savais que Guy n'était plus dans sa vie et je me demandais quelle était sa relation avec Chris. Devinant où je voulais en venir, elle m'a fait un clin d'œil.

— Malgré tout ce que je t'ai raconté, je pense encore que c'est l'amour qui est le plus difficile à trouver dans la vie. Sauf qu'il y a juste les femmes les plus jeunes qui accepteraient, par amour pour un homme, de mener le genre de vie qu'on mène par ici. Quand on vieillit, on veut le faire pour soi, parce que ça permet de se dépasser, de savoir qui on est vraiment et ce qu'on vaut.

— Ça te rend heureuse de vivre comme ça?

J'avais l'air incrédule, et je l'étais. Malgré moi.

Elle a éteint sa cigarette et inspiré un bon coup.

— Je pense que je suis aussi heureuse qu'on puisse l'être. J'ai tout ce dont j'ai besoin. Et j'ai toutes les possibilités. Tu sais, un jour, je voudrais bien faire la *Yukon Quest*. Il me faudrait plus de chiens, évidemment. Il me faudrait de l'aide aussi, un *handler* en qui j'aurais confiance. Mais quelque chose me dit que je m'amuserais pas à peu près.

J'aurais dû être surprise de l'entendre évoquer un tel projet, mais je ne l'étais pas. Si son passé québécois ne laissait pas présager ce genre d'excentricité, son passé yukonnais le lui autorisait amplement. Parce qu'il s'agissait d'une excentricité, à n'en pas douter. On ne se lançait pas comme ça dans la course de traîneaux à chiens la plus difficile au monde. Il fallait une détermination d'enfer pour parcourir seul avec ses chiens les mille six cents kilomètres qui séparent Whitehorse, au Yukon, de Fairbanks, en Alaska. Onze jours à braver le froid, la neige, la fatigue et le découragement, et ce, en plein mois de février. Le seul fait d'y songer inspirait le respect au Yukon.

Pour ma part, j'admirais surtout la manie qu'avait Isabelle de bannir le subjonctif de ses propos. À force de mener sa vie au conditionnel, l'esthéticienne d'autrefois s'était transformée en *musher* plus libre que je ne le serais jamais. Et plus elle parlait, plus je l'enviais.

— Ta mère doit être fière de toi aujourd'hui.

Ça me semblait une évidence. Je me trompais.

— Ma mère n'a jamais mis les pieds chez moi. Ce qui est bien correct étant donné qu'elle ne comprendrait pas pourquoi je vis comme ça.

— Elle doit bien s'en douter. Après tout, quand tu lui rends visite à Québec, elle doit voir la différence avec la fille que tu étais avant.

Isabelle n'a pas jugé bon de répondre. J'étais abasourdie.

— Tu n'es jamais retournée à Québec?

Si je ne pouvais imaginer passer huit ans à l'étranger sans revenir au Québec, ce n'était pas le cas d'Isabelle.

— Mon bébé est enterré sur la montagne au-dessus de Dawson. Si je partais, j'aurais l'impression de l'abandonner.

Un animal a hurlé dans la forêt derrière nous. Était-ce un loup? un coyote? Je n'en avais aucune idée. Comme Isabelle ne semblait pas s'en inquiéter, je ne me suis pas inquiétée non plus. Après tout, elle était en terrain connu. Quand l'animal s'est tu, Isabelle s'est allongée sur la neige. Je l'ai imitée. Loin au-dessus de nous, la nuit venait de se voiler de vert et de blanc. Comme les replis dansants d'un rideau, des aurores boréales ont envahi le ciel. On les aurait dites soufflées par la brise. Les faisceaux s'étiraient, se rétractaient, s'élargissaient, se rétrécissaient. La voûte céleste en entier s'agitait.

Allongée comme je l'étais, je ne voyais plus que le ciel et ses rais de lumière. Nous vivions un moment des plus simples et, pourtant, je ressentais la vie dans toute son intensité. Près de moi, Isabelle a parlé de son fils avec sérénité. J'ai tendu la main et serré son bras sans rien dire. Elle m'a rendu mon étreinte avant de désigner la Grande Ourse.

— Si les étoiles brillent davantage au Yukon, ce n'est pas juste parce qu'il fait plus noir. C'est surtout parce qu'on prend le temps de les regarder. Plus souvent et plus longtemps.

Sur ce, elle a repris son histoire.

20.

L'été disparut, comme d'habitude, dès la fin du mois d'août. Les pluies froides de septembre se transformèrent en neige dès le mois d'octobre, et Dawson reprit ses airs de village de Noël.

Dans sa cabane, Isabelle menait une existence paisible. Elle boulangeait son pain, coupait et fendait son bois, allait chercher son eau potable ou faisait bouillir de la neige fondue. Dès la fin du *freeze-up*, comme bon nombre de ses concitoyens, elle se rendit une fois par semaine au motel Bonanza Gold sur le pouce. Il n'était pas rare qu'elle doive grimper à l'arrière d'une camionnette. Il n'était pas rare non plus que la buanderie soit déserte. Chaque fois, Isabelle pensait à Guy. Lui et Serge avaient trouvé de l'or. Une fois officielle, la nouvelle s'était répandue comme une traînée de poudre. Elle se réjouissait de leur succès, même si elle ne les voyait presque plus. Certains prétendaient que Guy fréquentait une femme de Whitehorse et qu'il songeait à déménager. Isabelle n'écoutait pas les rumeurs. Peu importe ce qu'il avait décidé, Guy n'en avait certainement soufflé mot à personne.

Chris venait tous les matins prendre un café. Il lui apportait des biscuits, des muffins, des pâtés. Il s'assoyait dans la chaise berçante près du poêle et discutait avec elle pendant une heure, avant de repartir chez lui. Isabelle avait appris à anticiper ses visites et préparait le café avant même qu'il apparaisse sur le seuil, le sourire fendu jusqu'aux oreilles en reconnaissant l'odeur qui flottait dans l'air.

À la fin janvier, le couvert de neige s'épaissit de quelques centimètres, et Isabelle décida qu'il était temps d'affronter ses démons.

Depuis l'accident, elle n'était pas remontée sur une motoneige. Le bruit à lui seul lui donnait des frissons. Elle se trouvait ridicule. Vivre au Yukon et craindre une Bombardier, c'était comme vivre à Québec et craindre Place Laurier ou la Grande Allée. Ça relevait de l'hérésie.

Elle se rendit donc chez Chris un jour où le temps se montrait clément. Elle était au courant des réparations qu'avait nécessitées la motoneige accidentée. Retapé depuis l'été, l'engin avait déjà accumulé une centaine de nouveaux kilomètres.

Chris absent, elle s'empara des clés qu'elle trouva sur le clou où il les laissait toujours et enfourcha la motoneige.

Le moteur vrombit et, moins de dix minutes plus tard, elle descendait la grande côte. Tout en bas, elle s'élança sur la glace en direction nord, dans un sentier balisé par les motoneiges autant que par les traîneaux à chiens. Elle allait explorer la zone que tous ici, anglophones comme francophones, appelaient *down river,* l'aval du fleuve qu'aucune route ne desservait.

Filer sur les eaux gelées avait quelque chose de grisant, qu'on tremble ou non derrière le guidon. On voyait loin. Aucun obstacle, aucune chance de croiser quelqu'un. Isabelle était seule. Seule avec elle-même, avec sa peur et avec son courage. Elle mit les gaz. De chaque côté, les collines ondulaient, leurs sommets touchés par la lumière, leurs bases plongées dans l'ombre parce que le soleil ne passerait pas l'horizon avant 14 heures.

À un moment donné, la piste se sépara en deux. Une voie traversait le fleuve pour atteindre Moose Hide, ce hameau isolé qui servait de refuge d'été aux autochtones de la région. L'autre voie piquait vers l'ouest dans les terres.

Même si elle l'avait voulu, Isabelle ne pouvait continuer tout droit. Les eaux du Yukon y coulaient encore, libres, noires et inquiétantes. Elle opta pour la terre ferme. Chris lui avait souvent répété que, à moins d'un blizzard soudain, il était impossible de se perdre. Comme le ciel était bleu, Isabelle ne risquait rien.

La piste ne remontait pas très loin sur la berge. Quelques dizaines de mètres tout au plus. Elle longeait ensuite la rive, suivant le contour des criques qu'on devinait sous la neige. Il fallait cependant surveiller les branches, les roches, les ruisseaux dont la glace n'était pas toujours solide à cause du courant. Isabelle montait les talus, descendait dans les coulées, remontait de l'autre côté et s'amusait comme elle ne s'était pas amusée depuis longtemps. L'air sentait le sapinage. Les arbres couverts de givre offraient un paysage féerique. Isabelle songea qu'elle devrait peut-être s'acheter sa propre motoneige puisque l'engin lui plaisait vraiment. C'est à ce moment que le moteur s'arrêta et qu'elle se retrouva en plein silence, les yeux rivés sur le capot, sidérée. Chris lui avait pourtant dit qu'il l'avait réparée! Elle jura entre ses dents, mais se calma en remarquant la jauge à essence. L'aiguille penchait à gauche. Complètement à gauche.

Isabelle parcourut la forêt d'un œil inquiet. Elle était seule à une dizaine de kilomètres du village. Résignée à affronter deux heures et demie à trois heures de marche, elle entreprit de remonter la piste laissée par les patins. Elle s'imaginait en train d'expliquer la situation à Chris. Il faudrait trouver une autre motoneige et revenir à deux avec un *jerrycan* d'essence. Comme ça aurait l'air fou! Comme il se paierait sa tête par la suite! Pff! Isabelle ne devait pas craindre le ridicule. Elle avait affronté sa peur. Rien d'autre ne comptait.

Elle marchait depuis dix minutes quand une voix sortie de nulle part l'interpella:

— *Is this your ski-doo over there?*

Isabelle pivota, soulagée de découvrir qu'elle n'était pas seule en fin de compte. Un homme arrivait en traîneau à chiens. Les huit bêtes attelées s'immobilisèrent à quelques pas, mais un des chiens de tête s'avança pour la renifler. Par habitude, Isabelle retira sa mitaine et allongea le bras. La bête lova son museau au creux de sa main.

— *It's okay, Lea. Leave her alone.*

Au lieu d'obéir, la chienne s'assit sur les pieds d'Isabelle. L'homme la rabroua encore une fois, toujours en anglais :

— Laisse-la tranquille, Lea !

Comme l'animal ne bougeait pas, il planta son ancre dans la neige, remonta l'attelage et bouscula la chienne qui rejoignit ses compagnons la mine basse.

— Désolé pour le trop-plein d'affection. Je m'appelle Tim.

Isabelle lui serra la main qu'il avait grande et sale, comme c'était la coutume chez les hommes qui travaillaient dehors. Sauf que Tim ne travaillait pas dehors. Enfin, pas au quotidien. Il était peintre. Isabelle le connaissait de vue. Elle savait que ses tableaux ornaient les murs des galeries de Whitehorse, mais aussi de Vancouver et de Toronto. Il vivait reclus en aval de Dawson, sur le bord du fleuve. On le voyait rarement au village. En sept ans, Isabelle l'avait croisé une fois ou deux au bureau de poste. Peut-être plus souvent à l'épicerie, mais à peine. Grand et mince, il avait une barbe rousse qui lui descendait au milieu de la poitrine. Ses cheveux, qui dépassaient de son bonnet péruvien, étaient aussi roux et aussi longs que sa barbe. On pouvait lui donner n'importe quel âge entre trente-cinq et cinquante-cinq ans. Les fils gris qui striaient sa barbe interdisaient de le croire plus jeune. L'absence de rides aux coins des yeux, de le croire plus vieux.

Quand elle lui dit pour quelle raison la motoneige était en panne, il partit d'un grand rire sonore qu'Isabelle aurait pu croire exagéré si elle n'avait perçu la sincérité de sa voix. Il lui offrit d'aller lui chercher de l'essence à sa cabane où il en gardait toujours des réserves pour sa génératrice.

Isabelle accepta de bon cœur, soulagée de ne pas avoir à s'humilier devant Chris. Elle revint sur ses pas en remontant son foulard pour se couvrir le bas du visage. La lumière s'intensifiait peut-être, mais le froid aussi.

Tim et ses chiens exécutèrent un large demi-tour. L'attelage était sur le point de s'élancer par où il était venu quand il s'immobilisa de nouveau.

— As-tu envie d'une tasse de thé? J'ai toujours de l'eau chaude sur le poêle.

La chose était bien connue au village, Tim, le peintre, ne recevait jamais de visite. Isabelle se dit que l'invitation à elle seule valait la panne d'essence. L'instant d'après, assise dans le traîneau, elle regardait le paysage défiler au son des pattes sur la neige. Debout derrière, Tim donnait ses ordres. Devant, les chiens trottaient gaiement. Aucune rêne ne les reliait à leur maître. Ils obéissaient à la voix aussi bien que si on les avait dirigés physiquement.

La cabane de Tim apparut au bord du fleuve à côté d'une deuxième qui, Isabelle l'apprit plus tard, lui servait d'atelier. Les deux cheminées fumaient au même rythme et répandaient sur la clairière une odeur agréable. Construites face au fleuve, les deux cabanes bénéficiaient d'une vue spectaculaire. Devant la première, un sentier descendait jusqu'à la grève où un trou d'un demi-mètre de circonférence avait été creusé dans la glace. Inutile de chercher plus loin la provenance de l'eau avec laquelle Tim préparerait le thé.

Le traîneau s'arrêta devant une série de niches où Tim attacha les chiens après avoir défait l'attelage. Isabelle le regarda manœuvrer les bêtes. Il avait l'habitude, lui qui, selon la rumeur, vivait là depuis au moins quinze ans.

— Je ne t'invite pas dans la maison, elle est trop à l'envers. Mais je pense que mon atelier se trouve dans un état « acceptable ».

Il l'entraîna dans le premier bâtiment. Quand la porte s'ouvrit, Isabelle se figea sur le seuil. Si cette pièce était considérée comme « acceptable », elle n'osait imaginer de quoi avait l'air ce qu'il appelait sa maison. Chose certaine, l'endroit ne correspondait en rien à l'idée qu'elle s'était faite d'un atelier de peintre. Il y avait bien un chevalet dans un coin, en avant près de la fenêtre, avec une palette, des tubes de peinture et des gallons de solvant. Mais le reste relevait davantage d'un atelier d'ébéniste. Le centre était occupé par un établi et un banc de scie, tous deux jonchés d'outils en tout genre, qui n'avaient strictement rien à voir avec la peinture. Ici, Tim créait et réparait. À voir le nombre de mégots écrasés dans le cendrier, il fumait aussi. Le plancher était couvert de bran de scie et de débris divers. Au fond, près du poêle à bois, deux tabourets offraient les seules surfaces raisonnablement propres pour s'asseoir. Isabelle retira son parka et imita Tim quand il suspendit le sien à un clou derrière la porte.

— Fais comme chez toi. Il y a des biscuits par là.

Il avait désigné l'établi où, effectivement, traînait un paquet de biscuits tellement secs que le premier qu'Isabelle attrapa s'émietta entre ses doigts.

Elle remarqua dans un coin ce qui s'apparentait à un jeu de construction. Des bouts de bois finement ouvragés avaient été assemblés pour former une sorte de squelette.

— À quoi ça ressemble?

Tim s'était approché et son avant-bras frôla le sien. Isabelle perçut pour la première fois son odeur. Un mélange de bois brûlé, de tabac et de sueur qui lui monta à la tête et lui donna curieusement envie de se rapprocher. Surprise, elle fit un pas de côté, mais dans l'autre direction.

— Je dirais un traîneau.

— *Right on!*

Elle avait lancé le premier mot qui lui était venu à l'esprit. Au fond, la structure ne ressemblait à rien de précis. Tant mieux si elle avait vu juste.

— Tu fabriques des traîneaux à chiens ?

Il fallait qu'elle parle, qu'elle pense à autre chose qu'à cette émotion qui s'apprêtait à l'envahir. Elle la reconnaissait, cette émotion, mais il y avait tellement longtemps qu'elle l'avait ressentie qu'elle n'arrivait pas à y croire. Depuis Guy, des années plus tôt, aucun homme n'avait su l'émouvoir. Et voilà que l'ermite le plus bizarre de Dawson venait de la troubler.

— Je les fabrique à l'ancienne. Comme à l'époque, je veux dire. Je n'y mets pas une pièce de métal, sauf les vis.

Isabelle se pencha sur l'armature de bois. Elle essayait d'avoir l'air admirative, mais, au fond, elle s'en fichait éperdument. Tim s'était encore une fois rapproché et lui montrait maintenant, geste à l'appui, comment il avait courbé et agencé les morceaux. Elle suivait des yeux sa main, puis son bras. Comment pouvait-elle éprouver une attirance aussi forte pour un homme qu'elle connaissait à peine ? Quand il se pencha pour saisir une des pièces, elle laissa son regard courir sur le reste de son corps. Elle n'avait pas vu qu'il avait détaché ses cheveux. Il possédait vraiment une crinière magnifique, aussi rousse que la barbe, mais plus frisée et d'une épaisseur à rendre jalouse n'importe quelle fille. Le cuivré mettait en évidence la pâleur de sa peau et le vert de ses yeux que soulignaient des sourcils aussi abondants que le reste. Elle le trouva beau, même si elle se doutait qu'il s'agissait là d'un effet secondaire du désir. Il avait sur le nez et les joues des petites taches de rousseur que le temps avait pâlies. Ses bras étaient longs et minces, ses doigts, longs et fins. On ne lui aurait jamais trouvé un gramme de gras sur le corps et pourtant, même s'il flottait dans ses vêtements, Isabelle se dit qu'il n'était pas maigre. Tout en nerfs, plutôt. Quand il souleva d'une main l'armature pour lui montrer où il comptait fixer la pièce qu'il tenait dans l'autre main, elle vit se tendre les muscles sous le chandail. Il lui fallut de l'air tout à coup. Elle prétendit avoir besoin d'uriner et sortit.

Quelques rayons de soleil perçaient entre les branches des épinettes et faisaient briller la neige. Attachés au bout de leurs chaînes, les chiens dormaient. On n'entendait rien, pas même un oiseau. Isabelle s'accroupit derrière les niches. Elle avait l'habitude, maintenant, d'uriner en pleine nature, même si elle trouvait la chose plus compliquée en hiver.

À son retour, la pièce embaumait la bergamote. Assis au bord du poêle, Tim se roulait une cigarette. Isabelle le rejoignit et s'attarda sur ses gestes. Après avoir déposé du tabac dans un papier, il l'avait roulé serré. Il découpa ensuite un morceau de carton qu'il roula et inséra dans la cigarette pour servir de filtre. Quand il l'alluma, l'odeur qui envahit la pièce n'avait rien à voir avec l'odeur habituelle des cigarettes. C'était plus fin, presque doux.

— Comme ça, tu as oublié de vérifier l'essence avant de partir en *ski-doo*.

Elle émit un grognement positif en trempant ses lèvres dans le thé. Il y avait longtemps qu'elle avait bu une tasse d'Earl Grey. Elle aurait dû en apprécier le goût, au lieu de chercher quelque chose d'intéressant à dire. Faute de mieux, elle lui raconta son accident de l'hiver précédent et la décision qu'elle avait prise ce matin-là d'affronter sa peur. Elle lui parla du fleuve qui s'étendait devant elle, tellement beau qu'elle avait eu envie d'aller voir plus loin.

Elle avait chaud maintenant, et ça n'avait rien à voir avec le feu du poêle à bois ni avec le thé qu'elle venait de terminer. Tim, qui n'avait manifestement rien perçu de son trouble, lui parla encore de sa technique pour fabriquer les traîneaux. Isabelle sauta sur l'occasion.

— J'ai beaucoup de temps libre cet hiver. Veux-tu me montrer comment tu fais? Je suis capable de me servir de la plupart des outils, mais je n'ai jamais touché à un ciseau à bois.

Quelle mouche l'avait piquée? Où avait-elle trouvé l'audace de demander une telle chose à un homme que tout le monde disait misanthrope?

— C'est une bonne idée. Sauf qu'il faudrait que tu viennes virer ici deux ou trois fois par semaine pour retenir quelque chose.

Elle se laissa emporter.

— Je vais voir avec Chris si je peux lui emprunter sa motoneige. Ça ne devrait pas poser de problème. Il a obtenu un contrat de rénovation en ville et va travailler en pick-up.

Tim sembla satisfait. Il dut rallumer sa cigarette à plusieurs reprises parce qu'elle s'éteignait. Quand elle fut consumée, ils se rhabillèrent et sortirent chercher l'essence.

Ils revinrent à pied à la motoneige en tirant une luge sur laquelle reposait le *jerrycan* plein. Ce n'était pas très loin. Isabelle marchait devant, mal à l'aise. Elle imagina qu'il l'observait, même s'il ne disait rien. Elle sentit tout à coup la main de Tim posée sur son épaule. En tournant la tête, elle s'aperçut qu'il pointait un doigt en direction de la forêt. Là, au milieu des épinettes, un orignal les regardait, aussi immobile qu'eux. Il était énorme, avec un panache de plus d'un mètre d'envergure. Isabelle, qui n'en avait jamais vu d'aussi près, eut peur et voulu reculer.

— Ne bouge pas.

Il raffermit sa poigne pour l'empêcher de bouger. Elle sentait la pression sur son épaule, à travers le parka, et souhaita que ce moment dure longtemps, que l'orignal reste là et qu'eux aussi demeurent soudés l'un à l'autre dans l'instant présent. Qu'est-ce qui lui arrivait? Elle se trouvait ridicule même si une part d'elle-même se réjouissait de constater qu'à presque quarante ans elle était encore capable de vibrer pour un homme. Elle, qui n'y croyait plus, qui s'était convaincue que plus jamais elle n'aimerait, que plus jamais elle n'aurait envie de faire l'amour. Elle avait vécu au neutre depuis la mort de Jonathan, ne ressentait plus rien pour personne, jamais. Pauvre Chris! Toutes ses avances, même plus ou moins déclarées, l'avaient laissée de glace. Alors que là… Un mot de Tim, et elle se serait pendue à son cou.

— On peut repartir maintenant.

Isabelle réalisa que l'animal avait déjà tourné les talons et que Tim avait retiré sa main. Elle reprit le chemin de la motoneige en trébuchant dans le sentier. Il fallait absolument qu'elle le revoie. Coûte que coûte.

Ils avaient convenu que tous les lundis, mercredis et dimanches, Isabelle se rendrait *down river* pour apprendre à fabriquer un traîneau à chiens. C'était du moins le prétexte, une excuse comme une autre pour se rendre chez Tim en motoneige et passer du temps avec lui. Les traîneaux à chiens laissaient Isabelle complètement indifférente. Mais s'il fallait manier le ciseau à bois pour s'approcher de Tim, elle apprendrait.

Elle arrivait en milieu d'avant-midi. Ils s'installaient dans l'atelier et y passaient trois heures. Tim ne s'arrêtait que pour se rouler une cigarette et fumer en étudiant les changements dans la lumière. À cette latitude, on gagnait une heure de clarté par semaine. Une augmentation qui ne passait pas inaperçue, surtout dans l'œil d'un peintre. Isabelle profitait de ces pauses pour l'interroger. Qu'allait-il peindre ce jour-là? À quelle heure? Il lui montrait le tableau que les rayons du soleil n'effleuraient pas encore. Tim attendait toujours que la lumière soit à son meilleur pour sortir ses pinceaux.

Au début février, ce n'était pas avant 14 heures. Puis ce fut 13 heures. Et très vite, il commença à mettre Isabelle à la porte dès midi.

— Si tu veux continuer, il faudra arriver plus tôt.

Docile, parce qu'intéressée, Isabelle obtempérait. Elle était là à 9 heures le lendemain. À 8 heures, la semaine suivante.

Certains jours, elle apportait un CD. La musique québécoise lui manquait. Dès qu'elle glissait le disque dans le lecteur, Tim l'interrogeait.

— Est-ce que c'est du français que j'entends là ?

Sa question donnait lieu chaque fois au même échange.

— Tu n'as pas suivi de cours de français quand tu étais au secondaire ?

— Oui, mais je n'y allais pas souvent.

Il se payait sa tête. Au fond, Tim était francophile et, s'il s'amusait de temps en temps à corriger son anglais, il lui répétait du même souffle qu'il adorait son accent.

Il venta tout le mois de mars. Le soleil brillait de plus en plus fort, mais les -30 °C restaient fréquents. L'atelier se remplissait de fumée et de sciure de bois. Le cendrier, de mégots. Sur le plancher, les taches de peinture s'accumulaient les unes sur les autres. Tim préparait du café fort dans lequel il versait un ou deux doigts d'alcool, histoire, disait-il, de se tenir au chaud. Isabelle préférait un autre moyen pour parvenir à cette fin, mais attendait une occasion qui, hélas, ne se présentait pas. Tim restait à distance. Assez près pour qu'elle sente sa présence et rêve, mais assez loin pour ne pas l'effleurer, même par accident.

Au milieu du mois de mars, une grande nouvelle se répandit au village : Juliet venait de donner naissance à une petite fille. Les gens conclurent qu'elle avait refait sa vie à Whitehorse, qu'elle s'était trouvé un homme et qu'elle avait décidé de fonder une famille avec lui. Personne ne fit d'autre supposition à Dawson. On se cotisa pour lui faire un cadeau, et Isabelle fut chargée d'aller magasiner. Chris proposa de l'y conduire.

— J'en profiterai pour faire des courses.

C'est ainsi que, cinq jours après sa naissance, Isabella s'endormait dans les bras d'Isabelle qui s'extasiait :

— C'est drôle, elle me ressemble.

Elle lui ressemblait en effet, par la délicatesse de ses traits, par le mat de sa peau et par ses cheveux noirs et abondants qui surprenaient chez un nouveau-né. Isabelle n'avait pas perdu la main. L'enfant n'avait pas versé une larme en quittant les bras de sa mère et dormait maintenant à poings fermés. Isabelle la détaillait, ravie.

Quand elle leva enfin les yeux, son regard croisa celui de Juliet qui lui souriait avec bienveillance. Un nouveau lien unissait les deux femmes. Peu importait l'avenir qui les attendait, elles seraient toujours là l'une pour l'autre. Isabella scellait ce pacte mieux que ne l'aurait fait n'importe quel contrat écrit.

Dans le coin opposé de la cuisine, Chris souriait, lui aussi. «Tu es tellement belle», semblait-il lui dire. Ses lèvres, cependant, ne laissaient pas passer un mot.

Le voir si heureux et à ce point silencieux jeta une lumière nouvelle sur leur relation. Isabelle additionna les détails perçus au fil des ans. Les regards, les caresses furtives, les services rendus, la gentillesse, la générosité, la disponibilité. Elle comprit l'ampleur de ses sentiments. Chris ressentait pour elle ce qu'elle-même ressentait pour Tim. Et la peur du rejet le rendait muet.

À la fin mars, Tim changea encore leur horaire de travail.

— Arrive vers la fin de l'après-midi. Le soleil sera derrière les montagnes. Je ne verrai déjà plus ce que je veux voir.

Isabelle obéit, mais, à partir de ce jour-là, la fabrication du traîneau devint une occupation secondaire. Quand la motoneige apparaissait dans le sentier, Tim se trouvait déjà sur la galerie, vêtu sans doute de tous les vêtements qu'il possédait. Il attendait qu'elle éteigne le moteur pour lui lancer un « *Let's go mushing!* » tonitruant.

En apercevant les harnais, les chiens se mettaient à aboyer, incapables de contenir leur joie. Au début, Isabelle resta assise dans le traîneau à étudier les paroles de Tim et les réactions des chiens. Au bout d'une semaine, Tim lui abandonna les commandes pour s'asseoir à sa place.

— C'est bien moins fatigant comme ça!

Il riait de son rire trop fort tandis qu'Isabelle poussait sur le traîneau pour aider les chiens à monter une côte. Elle suivait ses instructions à la lettre.

— Tu n'es pas leur amie. Tu es la maîtresse, la chef de meute. Ne les laisse pas te traiter en égale sinon ils ne t'écouteront pas.

Isabelle obéissait et rabrouait sans ménagement le chien qui tentait de lui monter sur le dos.

Au fil des jours, elle apprit à moduler sa voix pour prononcer les ordres et à masser les pattes à mi-parcours. Elle apprit également à préparer cette nourriture à laquelle elle trouvait une vague ressemblance avec ce que Tim lui servait quand elle mangeait chez lui. Un mélange de viande et de liquide. Quand elle lui fit part de cette observation, Tim s'exclama :

— Ce n'est pas la même chose, voyons! Dans la nôtre, il y a des légumes.

324

Au début avril, le mercure grimpa. Jamais Isabelle n'aurait cru un jour souhaiter que l'hiver dure plus longtemps. C'était le cas, pourtant. Quand elle sentait la douceur de l'air en sortant de sa cabane le matin, elle en voulait à ce beau temps qui arrivait trop vite à son goût cette année.

— *The end of winter means the end of mushing season.*

Tim le lui avait répété chaque fois qu'ils avaient senti le chinook balayer la région. La fin de l'hiver ne signifiait pas seulement la fin des promenades avec les chiens, mais aussi la fin de ses cours privés. Le traîneau était presque terminé. Isabelle se désolait. Quel prétexte trouverait-elle après pour venir *down river*?

Un matin, elle découvrit la glace du fleuve amincie et recouverte d'eau à plusieurs endroits. Un peu avant d'arriver à la hauteur de Moose Hide, elle l'entendit craquer tellement fort que le bruit étouffa momentanément celui du moteur. L'instinct lui fit mettre les gaz et, une fois sur la terre ferme, elle réalisa qu'elle avait transpiré exagérément. Elle sut que c'était la dernière fois qu'elle se rendait chez Tim en moto-neige. Plus loin dans le sentier, les patins s'enfoncèrent dans la boue et elle dut se lever et secouer l'engin pour les dégager. Décidément, c'était la dernière fois.

Elle l'aperçut de loin qui l'attendait en fumant sur la galerie. Quand les chiens se mirent à aboyer, il leva la tête, l'air surpris, comme si, perdu dans ses pensées, il n'avait pas entendu le bruit du moteur. Elle se gara à l'endroit habituel, juste avant les niches, et dut distribuer son lot de caresses avant de rejoindre Tim et l'embrasser sur les joues. Il avait encore l'air songeur.

— Il y a quelque chose qui ne va pas?

Il secoua la tête, éteignit sa cigarette et s'écarta pour la laisser entrer. En apercevant le traîneau au fond de la pièce, Isabelle ressentit un pincement au cœur. Elle se doutait bien qu'il y avait travaillé pendant son absence. Elle s'attrista à l'idée qu'il l'avait fini sans elle.

Tim avait chauffé le poêle, et on crevait dans l'atelier. Au lieu de la rejoindre, il resta sur la galerie à se rouler une autre cigarette. Rêvait-elle ? Il lui semblait percevoir de la tristesse dans ses gestes.

— D'ici quelques jours, ce sera le *break-up*.

Isabelle approuva d'un sourire las, incapable de se réjouir de la débâcle alors que c'était le moment attendu par tous les Yukonnais.

— Je me suis rendu au village hier pour faire des provisions. Je ne pourrai pas y retourner avant un bout.

Après la débâcle, il fallait encore se montrer prudent. Tant que tous les morceaux de glace n'étaient pas descendus, il était dangereux de s'aventurer sur le fleuve en bateau. Parce que c'était ainsi que Tim se rendait au village en été. Il lui avait montré sa chaloupe à moteur, renversée derrière l'atelier.

— J'ai rapporté ça pour célébrer la fin de tes cours.

Il lui tendit une canette de bière, s'en ouvrit une qu'il leva bien haut.

— Je te donne deux fois A+.

Ils burent en silence, adossés au mur de chaque côté de la porte. Ils gardaient tous les deux les yeux fixés sur le fleuve et au-delà. On entendait le chant des oiseaux. Des chiens se querellaient. Les sapins grinçaient dans cette brise trop douce.

— Comment ça se fait qu'il n'y a pas de femme dans ta vie ?

Isabelle venait de poser la question qui lui brûlait les lèvres depuis qu'un matin elle avait aperçu le renouvellement du permis de conduire de Tim. Le document traînait dans l'atelier. Elle avait tout juste eu le temps de lire 1963, avant que Tim ramasse, d'un geste embarrassé, toute la pile de courrier. Elle avait fait le calcul. Il avait quarante-cinq ans. Et dire que ça faisait déjà quinze ans qu'il vivait ici ! Personne au village ne lui avait connu d'épouse ou de copine. Lui-même avait très peu parlé de son passé. Isabelle n'avait pas non plus posé de questions. Ils avaient fait des blagues, abordé tous les sujets relatifs à la peinture, aux traîneaux à chiens ou à Dawson. Ils avaient parlé de son passé à elle, de cette maison que Chris avait bâtie pour elle, de celle que Tim avait construite de ses mains et dans laquelle jamais Isabelle n'avait mis les pieds. Il lui avait dit venir de Fort Érié, en Ontario, avoir étudié les beaux-arts. Il appelait sa mère tous les ans à Noël. Là s'arrêtait, en gros, ce qu'il avait accepté de révéler.

Et voilà qu'elle venait de briser cette entente qui, bien que tacite, leur avait garanti trois mois d'harmonie. Les mots étaient sortis trop vite. Elle les regrettait déjà. Tim répondit d'une voix neutre :

— Je ne pense jamais à ça.

Lui n'y pensait peut-être pas, mais Isabelle ne pensait à rien d'autre depuis qu'elle le connaissait. En fait, depuis qu'elle avait senti l'effet qu'il produisait sur elle. Impossible qu'il n'ait jamais provoqué cette réaction chez d'autres femmes.

Elle réalisa tout à coup qu'ils venaient de vivre un moment d'une rare intensité. Leur premier. Pendant un court instant, ils avaient tous deux baissé leur masque. D'une certaine manière, ils s'étaient montrés tels qu'ils étaient vraiment. Elle, avec ce désir qu'elle n'arrivait plus à contenir. Lui, avec sa douleur qu'il avait rapidement voilée d'indifférence. Au moment où elle se faisait cette réflexion, tout cela était déjà terminé. Ils regardaient de nouveau dans la même direction, mais il n'y avait plus cette magie entre eux. L'instant passé, tout était changé. Si Tim ne pouvait plus ignorer ce qu'elle ressentait pour lui, Isabelle, elle, devait accepter ce qu'elle n'avait que soupçonné jusque-là. Elle avait rêvé. Elle ne l'intéressait pas. Il n'y avait jamais rien eu entre eux. Que du vent !

Mai était arrivé et, avec lui, le travail à Parcs Canada avait repris. Isabelle n'avait plus de séquelles de l'accident, mis à part ce bras qui ne voulait toujours pas plier normalement. Elle avait appris à vivre avec ce handicap qu'elle trouvait, somme toute, mineur. Surtout qu'il ne l'empêchait ni de lever une tronçonneuse, ni de fendre le bois, ni de boulanger le pain.

Elle n'avait pas revu Tim depuis un mois. Elle en souffrait comme une *junkie* en manque. Le beau temps lui avait ravi ses trois doses hebdomadaires sans période de sevrage. Elle n'arrivait plus à penser à autre chose. Autant elle regrettait son audace, autant elle regrettait ne pas s'être déclarée avant. Tim, que la débâcle autant que leurs derniers aveux avaient rendu inaccessible, lui manquait cruellement.

Elle se trouvait pathétique parce qu'elle avait de l'expérience, parce qu'elle sentait l'ambivalence. Tim n'avait rien à lui offrir. Il vivait plus simplement encore que Guy. Il aimait encore moins les gens. Il fumait comme une cheminée, mangeait mal, avalait des comprimés de vitamine C pour éviter le scorbut. Et il en avalait beaucoup, de ces comprimés, si on se fiait au nombre de bouteilles vides qui servaient à ranger les vis et les clous dans l'atelier. Il avait déjà des problèmes de mémoire, ce qui avait occasionné pendant l'hiver quelques quiproquos amusants. En fait, elle lui trouvait facilement des défauts. Il était trop indépendant, plus que Guy, ce qui n'était pas peu dire. Il était entêté, distant et savait se montrer cinglant. Il vivait dans un désordre indicible et portait des vêtements sales. Pire que tout, jamais elle ne pourrait le présenter à sa famille. Sa mère en ferait une syncope.

Et pourtant... Quand elle était avec lui, elle voyait au-delà. Au-delà du bric-à-brac de l'atelier et de la confusion dans laquelle il vivait. Elle se contrefichait de ses défauts. Il était doux, minutieux, généreux et, quand on avait réussi à gagner sa confiance, il donnait de son temps sans compter.

Mais plus que tout, il la faisait rire. Ils avaient passé l'hiver dans une complicité et une harmonie qui auraient rendu jaloux bien des couples mariés.

La loi antitabac était passée. Désormais, au Yukon, il était interdit de fumer dans tous les lieux publics, y compris les bars. Les fumeurs s'entassaient donc sur les trottoirs. Le soir, Isabelle se joignait à eux. Elle n'écoutait pas leurs récriminations. Elle ne recherchait que l'odeur du tabac dont elle imprégnait ses vêtements afin que, la nuit venue, elle n'ait qu'à fermer les yeux pour imaginer que Tim s'allongeait avec elle. Au bout de quelques semaines, lasse de dépendre des autres pour sa dose quotidienne, elle avait commencé à fumer.

Chaque jour, elle se sermonnait, se rappelait qu'elle avait presque quarante ans, qu'elle était indépendante, qu'elle n'avait besoin de rien ni de personne, qu'elle menait la vie qu'elle avait choisie, qu'elle avait des amis, une maison, un emploi, des comités auxquels elle consacrait beaucoup de temps. Mais chaque jour, elle guettait les bateaux qui remontaient le fleuve. Elle cherchait une silhouette grande et mince qui la gratifierait d'un sourire.

Heureusement, les touristes revenaient en grand nombre. Très vite, Isabelle n'eut plus de temps pour errer sur la digue les yeux fixés vers l'aval. Si bien que mai s'écoula, puis juin.

Une grande partie des habitants de Dawson s'étaient regroupés sur le Dôme en ce jour de solstice, pour voir le soleil rebondir à l'horizon. Isabelle, qui n'avait pas le cœur à la fête, avait préféré rester chez elle. Sa vie, qu'elle trouvait satisfaisante six mois plus tôt, lui paraissait désormais sans intérêt. Dans la maison, elle tournait en rond. Et il en allait de même sur le terrain. Elle avait beau cuisiner, fendre du bois, nettoyer, cultiver son potager et réparer ce qui était brisé, rien n'y faisait. Elle se morfondait et se détestait pour ça.

Avec le Centre de la francophonie, elle s'était jetée corps et âme dans la mise sur pied d'une émission francophone à la radio communautaire. Quelques personnes s'y étaient opposées, mais avaient été vaincues par le gros bon sens. Une heure de musique en français par semaine, même le plus *redneck* des anglos pouvait souffrir ça. *Franccopen* avait vu le jour deux semaines plus tôt sur les ondes de CFYT. Isabelle avait donc dû se trouver autre chose pour se tenir occupée.

C'est ainsi qu'elle avait mis à exécution son autre projet et installé des moustiquaires tout autour de sa galerie. La nouvelle pièce ainsi créée alliait les avantages de la vie à l'extérieur à ceux de la vie à l'intérieur. Isabelle y avait déplié une chaise longue sur laquelle elle dormait quand le temps s'y prêtait. Comme cette nuit.

Elle y était depuis une heure et ne dormait pas encore quand elle entendit des pas sur la route. Levant la tête, elle aperçut une silhouette mince à travers les arbres. Son sang ne fit qu'un tour, et elle bondit pour accueillir Tim, mais se figea en reconnaissant Chris, ivre au point d'avoir de la difficulté à marcher.

— Je rentre chez moi à pied.

Elle rit de le voir dans cet état. Lui qui ne buvait jamais à l'excès semblait avoir pris la cuite de sa vie.

— J'ai laissé mon pick-up sur le Dôme.

— C'était une bonne idée.

Elle ne trouvait rien d'autre à dire tant la situation était comique. Chris secoua un doigt pour attirer son attention.

— Demain, c'est samedi.

— Il est 3 heures du matin, Chris. Demain, c'est aujourd'hui.

— OK. Aujourd'hui, c'est samedi.

— Absolument.

— Samedi, c'est ton jour de congé.

— Absolument aussi.

— Je m'en vais à Whitehorse samedi. Veux-tu venir avec moi?

— Qu'est-ce que tu vas faire à Whitehorse, Chris?

— Rien. Je veux juste être avec toi.

— Arrête donc! Tu es soûl.

Il hocha la tête exagérément.

— Il n'y a pas de doute là-dessus.

— Peut-être que tu devrais rentrer.

— Ça, c'est une bonne idée.

Elle s'attendait à ce qu'il tourne les talons, au lieu de quoi il se dirigea vers la maison. Amusée, Isabelle le regarda ouvrir la porte-moustiquaire, grimper les marches en titubant et s'affaler sur la chaise longue.

— On est bien chez moi.

— Ce n'est pas chez toi, Chris.

— Je sais, mais j'aimerais bien que ça le soit.

Le sourire d'Isabelle s'évanouit.

— Viens, je vais te reconduire.

— Non. Je veux rester ici.

Elle s'approcha une chaise. Chris avait fermé les yeux. Elle eut pitié de lui.

— Qu'est-ce qui t'a pris de boire autant?

— Ça ne te regarde pas.

— D'accord. Mais tu n'es plus drôle. Rentre donc chez toi.

— Juste si tu viens avec moi demain à Whitehorse.

— Je n'irai nulle part avec un gars soûl.

— Demain, je ne serai plus soûl. On pourrait aller voir Juliet et la petite Isabella. Tu pourrais la bercer. Je t'emmènerais souper, pis on irait marcher au bord de l'eau. On serait loin des regards du monde d'ici. Juste nous deux.

S'ils avaient été dans le Sud, Isabelle lui aurait dit qu'il était temps qu'il la laisse tranquille et qu'il se cherche quelqu'un d'autre. Mais ils vivaient dans le Nord, dans un petit village comptant mille deux cents habitants en hiver. Les femmes disponibles n'étaient pas légion. Et les filles d'été, trop jeunes, ne restaient pas.

— Bon. Je pense qu'il faut vraiment que tu rentres.

Il ouvrit les yeux et lui jeta un regard tellement dur qu'Isabelle en frémit. Il l'aimait et la haïssait de ne pas l'aimer en retour. Elle avait pourtant fait attention de ne pas attiser son désir, de ne jamais se retrouver trop proche de lui, de ne pas l'encourager. Toutes ces précautions n'avaient servi à rien. Il l'aimait toujours.

Il se leva et s'en alla de son pas hésitant et triste.

— C'est à cause de l'accident. Je sais que c'est à cause de l'accident. Elle ne me le pardonnera jamais. Non, non! Elle ne me le pardonnera jamais.

Isabelle lui souhaita bonne nuit. Que pouvait-elle faire d'autre? Elle lui avait déjà dit que l'accident n'avait rien à voir avec ses sentiments. Elle avait repoussé ses avances bien avant. Chris s'était persuadé du contraire et n'en démordait pas.

— Je n'aurais pas dû aller aussi vite. Si j'avais conduit plus lentement, j'aurais vu le ravin à temps. Mais j'avais ce maudit soleil dans les yeux.

Il leva la tête, chercha en vain le soleil dans un ciel aussi bleu qu'en plein jour.

— Maudit soleil!

Isabelle soupira, mortifiée. Chris était un homme extraordinaire. Il n'y avait pas plus fiable ni plus généreux. Avec Juliet, il avait été son lien le plus solide, la personne sur qui elle avait toujours pu compter, et ce, depuis des années. Il était bon dans tout parce qu'il ne ménageait jamais sa peine. Elle l'admirait et ressentait plus d'affection pour lui que pour quiconque à Dawson. Sauf pour Tim, qui lui ne l'aimait pas.

Elle venait de terminer une visite guidée. Les touristes se dispersaient dans la rue, heureux d'avoir vu l'intérieur du Red Feather Saloon et du Palace Grand Theatre. C'était une belle journée. Une des dernières de l'été. Isabelle marchait sur le trottoir de bois et faisait le plein de soleil. Déjà, la nuit, on voyait les étoiles.

Elle pensait à ses cheveux qu'elle devait faire couper avant le gel, à ces provisions qu'il fallait amasser. Comme chaque année, elle avait dressé une liste à laquelle elle ajoutait les articles à mesure qu'ils lui venaient à l'esprit. Toute à ses pensées, elle ne remarqua pas l'inconnu qui marchait vers elle. Il n'attira son attention que lorsqu'elle réalisa qu'il allait lui foncer dessus. C'était un homme grand et mince, trop bien habillé pour quelqu'un de la place. Ce furent les cheveux qu'elle reconnut en premier. Puis les yeux. Elle s'arrêta net.

L'épaisse crinière de Tim avait fait place à une coupe de cheveux du Sud, bien propre et bien droite. La barbe avait disparu, mais son visage exhibait toujours ces taches de rousseur si discrètes qu'on croyait les imaginer. Que restait-il de l'homme qu'elle avait tant aimé ? Même ses vêtements étaient propres. Même ses mains !

Il s'arrêta à un pas, puis, se ravisant, se pencha pour l'embrasser sur les joues.

— Je suis venu te dire au revoir.

Isabelle fut incapable de répondre tant cette phrase la bouleversa. Si elle n'était pas retournée *down river* depuis la débâcle, elle n'avait pas cessé d'espérer qu'avec le retour de l'hiver Tim et elle reprendraient leurs balades en traîneau. Et voilà qu'il s'en allait.

— Une galerie de Toronto m'offre un studio et accepte d'exposer mes toiles. Je serai parti deux ans environ.

— Deux ans?

— Oui, mais je vais revenir après. J'ai juste envie de faire changement.

Isabelle se rappela le silence tendu de leur dernière rencontre. La tristesse qu'elle avait perçue dans ses gestes et dans ses paroles.

— Depuis quand est-ce que tu le sais?

Elle avait déjà deviné la réponse, mais voulait l'entendre de sa bouche.

— J'ai reçu la lettre au mois de mars, mais je me suis décidé il y a quelques semaines.

— Tes cheveux…

D'un geste trop familier, elle allongea le bras et caressa les mèches rousses plus courtes que les siennes. Il avait été tellement beau quand il détachait ses cheveux longs. Tim prit sa main dans la sienne.

— Ça repoussera bien.

— Peut-être, mais pas à Toronto.

— Tu as raison. Pas à Toronto. Quoique ça pourrait être drôle. On me reconnaîtrait partout.

— On te reconnaît déjà partout.

— Tu ne m'as pas reconnu tout à l'heure.

— C'est vrai.

Parce qu'ils attiraient l'attention, Tim l'entraîna sur un banc de l'autre côté de la rue. De là, on voyait le fleuve et son courant, aussi immuable que le cycle des saisons. D'une année à l'autre, rien ne changeait vraiment à Dawson, sauf les gens. Ils passaient. Tous. Comme des étoiles filantes. Tim parlait toujours, mais Isabelle n'écoutait pas. Elle cherchait un sens à ce qui leur arrivait. Tim s'en allait, comme s'en allaient les travailleurs d'été. Quel vide il laisserait, lui, en partant!

— Je voudrais que tu prennes mes chiens.

334

Ces mots sortirent Isabelle de sa torpeur.

— Ils te connaissent et ils t'aiment. Je n'imagine personne d'autre que toi pour leur servir de maîtresse.

Que Tim veuille lui imposer cette responsabilité la dérangea.

— Je n'ai pas les moyens de nourrir huit chiens.

— Je vais te verser de l'argent aux deux semaines pour la viande, la moulée et le vétérinaire. Surtout, ne gâte pas trop Léa.

Il avait voulu la taquiner, mais Isabelle ne sourit même pas.

— Je ne peux pas aller vivre *down river*. J'ai ma maison à West Dawson et je travaille au village.

En huit ans de vie à Dawson, elle avait perdu l'habitude d'argumenter. Habituellement, un « non » suffisait. Pas cette fois-ci.

— Tu n'aurais pas besoin de déménager. Chris m'a promis de construire des niches sur ton terrain. J'ai loué mes cabanes à un nouveau, un Anglais d'Angleterre qui tripe sur Jack London. Il va s'occuper de nourrir les chiens en échange du loyer jusqu'en octobre.

— Tu pars tout de suite ?

Une chance qu'elle était déjà assise parce qu'elle eut les jambes molles tout à coup.

— Pourquoi penses-tu que je me suis fait tout beau ? La directrice de la galerie va venir me chercher à l'aéroport. Elle ne me reconnaîtra pas. Je lui ai envoyé par internet la photo que tu as prise pendant l'hiver.

Il rit de son rire trop fort. Isabelle en eut les larmes aux yeux. Comme ce rire allait lui manquer !

— Est-ce que ça te va ? Pour les chiens, je veux dire.

— Oui.

Ils garderaient au moins ce lien. Et quand il reviendrait, si un jour il revenait…

— Et pour le reste?

Il avait pris sa main. Le reste, c'était leur relation qui n'avait abouti nulle part. C'était les mois consacrés l'un à l'autre dont il ne resterait finalement que des souvenirs, de la tristesse et un désir inassouvi.

— Ça va aller.

Il se pencha et lui déposa un bref baiser sur la bouche.

— Prends soin de toi.

Il fallut un moment à Isabelle pour réaliser qu'il venait de l'embrasser. Quand elle parla, il s'éloignait déjà.

— Et toi, sois heureux.

Il rit.

— Je vais essayer.

Il traversa la rue et monta à bord de l'unique taxi du village. Isabelle ne s'était pas aperçue que la voiture l'attendait. Le chauffeur exécuta un demi-tour et prit la direction de l'aéroport. Sur la banquette arrière, Tim ne quittait pas Isabelle des yeux, une main appuyée sur la vitre, pour un dernier au revoir.

Après le départ des touristes, Isabelle se concentra sur les chiens. Il fallait les apprivoiser, leur montrer qui commandait, leur rappeler qui les nourrissait. Il fallait ramasser les crottes sur le terrain, remplir les bols d'eau, préparer le mélange douteux de bouillon et de viande qui leur servait de nourriture. Elle emmena les plus forts quand elle partit avec Chris couper des arbres morts. Habitués à travailler, ils permirent de sortir deux fois plus vite le bois de chauffage nécessaire pour l'hiver.

Entre boulanger son pain, fendre le bois, chauffer le poêle, entasser des provisions, se laver dans un bol six jours par semaine et, le septième, aller prendre sa douche à l'autre bout de la ville en profitant de l'occasion pour faire sa lessive, Isabelle trouva du temps pour prendre soin de huit chiens adultes et voraces.

Un peu avant la période du *freeze-up*, alors que le traversier effectuait encore ses multiples allers-retours quotidiens, un gigantesque krach boursier, le deuxième en importance dans l'histoire, secoua la planète entière. Le moindre travailleur dans le moindre village en ressentit les contrecoups. Mais dans les environs de Dawson, où la moitié de la population ne possédait presque rien, cette nouvelle eut autant d'effet que la signature du traité de libre-échange entre le Canada et le Pérou au mois de mai précédent. On haussa les épaules. Dans leur système de valeurs, la seule débâcle digne d'intérêt était celle du fleuve et, comme elle ne se produirait pas avant le printemps, il était encore trop tôt pour s'exciter.

Certes, on sentit un peu la nervosité qui gagna les mieux nantis du village, ceux de la 7e ou de la 8e Avenue, ceux qui travaillaient et vivaient dans le Nord comme on travaillait et vivait dans le Sud. Ceux-là s'agitaient. Ils avaient perdu de l'argent, souvent beaucoup. Leurs économies et leurs fonds de pension avaient souffert. Sauf qu'ils étaient si peu nombreux que leur changement d'humeur eut un effet négligeable sur l'atmosphère du village.

Ce qui toucha beaucoup plus Dawson fut une conséquence inattendue du krach boursier. Le prix de l'once d'or, descendu à sept cents dollars au cours de l'été, remonta en octobre. Nouvelle valeur refuge devant l'instabilité de l'économie mondiale, elle grimpa rapidement à neuf cents dollars et continuait de monter. Une bonne nouvelle pour les mineurs, les prospecteurs et tous les commerces de la région puisqu'elle redonnait de la vigueur à l'économie locale.

Cela n'empêcha pas le temps de suivre son cours normal et l'hiver de gagner le Yukon. Quand le gouvernement territorial exigea le retrait du traversier et que la neige au sol atteignit dix centimètres, Isabelle entreprit de sillonner la rive ouest du fleuve comme le faisaient les autres *mushers*. Dès que la glace put supporter le poids d'un traîneau, elle s'élança avec plaisir sur le fleuve. Elle remontait loin et descendait tout aussi loin, apportant toujours dans son traîneau un thermos de thé, de la nourriture pour elle et pour les chiens, de même qu'un sac de couchage, une tente et de quoi allumer un feu. Il n'était pas rare qu'elle disparaisse trois jours consécutifs. À West Dawson, personne ne s'en inquiétait. L'effet de dépendance que créait le traîneau à chiens était chose connue de tous. «*Dog gone addiction*», murmurait-on simplement quand quelqu'un se mettait à dépenser tous ses revenus pour satisfaire les besoins des chiens. Car il ne s'agissait pas d'un passe-temps. Pour les profanes, la vie des *mushers* était teintée de mystère et de passion. Si on admirait leur endurance, on trouvait suspecte leur capacité à se priver de tout, même de l'essentiel. Souvent, les *mushers* réservaient la viande pour les chiens, se contentant de fèves, de riz et de pois. Ils avalaient, comme Tim, une quantité astronomique de vitamine C pour compenser la faible présence de fruits et de légumes dans leur alimentation.

Le cas d'Isabelle était différent. Tim avait tenu parole et lui versait de l'argent toutes les deux semaines. Elle n'avait donc pas besoin de faire les mêmes sacrifices. Mais le sourire qui illuminait son visage quand elle n'entendait autour d'elle que le bruissement des pattes sur la neige était identique à celui des autres *mushers*. Elle vivait le bonheur à l'état brut. Une sensation de liberté inégalée.

Décembre. Le soleil ne passait plus la ligne d'horizon depuis une semaine déjà, mais le ciel était clair, ce qui expliquait la vue magnifique qu'on avait sur le ravin et sur les vallons au-delà. Depuis l'accident, Isabelle n'avait pas remis les pieds sur la route Top of the World. Elle avait exploré la rive ouest du fleuve dans tous les sens, mais n'était jamais allée au-delà des premières collines.

Elle se tenait maintenant à l'endroit même où était passée la motoneige avant de basculer dans le vide. Elle resta immobile, à laisser les souvenirs affluer. Même s'il s'était écoulé presque deux ans, elle se rappelait tous les détails, du moindre arbre au moindre rocher, du nombre d'oiseaux à la couleur exacte de leur plumage. Et même de l'endroit précis où elle avait vu apparaître la première étoile. Il faut dire qu'elle avait eu le temps d'étudier la place. Quand on passe six heures allongée dans la neige sans bouger, on remarque plein de choses.

— Veux-tu qu'on descende?

Chris se trouvait derrière elle avec deux des chiens. Isabelle entendit les bêtes s'ébrouer. Elles s'impatientaient, voulaient passer devant et courir. C'était leur seul plaisir dans la vie. Pour une fois, les chiens attendraient.

Isabelle entreprit la descente et, malgré le vertige qui rendait son pas hésitant, elle ne rebroussa pas chemin. Une fois en bas, elle leva les yeux pour évaluer la distance qu'elle avait parcourue dans les airs, ce jour-là, avant de rouler et de glisser sur la neige. Une dizaine de mètres environ. Elle avait bien reconnu l'emplacement de là-haut. Rien n'avait changé. Rien ne changeait jamais dans ces lieux où l'être humain s'engageait rarement. Un feu de forêt pouvait brouiller les pistes pendant un temps, mais la nature finissait toujours par reprendre le dessus, et les arbres qui poussaient dans la cendre ressemblaient à s'y méprendre à leurs prédécesseurs.

Une fois qu'elle eut confronté ses souvenirs à la réalité et découvert qu'elle n'était pas vraiment passée aussi près de la mort qu'elle l'avait cru, Isabelle se tourna vers Chris.

— Qu'est-ce qu'on fait, maintenant?

— On va plus loin ?

Elle approuva et le laissa passer devant avec les chiens.

Il avait peu neigé depuis le début de l'automne, ce qui permettait de progresser facilement tout en laissant des traces pour le retour. L'air était frais, -15 °C peut-être. Isabelle trouvait toujours étranges ces journées de décembre sans soleil où la douceur de l'air permettait de rêver du printemps alors que le pire restait à venir. Cet espoir, bien qu'illusoire, ne servait au fond qu'à se donner du courage.

La démarche de Chris avait tout de celle d'un homme des bois. Il contournait avec souplesse les souches et les rochers, enjambait sans effort un tronc couché ou une haie de buissons. Il montait ou descendait les pentes avec la même facilité qu'il déambulait sur le plat. Jamais il n'était hors d'haleine, jamais il ne semblait fatigué. Il ne faisait qu'un avec son environnement. Un jour qu'ils coupaient du bois, il s'était arrêté et avait admiré les couleurs de l'automne. Comme Isabelle l'interrogeait du regard, il lui avait dit être heureux à Dawson.

— Ce coin de pays, je l'ai dans le sang. Je suis né ici, j'ai grandi ici. Les montagnes, les rivières, la forêt, le ciel, ça fait partie de moi.

Elle avait été émue de l'entendre parler avec autant d'affection d'un endroit qui demeurait pour elle un mystère. Sur sa motoneige, Chris avait parcouru la région dans tous les sens, et jamais il ne s'était égaré. Il avait franchi plusieurs fois le cercle polaire arctique, avait traversé la frontière américaine et avait exploré les sommets et les vallées de toutes les chaînes de montagnes qu'on apercevait à l'horizon. Il avait remonté toutes les rivières en canot. Il chassait toutes sortes de gibiers, pêchait toutes sortes de poissons. Il s'étonnait de voir que les habitants de Dawson, des exilés pour la plupart, se restreignaient à quelques kilomètres de chaque côté du village. Année après année, personne ne s'aventurait au-delà du territoire connu, alors que lui ne s'imposait aucune limite.

Isabelle connaissait Chris depuis longtemps, mais elle avait l'impression de commencer tout juste à découvrir qui il était. Jusque-là, son âge et le trop grand intérêt qu'il lui portait avaient suffi à la tenir à distance. Elle remarquait maintenant qu'il avait pris de la maturité. Il avait eu trente ans à l'été. Sa calvitie s'était un peu accentuée. Son regard avait gagné en assurance, sa conversation, en chaleur. Une femme avait séjourné dans sa maison au mois de juillet. Une autre était restée en septembre. Toutes deux avaient laissé des traces dans l'aménagement de la cuisine et, Isabelle s'en doutait, dans celle de la chambre, tout en haut.

Parce qu'elles venaient d'ailleurs, ces femmes avaient partagé avec lui leur vision du monde. Elles ne lui avaient toutefois pas donné envie de partir. Chris demeurait attaché à son Yukon natal et, même s'il avait effectué quelques voyages dans le Sud au début de sa vie d'adulte, il était toujours revenu. Il ressentait, quand il était chez lui, un bonheur tout simple. Celui de vivre au jour le jour, de parcourir la toundra, les montagnes, le fleuve et les rivières, et de s'émerveiller que tout cela, en quelque sorte, lui appartienne.

Cette affection pour son coin de pays expliquait l'énergie paisible avec laquelle il marchait en forêt. Il ne faisait qu'un avec elle. Il connaissait les noms de tous les arbres, de toutes les fleurs, de tous les animaux.

Isabelle avait eu avec lui une étrange conversation quelques semaines plus tôt. Pour la première fois depuis qu'ils se connaissaient, il n'avait pas été question d'avenir ni de passé, mais de présent. Chris s'était confié. Il n'avait besoin que de deux choses dans la vie : la santé et la liberté. Tant qu'on ne le mettrait pas en cage, tant qu'il aurait toutes ses facultés pour explorer, goûter, sentir ce qui l'entourait, il s'estimerait chanceux et se dirait heureux.

Heureux, il l'était désormais. Isabelle l'avait constaté. Il l'avait emmenée à la chasse et, même si elle n'avait fait que le suivre, il avait été content de partager l'expérience avec elle. Ils veillaient souvent à deux au bord du poêle en buvant du café fort et du whisky pour parler encore de ce qu'ils découvraient, lui, à motoneige, elle, en traîneau à chiens. Il ne fumait pas, mais ne s'offusquait jamais quand elle se roulait une cigarette. Comme Isabelle l'avait fait avec Tim, il associait l'odeur du tabac à sa présence, sans la juger.

Isabelle le regarda marcher devant elle et s'étonna de la carrure de ses épaules, de la souplesse de ses pas et de l'acuité de son regard. Aucun oiseau de proie ne passait inaperçu à ses yeux. Ni les renards. Ni les pistes laissées dans la neige par les autres animaux. Il désigna tout à coup un *ptarmigan* blanc, immobile et juché sur la branche d'un buisson. S'il ne l'avait pointé du doigt, jamais Isabelle ne l'aurait distingué des mottes de neige entre lesquelles il se trouvait.

— Ça ferait un bon souper.

Chris la regarda, intrigué, puis il leva les yeux au ciel.

— Ce que je ne ferais pas pour toi…

Elle avait voulu le taquiner, mais Chris l'avait prise au sérieux. Il s'avançait maintenant pour attraper l'oiseau. Si elle n'intervenait pas, il passerait à l'acte. Elle réalisa tout à coup à quel point c'était un homme doué. Il n'avait pas d'arme avec lui, mais se dirigeait néanmoins vers l'oiseau pour essayer de l'attraper à mains nues. Isabelle imagina les péripéties qui allaient suivre et eut pitié de lui.

— C'était juste une blague, tu sais. J'ai déjà du ragoût sur le feu.

Avec un soupir de soulagement, il fit demi-tour.

Comment expliquer qu'à ce moment-là Isabelle se planta en travers de son chemin? Surpris de se retrouver face à elle et convaincu d'avoir fait un pas de travers, il s'excusa. Il s'apprêtait à la contourner quand elle lui barra de nouveau la route. Il crut qu'elle le taquinait encore, mais, quand elle fit un pas pour se rapprocher, il déglutit.

— Qu'est-ce que tu fais ?

Elle ne prit pas la peine de répondre, mais un sourire effleura ses lèvres. Elle s'avança encore. Chris recula, hésitant. En quelques secondes, il se retrouva écrasé contre un arbre par Isabelle qui l'embrassait à pleine bouche. Il resta d'abord les bras ballants, incapable de réagir. Puis il se reprit et la serra contre lui.

Le reste fut joué à l'instinct. Faire l'amour dans la neige tout habillé relevait de l'exploit. Un exploit qu'Isabelle et Chris accomplirent comme si leur vie en dépendait. Leurs halètements emplirent la forêt tandis qu'ils descendaient des fermetures éclair, qu'ils remontaient des pans de tissu, qu'ils dégrafaient, déboutonnaient, exposant enfin des parties de corps qui s'introduisirent l'une dans l'autre dans un gémissement de plaisir partagé.

Les chiens s'étaient roulés en boule et dormaient. Les oiseaux avaient repris leurs piaillements. Le jour déclinait, déjà. Allongée sur Chris, son sexe encore serré sur le sien, Isabelle gardait les yeux clos, mais un sourire illuminait son visage. Le sourire d'une femme rassasiée. Elle ne comprenait pas ce qui l'avait poussée à se jeter sur lui, mais elle ne le regrettait pas. Pas encore du moins. Dans les minutes qui avaient précédé, elle avait senti monter en elle un désir tellement violent qu'elle avait renoncé à le contrôler. Chris avait vu là l'aboutissement de sept années de patience et d'attention qu'il avait crues vaines. Sa voix sonna tout doucement contre son oreille.

— Il faudrait que je me lève. J'ai les fesses gelées.

Isabelle se redressa, le sentit glisser hors d'elle, suivi du liquide chaud qui s'écoula entre ses cuisses. Pendant l'amour, ils n'avaient pas pensé un instant à la neige. Ils avaient roulé l'un sur l'autre, le corps tantôt protégé, tantôt exposé, selon la disposition des pans de leurs parkas. Ils se rhabillaient maintenant avec une sorte de gêne, comme si ce qui venait de se produire relevait d'un comportement animal dont ils avaient tous les deux un peu honte. Ce fut Chris qui pouffa de rire le premier.

— Pour une surprise, c'en était toute une!

Isabelle ne dit rien. Elle avait encore sur les lèvres le même sourire figé que tout à l'heure. Dans sa tête, les réflexions, les questions et les hésitations s'étaient volatilisées. Rien d'autre n'existait plus que l'instant présent.

La voiture la déposa sur la route de l'Alaska. Ce n'est pas sans fébrilité qu'Isabelle traversa et s'engagea dans le dédale de petites rues perpendiculaires qui constituait Porter Creek.

En acceptant de s'occuper des chiens de Tim, elle n'avait pas réalisé à quel point cela brimerait sa liberté. Comment passer les fêtes à Whitehorse quand il fallait nourrir huit bêtes deux fois par jour en plus de ramasser les excréments qui jonchaient le sol autour des niches? Elle avait dû faire mille promesses pour convaincre Chris de prendre la relève, lui qui éprouvait pour les chiens une tiède indifférence. Il ne comprenait pas l'attrait qu'ils exerçaient sur les *mushers*. Il leur préférait la motoneige, plus facile à diriger et plus fiable, du moment qu'on pensait à faire le plein. Il avait quand même fini par lui concéder trois jours.

— Mais je ne ramasse pas les crottes.

Isabelle l'avait remercié, même si elle calculait qu'en soustrayant le temps de transport elle ne passerait qu'une seule journée en compagnie de Juliet et de sa fille.

Elle avait gagné la capitale sur le pouce, comme bien des Yukonnais l'hiver. L'attente pouvait être longue, mais, une fois qu'on montait dans une voiture, les arrêts se faisaient plutôt rares. Les gens qui s'engageaient sur la route du Klondike avaient pas mal tous la même destination : Whitehorse.

Elle parcourut en vingt minutes le kilomètre qui la séparait de chez Juliet. Elle s'émerveillait chaque fois de la vue qu'on avait sur les montagnes où qu'on se trouvât dans Porter Creek. Cette beauté du paysage, accessible à tous, était sans contredit la chose qu'elle aimait le plus au Yukon, après la liberté.

Elle portait son sac sur le dos, mais se sentait légère. Depuis quelque temps, elle était habitée par un sentiment d'euphorie permanent. Était-il possible qu'elle fût amoureuse de Chris ? Elle ne savait plus. Elle dormait parfois chez lui, mais ça ne voulait rien dire. Il n'était plus question pour elle de vivre en couple à temps plein. Chris avait beau posséder une grande maison, Isabelle avait trop d'expérience pour croire que trois pièces suffisaient quand on vivait à deux. Il lui fallait son propre espace, sa propre intimité, ses propres affaires. Comme le disait si bien Maureen, vivre avec un homme, c'était beaucoup plus de travail que vivre seule. Isabelle le savait et trouvait ses journées suffisamment remplies depuis qu'elle avait les chiens. Et puis Tim lui avait écrit. Pas grand-chose, deux lignes à peine. Ce courriel, pour neutre et court qu'il était, avait ravivé la flamme qu'elle avait crue éteinte, lui confirmant que, si elle n'attendait plus le peintre pour faire sa vie, elle l'accueillerait à bras ouverts s'il revenait.

Quand elle arriva sur le perron du jumelé, son cœur battait à tout rompre. Juliet se trouvait devant la fenêtre et tenait Isabella dans ses bras. L'enfant avait encore ses cheveux noirs, ses traits délicats et sa peau mate. Isabelle se dit que la vie était belle et que certains bonheurs pouvaient durer si on y consacrait l'énergie et le temps nécessaires.

À neuf mois, Isabella rampait sur le plancher de la cuisine, s'accrochait aux meubles, gazouillait et riait d'un rien. C'est ce souvenir qu'Isabelle emportait quand, deux jours plus tard, Juliet la déposa dans le centre-ville de Whitehorse.

— Tu es certaine que tu ne veux pas rester un jour de plus. Il me semble qu'il neige beaucoup.

Isabelle l'avait rassurée. Elle voulait faire quelques courses et s'aviserait de la température avant de tendre le pouce sur le bord de la route. Elle fit le tour des friperies et s'arrêta à la bibliothèque. Maureen lui avait recommandé un livre qu'elle chercha en vain dans les rayons en français. Interrogée, la bibliothécaire lui tendit la version anglaise du *Festin de Babette*. Isabelle prit quand même le livre, non sans manifester sa déception. Elle vivait à longueur de journée en anglais. Même les chiens ne comprenaient les ordres qu'en anglais. Lire en français la rassurait, lui rappelait qui elle était et d'où elle venait. Lire en français donnait à son cerveau un répit, comme une bière fraîche après une journée de travail au gros soleil.

Quand elle quitta la bibliothèque, le vent s'était levé. La neige, qui tombait tout doucement quelques heures plus tôt, était maintenant soufflée en rafales. Au coin de la rue, elle tomba sur Serge qui attendait au feu piétonnier, des documents sous le bras.

— Isabelle ? Tu parles d'une surprise !

Ils parlèrent un moment de Dawson et de Guy. Puis Serge s'excusa. Il avait du courrier à poster.

— Il y a là-dedans des papiers pour Guy, justement. Sauf que, branleux comme il est, ça lui prendra sûrement une semaine pour aller les chercher au bureau de poste.

— Je peux les laisser chez lui en passant, si tu veux. Je remonte sur le pouce.

Serge accepta et lui tendit l'enveloppe.

— Il n'y aura probablement pas grand monde sur le chemin aujourd'hui.

Il faisait allusion à la tempête qui s'intensifiait de minute en minute. Isabelle approuva, et ils se quittèrent quand le feu passa au vert.

Isabelle décida de reporter son départ au lendemain. Elle se rabattit sur le Baked Café afin d'y attendre Juliet, dont le quart de travail se terminait à 16 heures. Elle aimait son atmosphère feutrée. C'était peut-être la seule chose qui lui manquait à Dawson, où on trouvait trois bars en hiver et plus du double en été, mais où aucun établissement n'offrait le confort et la chaleur d'un vrai café, avec des fauteuils confortables, de belles pâtisseries, du café et des thés de meilleure qualité que ce qu'on achetait à l'épicerie. En franchissant le seuil, Isabelle retrouvait chaque fois ce petit côté latin que tous les francophones en exil entretenaient de peur de se laisser assimiler.

Elle s'installa confortablement et y passa la journée à lire et à boire du café.

Elle marchait sur le bord de la route depuis un quart d'heure à peine quand une voiture apparut. Elle tendit le pouce, mais c'était inutile. La conductrice s'arrêtait déjà. La vitre du côté passager s'abaissa, dévoilant un visage de femme d'une trentaine d'années qui ne lui était pas inconnue, mais qu'elle n'arriva pas à replacer.

— *Where are you going ?*
— *Dawson City. And you ?*
— *The same. Get in !*

Isabelle balança son sac à dos à l'arrière et s'installa à l'avant.

— *Where are you from ?*

Il existait des règles de politesse essentielles quand on faisait du stop. L'une d'elles consistait à s'intéresser un peu au conducteur qui avait la gentillesse de s'arrêter.

— Québec.

— Tu parles français ?

— Toi aussi ?

Isabelle rit de voir la tête de la conductrice que la situation surprenait. Les Québécois étaient tellement nombreux au Yukon qu'on ne s'étonnait plus d'en rencontrer. Sauf si on venait juste d'arriver.

La voiture avait atteint sa vitesse de croisière. Isabelle sentait que l'autre l'étudiait.

— Quand je t'ai vue hier, au café, je me suis dit que je te connaissais.

Isabelle se tourna vers le lac.

— C'est possible.

À force de travailler avec les touristes, elle avait développé une allergie à toutes leurs questions stupides. Pourquoi vivez-vous au bout du monde ? Ne trouvez-vous pas qu'il est long et froid, votre hiver ? La grande ville doit bien vous manquer des fois ? Retournez-vous souvent au Québec ? Vous avez un petit accent quand vous parlez français, le savez-vous ? Ça doit être dur de toujours vivre en anglais ?

Toutes ces questions trahissaient leur ignorance du territoire et des raisons qui poussaient les Québécois à s'y installer même si c'était pour y vivre en tant que minorité. White-horse disposait depuis longtemps d'une école francophone, d'un journal en français. L'Association franco-yukonnaise faisait des pieds et des mains pour faciliter l'intégration des nouveaux arrivants unilingues français. Elle possédait une agence de placement et d'aide à la recherche d'emploi. On y trouvait aussi des services de toutes sortes. En français, s'il vous plaît. Ces services n'existaient pas encore à Dawson, mais Isabelle ne perdait pas espoir.

— Je m'appelle Isabelle.

Autant en finir puisque l'autre ne cessait de la dévisager. Dès qu'elle entendit ce nom, la conductrice s'agita.

— As-tu déjà été esthéticienne à Québec?

Isabelle fut tellement bouleversée qu'on la relie à son ancienne vie qu'elle eut tout à coup envie de descendre et de tenter sa chance avec une autre voiture. Non, il n'était pas question qu'elle raconte son histoire. Pas question non plus qu'elle explique pourquoi elle avait suivi un homme qu'elle ne connaissait pas à l'autre bout du monde. Elle avait déjà eu cette conversation avec sa mère et avec ses amies d'autrefois. Personne ne comprenait jamais.

— Je m'appelle Béatrice Gagnon. Je pense que j'ai déjà été ta cliente.

Isabelle l'étudia un moment. Elle ne se souvenait pas d'elle, mais se dit que l'autre pourrait être froissée si elle lui disait la vérité.

— Wow! Ça fait longtemps! Qu'est-ce qui t'amène au Yukon? Ce n'est pas la porte à côté.

Béatrice lui dit qu'elle était écrivaine et qu'elle venait garder une maison à Dawson.

— Tu vas rester chez Maureen?

Tout le monde savait que, depuis que Maureen avait pris sa retraite et qu'elle était libérée de l'horaire scolaire, elle passait une partie de l'hiver au Mexique. Elle répétait qu'elle était une *sourdough* depuis assez longtemps, qu'elle n'avait plus rien à prouver à personne.

— Dis-moi donc… Qu'est venue faire au Yukon une esthéticienne de Québec?

Fallait-il vraiment qu'elle la pose, sa maudite question?

— Je suis venue pour travailler dans le tourisme un été. Je ne suis jamais repartie. Ça fait neuf ans.

Pour faire diversion, elle lui parla de la météo. L'autre n'en démordait pas.

— Quand je t'ai vue au café hier, tu lisais *Le festin de Babette* en anglais.

Isabelle soupira. Comme la route s'annonçait longue!

— C'est une amie qui me l'a recommandé. L'as-tu lu ?

— Souvent. Parlais-tu anglais avant de venir ici ?

Quelle plaie ! Isabelle se promit qu'à la première occasion elle demanderait à descendre. Mieux, il y avait un restaurant à Carmacks où beaucoup de gens avaient l'habitude de s'arrêter. Elle allait suggérer à Béatrice d'y prendre un café et, dès qu'elle la verrait disparaître dans les toilettes, elle se sauverait avec quelqu'un d'autre.

Elle s'amusa à cette idée, mais se ravisa. À quoi servirait d'éviter cette conversation ? Béatrice allait passer un mois à Dawson. Elles devraient se recroiser tôt ou tard. Chaque fois, il faudrait ruser. Ça deviendrait épuisant à la longue. Résignée, Isabelle se déchaussa et appuya ses pieds sur la boîte à gants. Le plus difficile finalement, quand on faisait du pouce entre Whitehorse et Dawson, c'était de trouver quelque chose à dire pendant les six heures que durait le trajet.

— On peut vivre en français à Whitehorse, mais pas à Dawson. Et puis, même si je suis venue au Yukon pour un Québécois, les hommes que j'ai fréquentés ensuite parlaient juste anglais.

C'est ainsi qu'elle commença à raconter l'histoire de la petite fille de l'école privée qui avait coupé ses cheveux et s'était affranchie de la mode et de la bonne société de Québec pour refaire sa vie au Yukon.

Épilogue

2011

Je n'ai jamais revu Isabelle. Aux dernières nouvelles, elle vivait dans sa maison à West Dawson avec son fils. Eh, oui! Ses ébats dans la neige avec Chris avaient eu une conséquence heureuse. En août suivant, elle donnait naissance à Julien à l'hôpital de Whitehorse. Quand Maureen m'a écrit la nouvelle, je n'ai pas été surprise une minute qu'Isabelle ait choisi ce prénom qui se rapprochait trop de Juliet pour être une coïncidence. Quant à Chris, toujours d'après Maureen, il joue son rôle de père depuis sa maison à trois étages. Isabelle m'avait bien dit qu'il n'était plus question pour elle de s'occuper d'un homme. Je suppose d'ailleurs qu'elle en a plein les bras entre les soins à donner à son enfant et ceux qu'exigent ses huit chiens de traîneau.

Je ne sais pas si Tim est revenu. Quant à Guy, il est toujours riche, paraît-il. Maureen prétend qu'Isabelle et lui ont recommencé à se fréquenter. Elle les aurait aperçus plus d'une fois dans sa camionnette en direction de Rock Creek. Je suppose que Guy aurait qualifié cette observation d'«ostie de mémérage» s'il avait pu lire le courriel qu'elle m'a envoyé.

Si je tiens ces nouvelles de Maureen, c'est qu'Isabelle et moi n'avons jamais tissé les liens d'amitié que j'avais espérés. Je n'avais pas l'intention de retourner à Dawson, ni elle à Québec. Nous avions chacune nos vies, à six mille kilomètres de distance. Nos chemins s'étaient croisés pendant un mois, et cela lui suffisait.

Et puis je n'avais pas vécu à Dawson assez longtemps pour en connaître à fond les us et coutumes, ni pour m'intégrer à sa communauté. Malgré tous mes efforts et ceux déployés par Isabelle, jusqu'à mon départ, j'ai jugé le village et ses habitants avec mes yeux de touriste. Ce n'est qu'après avoir mis cette histoire par écrit que j'ai compris enfin la chance que j'avais eue d'y séjourner l'hiver.

J'ai passé cinq semaines à Dawson. Pendant cette période, j'ai rencontré Isabelle à six reprises. Depuis, j'ai vécu avec elle au quotidien, la retrouvant chaque fois que je plongeais dans mon roman. En deux ans, j'ai scruté chacun de mes souvenirs, chaque page de ces notes que je prenais après l'avoir écoutée pendant des heures. Ce n'est sans doute qu'une illusion, mais j'ai aujourd'hui l'impression de la connaître mieux que je ne connais plusieurs de mes amies. Et quand elle mourra, si je lui survis, j'en éprouverai une peine immense. Elle a été à la source de tout un roman, même si moi, en fin de compte, je n'ai été pour elle qu'une étoile filante.

Remerciements

Même si cette histoire est fictive, elle n'aurait jamais vu le jour si j'avais dû l'écrire toute seule dans mon bureau de Sherbrooke. Je tiens donc à remercier la *Writers' Trust of Canada* de m'avoir permis de séjourner trois mois à la résidence d'écrivains Pierre Berton (*Berton House Writers' Retreat*) de Dawson City à l'hiver 2010. Merci aussi à la ville de Sherbrooke pour la bourse d'artiste ambassadeur qui m'a permis de retourner à Dawson à l'hiver 2011.

Je me dois aussi de remercier le *Klondike Sun* pour ses archives en ligne, Kathy Webster qui m'a prêté sa maison pendant l'hiver 2011, de même que l'Association franco-yukonnaise et le Centre de la francophonie à Dawson pour leur soutien pendant toute la durée de ce projet.

Sans la confiance et la collaboration des Yukonnais, je n'aurais jamais pu recréer leur cadre de vie dans le détail ni dans l'intimité. Je tiens à remercier chacune de ces personnes pour le temps qu'elles m'ont accordé et pour la générosité et la patience dont elles ont fait preuve envers la p'tit fille du Sud que je suis. Les voici donc :

Hélène Bélanger, Karine Bélanger, Camille Benrais, Denis Boudreau, Florian Boulais, Solveil Bourque, Michèle Caley, Tiss Clark, Dan Davidson, Elizabeth Davidson, Marc Deslauriers, Carrie Docker, Bill Donaldson, Jonathan Dowdell, Nathalie Forment, Marie-Dimanche Gagné, Cécile Girard, Annie Granger, Marie-Stéphanie Grasse, Karine Grenier, Miriam Haveman, Holly Haulstein, Romy Jansen,

Lulu Keating, Bill Kendrick, Francine Lapointe, Julie Leclerc, Josianne Paquin, Daphné Pelletier-Vernier, Louise Piché, Shawn Ryan, Virginia Sarrazin, Alain Savard, Gabriella Sgaga, Sandra Saint-Laurent, Marianne Théoret-Poupart, Nicole Tremblay, Harvey Van Patten, Maxime Vincent, Michel Vincent, Kathy Webster et Rachel Wiegers. J'ajoute à cette liste celui qui m'a demandé de ne pas donner son nom, mais avec qui j'ai effectué une des entrevues les plus significatives.

Je remercie également Marie-Pierre Barathon pour son soutien pendant la rédaction de ce roman, de même que mes premiers lecteurs Ghislain Lavoie, Louise Piché (de Dawson) et Pierre Weber pour le temps consacré à vérifier la vraisemblance de cette histoire.